スラウェシ島
スマトラ島
カリマンタン
（ボルネオ）島
0°
ブトン島
インドネシア共和国
ジャカルタ
小スンダ列島
バンドン
東ティモール
クリスマス島
（オー）
ロテ島
アシュモア礁
（オー）
ダーウ
ココス諸島
（オー）
ティモール海
ダンピア半島
20°
グレート
サンディー砂漠
インド洋
オーストラリア連
グレート
ヴィクトリア砂漠
パース
40°
広域地図
0
1000
2000km
（メルカトル図法）
100°
120°

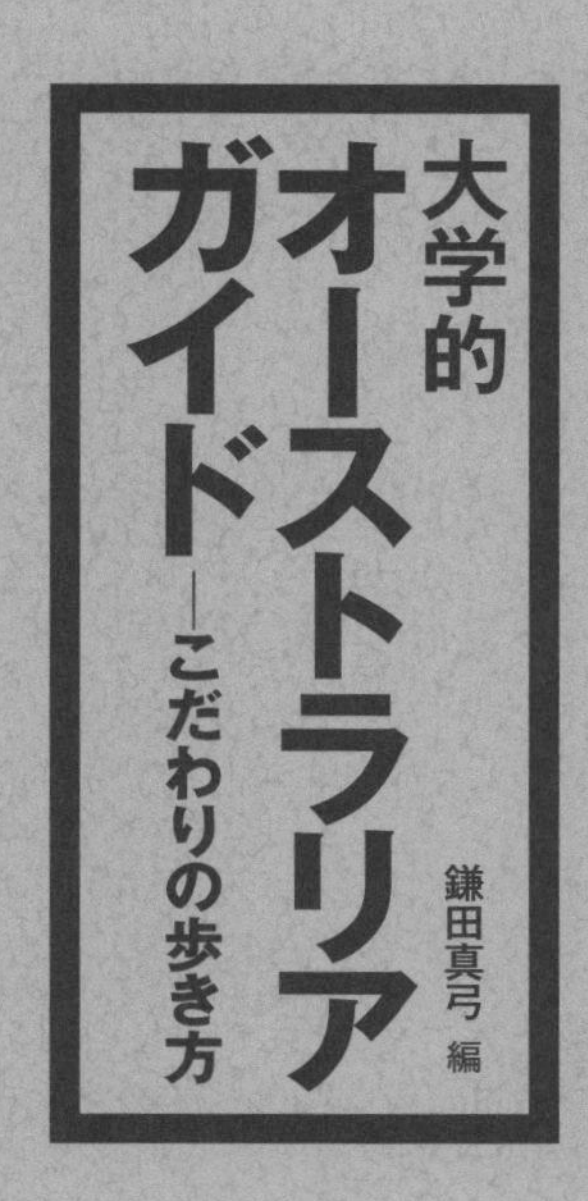

大学的オーストラリアガイド

――こだわりの歩き方

鎌田真弓 編

昭和堂

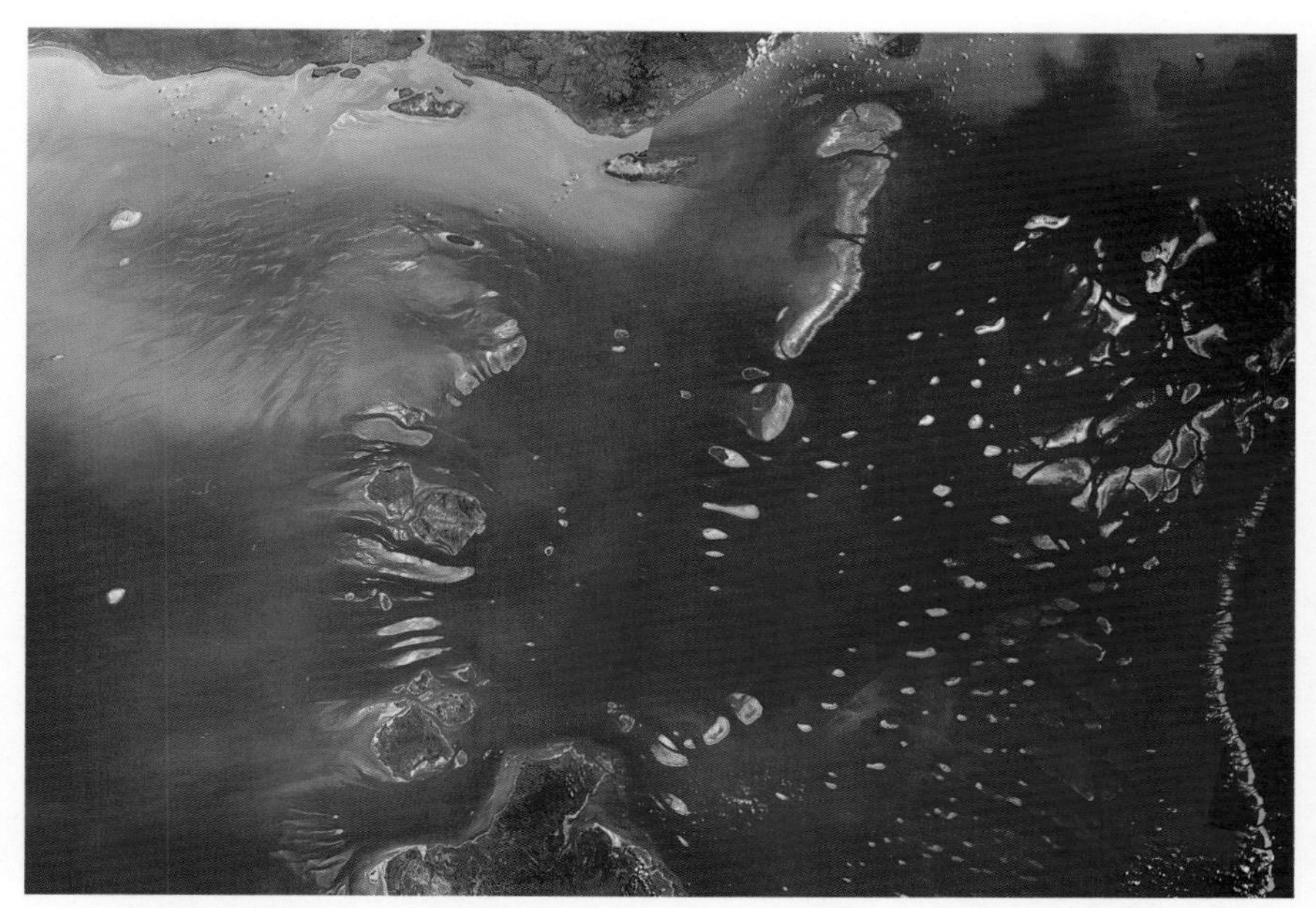

トレス海峡諸島の衛星写真：2章参照（写真提供：eAtlas Australia's Tropical Land And Seas）

真珠祭りでの灯籠流し（ブルーム）：3章参照（写真提供：在パース日本国総領事館）

オーストラリア北部海域の「覚書区域」に出漁する伝統的な帆船（インドネシア・ロテ島）：4章参照
（写真提供：鎌田真弓）

ハイドパークでマルディ・グラのパレードを待つ参加者（シドニー）：5章参照（写真提供：Holi, shutterstock）

セントピーターズ大聖堂（ノースアデレード）：6章参照（写真提供：Fernando M. Gonçalves）

アンザックヒルから望んだアリススプリングスの街（アリススプリングス）：7章参照（写真提供：飯嶋秀治）

国立戦争記念館（キャンベラ）：10章参照（写真提供：鎌田真弓）

カウラ日本人戦争墓地の慰霊墓碑（カウラ）：11章参照（写真提供：金森マユ）

大学的オーストラリアガイド――こだわりの歩き方　目次

第3部　戦争とオーストラリア

序章――オーストラリア概説

鎌田真弓

1 オーストラリアへのいざない

本書は、オーストラリアに関心がある、行ってみたい、でも良く知らない、という人に手に取ってもらいたい。[1] 多様な側面から現代オーストラリア社会を理解できるように工夫されている。興味のある場所やテーマから読み始めていただければと思う。

オーストラリアへの旅の目的は、旅行、英語研修、ワーキングホリデー、商用、仕事、留学などさまざまであろうが、一回の旅でオーストラリア全土を周遊するのは、ほぼ不可能である。日本からだと、飛行機を使ってケアンズ、ブリズベン、シドニー、メルボルン、あるいはパースに到着するのが一般的だが、到着した街から次の街までが遠い。それでも、

(1) オーストラリア全般を知るためのより専門的な教科書としては、以下のものがある。藤川編（二〇〇四）、竹田・森・永野編（二〇〇七）。追手門学院大学図書館「オーストラリア研究のためのリファレンス・サイト」も充実している。

主要都市間ならば、飛行機を乗り継いでその日のうちに移動できるが、「オーストラリアを満喫する」旅ともなれば、移動手段に頭を悩ますことになる。

パックツアーにお世話になるか、割安な航空券を手配するか、長距離バスを使うかであろう。日本と同じく車は左側通行なので、運転歴が長ければレンタカーも便利だ。ただし、二一歳以下は借りられないし、道路状況も日本と異なり大事故になりやすいので、学生の旅行にはお勧めできない。鉄道は日本と比べるととても不便で、利用するのは都市の近郊を訪れる場合か、比較的便利なシドニー―キャンベラ間やメルボルンからベンディゴウ方面へ向かう時ぐらいだろうか。他方鉄道ファンにとっては、大陸南部を横断するインディアン・パシフィック号や、大陸の真ん中を縦断するザ・ガン号の旅は魅力的だ（図1）。

図1　インディアン・パシフィック号（写真提供：Tourism Australia）

日本の面積の約二〇倍あるオーストラリア大陸は、南北に三二〇〇キロ、東西に三八〇〇キロある。加えて南東部のタスマニア島は北海道の八割ぐらいの大きさで、南端は南緯四四度。その他、ジャワ島の南方のインド洋に位置するクリスマス島やココス諸島、アシュモア礁を含むティモール海の多数の環礁、太平洋のノーフォーク島、ニュージーランド南島の南西にあるマクウォーリー島などを領有し、南極大陸にも領土を持つ。ただし、南極大陸の領土は南極条約によって請求権が凍結されている。

日本は南北に二八〇〇キロで北端は北緯四六度なので、オーストラリアの都市部は、日本と同じように温暖で住みやすい。街の石造りの建物や教会がヨーロッパ的な雰囲気を作りだしている。概して治安は良く清潔で、物価は日本より高めだがスーパーマーケットの品揃えは豊富で、フードコートやカフェで手軽に食事ができる。日本と少し様相が異なるのは、世界各地の食材や料理が並び、行き交う人たちの言葉や服装や顔立ちがさまざまなことであろう。

さらに大きな違いを見るのは、街から離れた時である。ブッシュと呼ばれるユーカリの疎林、牛や羊の姿が見えない牧場、道路脇には輪禍にあったカンガルーやウォンバットが点在する。さらに内陸部に向かえばアウトバックと呼ばれる乾燥地帯へ、北に向かえば雨季と乾季に分かれるサバナ気候の地域に入る。どこまでも続く赤茶けた大地には圧倒されるし、雨季に北部を直撃するサイクロンには恐怖を感じる。

夜になれば、南十字星で南半球に来たことを実感するであろうし、街の明かりが届かない場所ならば、マゼラン星雲を見る幸運に恵まれるかもしれない。何度かオーストラリアを訪れれば、風に薫るユーカリや、春を告げるワトルの花の甘い香りを嗅ぎ分けることができるだろう。当然のことながらクリスマスは真夏、冷房がきいたショッピングセンターには雪を乗せたクリスマスツリーが飾られているが、ショートパンツにゴム草履、サマードレスの人たちで賑わう。

2　イギリス植民地から国家へ

「国家」としてのオーストラリアの歴史は浅い。一九〇一年一月一日、シドニーでオーストラリア連邦（Commonwealth of Australia）の成立が宣言された。この時に連邦に加盟したのは、クインズランド、ニューサウスウェールズ、ヴィクトリア、タスマニア、サウスオーストラリアの五つのイギリス植民地で、新しい憲法が発布されて連邦政府が設立された。ウェスタンオーストラリア植民地は、前年七月の住民投票で連邦加盟を決めていたが、遅れての加盟となった。[2] 一九〇一年三月末に連邦議会選挙が行われ、同年五月九日にメルボルンで、イギリスのコーンウォールおよびヨーク公爵（後のジョージ五世）によって初の連邦議会の開催が宣言された。当時はまだ、首都キャンベラは建設されていない（図2、10章コラム参照）。

図2　オーストラリアの国章

連邦結成後もオーストラリアはイギリス帝国にとどまり、本国から完全に独立した立法権を得たのは一九四二年、[3]「国籍法」の施行によって「オーストラリア国籍」ができたのは一九四八年、[4]「アドバンス・オーストラリア・フェア」[5]が国歌として「ゴッド・セイヴ・ザ・クイーン」に変わったのは一九八四年である（9章コラム参照）。

（2）ウェスタンオーストラリアは独自意識が強く、連邦参加に対しても住民の意見は割れていた。一九二九年、植民地開設一〇〇周年を機に連邦離脱を決定、一九三三年の州政権交代で連邦復帰となった。

（3）一九三一年、イギリス議会はウェストミンスター憲章を成立させ、自治領の立法上の自立性を認めたが、オーストラリアが批准したのは一九四二年である。

（4）「国籍法」が施行されても「イギリス臣民」の身分は従来通り維持されており、それが完全に廃止されたのは一九八四年である。

（5）ピーター・マコーミックの作詞作曲（一八七八年）で、連邦結成の式典で合唱された。二〇二一年一月一日、オーストラリア政府は先住民の歴史をふまえて、国歌の歌詞の一部を変更すると発表した。

また、一九八六年にイギリス議会が制定した「オーストラリア法」によって、オーストラリアは司法上もイギリスから完全に独立した。[6]

図3　オーストラリア国旗

現在でもオーストラリアの国王（エリザベス二世）はイギリス国王を兼務している。[7] 連邦結成一〇〇周年を前に、一九九九年、共和制への移行を問う国民投票が行われたが否決された。オーストラリアの国旗は紺色を基調に、左肩にユニオンジャック、その下に七稜星、[8] 右側に南十字星が配されている。新国旗の制定も議論されているが実現していない（図3）。

イギリスによる領有は、ジェームズ・クック船長がオーストラリア大陸の東海岸に一七七〇年四月に到達し、その後北上してケープヨーク半島の北に位置する島で、[9] 大英帝国国王ジョージ三世のものとすると宣言をした時に始まる（図4、5）。クックはその地を「ニューサウスウェールズ」と命名した（1章、2章参照）。この宣言から四半世紀後、イギリス人探検家マシュー・フリンダーズの三年間に及ぶ調査で、一つの大陸であることが判明し、「オーストラリア」と命名された。大陸全土がイギリスの領有となったのはさらに後で、一八二七年に大陸西側部分の領有が宣言され、この大陸で二つ目のウェスタンオーストラリア植民地が開設された。

かの地を「発見」したヨーロッパ人は、クックが初めてではない。一六一九年にはオランダ東インド会社によって、交易の拠点としてのバタヴィア（現ジャカルタ）が建設されているので、一七世紀には、オランダ、スペイン、イギリスの探検家（しばしば海賊行為を

（6）連邦および州のすべての裁判所から、イギリス枢密院司法委員会への上訴が廃止された。

（7）もっとも、一般的に見れば、英国国王がオーストラリアやその他イギリス連邦の国王を兼務していることになる。

（8）七つの角を持つ星で、連邦を結成した六つの植民地と連邦を象徴する。

（9）ポゼッション島と名付けられている。

図4　クック船長が航海をした「エンデバー号」。写真はダーウィン寄港中の復元船（筆者撮影）

図5　木曜島からポゼッション島方向を望む。快晴の時には島影が見えるという（筆者撮影）

伴った）が大陸の西海岸や北部海岸、タスマニア島南端に到達していて、大陸の西半分はニューホーランドと呼ばれていた（1章参照）。しかし、想像してみて欲しい。帆船による長い航海の末、海岸沿いにめぼしい交易品が見つからなければ、その地に上陸してさらなる探検を試みるだろうか。海岸は岩肌が目立つ荒涼とした乾燥地帯か、マングローブが繁る湿地帯が続く。

　ヨーロッパ人がやって来た時、そこには人びとが暮らしていた。アボリジニやトレス海峡諸島民と呼ばれることになる先住民である。アボリジニは文字を持たない狩猟採集民で、八〇〇近い方言を含む二五〇の言語があったといわれる。[10]ヨーロッパ人からは「未開人」とされたが、クック船長が見たであろう東海岸に点在する草原は、そうした人びとが作り出し、生態系を管理してきたのである。[11]他方、トレス海峡諸島民は半農耕・半漁撈の生活を営んでいた。しかし、「無主地」[12]としてイギリスの占有権が発動され、入植とともに先住民の土地の収奪が始まった。先住民の土地権が認められて土地の一部返

（10）　AIATSISウェブページ

（11）　下草を焼いて大規模な森林火災を防ぎ、新芽の発育を促して動物を呼び込み狩を容易にした。また最近の研究では、必要な樹木を選別的に育てるため、長期的なスパンで定期的に野焼きをしていたことがわかっているGammage (2011)。

（12）　人は住んでいても、所有者は定まっていないとされた。

還が始まるまで、その後二〇〇年近くを要した（2章、7章参照）。

また、大陸北部の海では、一七世紀後半からインドネシアからの漁民によってナマコ漁が行われていて、当地の先住民との交流や交易があった[13]。けれども、干ナマコは中華圏での商品でヨーロッパ中心の交易ネットワークから外れていたし、植民地の先住民は住民と認識もされていなかったので、この地域での人の往来は注目されることもなかったのである（4章、4章コラム参照）。

一七八八年一月二六日、アーサー・フィリップ総督に率いられて、流刑囚約七八〇名を

（13）村井・内海・飯笹編著（二〇一六）

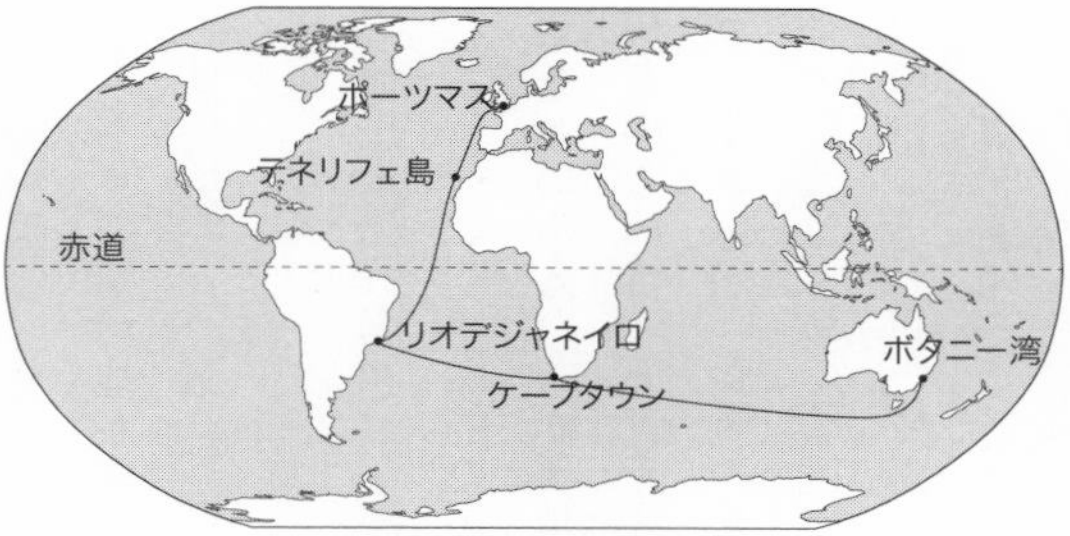

ポーツマス
テネリフェ島
赤道
リオデジャネイロ
ケープタウン
ボタニー湾

図6　第一船団航路

図7　世界文化遺産に指定されているポートアーサー囚人遺跡群（写真提供：Tourism Australia）

含む約一四〇〇名の入植者がシドニー湾に上陸、オーストラリアで最初のニューサウスウェールズ植民地が開設された[14]（図6、1章、5章参照。ちなみにオーストラリア・デーは、この日を祝う祭日である）。以後、イギリス政府によって一六万五千人の囚人が送り込まれた（図7）。

植民地開設当初は、流刑囚と元流刑囚によって開墾が行われていたが、一八二〇年代になると、より組織的で民間資本を使った移民も行われるようになった。また、許可なく開墾を始める人たちが奥地へと流入し、開拓地が広がっていった。とはいえ一八三〇年の植民者の人口は六万五千人程度で、当時の基幹産業は牧羊業である。歴史家のジェフリー・ブレイニーが「距離の暴虐[15]」と表現したように、本国イギリスから遠く離れた地での植民地の建設は、多くの困難を伴った。他方、感染症が持ち込まれ、土地を奪われた先住民の受難は、それ以上であったことは言うまでもない。

一九世紀半ばになると、それぞれの植民地[16]で植民地憲法が起草されて議会選挙が行われ、自治政府が成立していった。つまり「植民地」といっても高度な自治が認められており、すべての成人男性に選挙権が付与されたり、資産家でなくても立候補できたり、早い時期に女性の選挙権が認められたりと、イギリスよりも民主主義的な制度が導入されていた。こうして独自に形成されてきた六つの植民地にとって、連邦結成時の最も重要な課題は、それぞれの植民地の権限をいかに擁護するかであった。こんにちのオーストラリアで州の権限が強いのは、こうした国家形成の歴史による。

（14）シドニー湾への入植に続いて一八〇三年にヴァンディーメンズランド（後にタスマニアと改称）への入植が始まり、一八二四年にはブリズベン川河口に流刑囚が送られた。

（15）ブレイニー（一九八〇）

（16）ウェスタンオーストラリア植民地は一八二九年に開設、サウスオーストラリアは一八三六年に自由移民の入植が始まった。タスマニア（一八二五）、ヴィクトリア（一八五一）、クインズランド（一八五九）はニューサウスウェールズから分離、六つの植民地が作られた。

3　多民族・多文化の社会

一八五〇年代に始まったゴールドラッシュは、オーストラリアの社会や経済に大きな変化をもたらした。この時期の中国人の流入が白豪主義を醸成し、連邦結成に向けての推進力となったとともに、その後の国民統合の理想的なあり方と移民政策を縛り続けることになった。

図8　ベンディゴウの街（写真提供：杉田弘也）

「アングロ・ケルト系」はオーストラリア特有のエスニック集団名で、イギリスとアイルランドからの移住者たちを指し、オーストラリアの主流文化を形成していった（5章参照）。一九世紀半ばまでの移民は流刑囚が大半だったし、自由移民としてもイングランド系、ウェールズ系、スコットランド系、アイルランド系の人たちが植民地の開拓を担っていた。ヨーロッパから遠く離れているので、よほどの金持ちでない限り、渡航には政府の補助（流刑囚や役人は公費負担）を必要とした。労働者にとっては、カナダやアメリカへの移住がずっと安上がりだったのである。

その状況を大きく変えたのが、金鉱の発見だった。

一八五一年、ニューサウスウェールズのバサースト近くでの発見をかわきりに、ヴィクトリアのバララトやベンディゴウで、一八五二年にはタスマニア、一八五七年にはクインズランドと、つぎつぎと発見された（図8）。新たな金鉱が発見されると、一獲千金を夢見て、たちまち都市や農村部から、また海外から人びとが殺到した。海外の大半はイギリスからであったが、ヨーロッパや南北アメリカ、中国からも渡ってきて、一八五一年から二〇年間に、オーストラリアの人口は四三万人から一七〇万人へと四倍になった。人の移動に伴って交通・流通網が拡大し、金鉱が枯渇すると都市部へと人が流れ込んだ（5章参照）。

金鉱での生活は過酷なうえに、高い採掘許可料で少しの儲けしか出なかったために、鉱夫の不満が爆発して暴力事件が多発した。四万人近く流入した中国人は、ヨーロッパ人とは外見も文化も大きく異なっただけでなく、かれらが助け合って生活をし、長時間働いて利益をあげていたために、敵意の対象となった。反中国人暴動が何度も起きて、植民地政府は中国人の入国制限に乗り出した。これが白豪主義政策の始まりである。

また、クインズランドのサトウキビ農場や牧場では、「カナカ人」[17]と呼ばれた太平洋諸島の人びとが安い労働力として使われた。オーストラリアには奴隷制はなかったが、「ブラックバーディング」という誘拐まがいの方法で労働者が集められ、劣悪な環境で働かされた。一九〇〇年までに六万人近くのカナカ人がオーストラリア北部で働いた。「アフガン」と呼ばれた人たちは、ムスリムで、現在のアフガニスタン、インド、パキスタンや中東地域の出身者で、多くはラクダ使いとして働いた。特に内陸部での鉄道建設や電信線建設に携わり、内陸部の町には小さなモスクがいくつか建てられていた。一九世紀の後半には、日本人も年季契約労働者として、北部のサトウキビ農場や真珠貝採取業で働いていた

（17）ポリネシア語でヒトという意味であるが、蔑称として用いられてきたために、こんにちでは人びとの呼称としては使われていない。

図9　インド洋を望むブルームの鳥居（筆者撮影）

（図9）。真珠貝漁の拠点だった木曜島やブルーム、ダーウィンには、潜水病やサイクロンによる海難事故で命を落とした人たちが眠る日本人墓地がある[18]（2章、3章参照）。

このように、植民地時代のオーストラリアの産業は、ヨーロッパ人だけでなく、先住民や、アジアや太平洋諸島の人びとによって支えられ、多民族からなる社会が形成されていた。しかし、「白人」社会と労働者の権利を守るために、「有色人」に対する歴然とした人種差別が存在していた。当時のヨーロッパ世界に流布していた、「白人」社会の進歩性と「有色人」の劣等性を信じる「社会ダーウィン主義[19]」がその背景にある。したがって多くの民族や異なる文化が存在する社会であったが、お互いの文化を理解し尊重し合う多文化共生社会ではなかった。

連邦結成後の最初の連邦議会で、オーストラリア全土を対象とした「移民制限法」が成立した。この法律によって、オーストラリアに入国しようとするアジア人は、ヨーロッパ言語で五〇語の書き取りテストが課され、不合格の場合は入国が拒否された。誰にどの言語でのテストを課すかは入国管理官の判断に任され、好ましくない人の入国を恣意的に阻止することができた。商用での短期滞在や長期滞在者などは、テストが免除になる場合もあった。この書き取りテストによる入国制限は一九五八年まで続いた。

(18)　村井・内海・飯笹編著（二〇一六）

(19)　「適者生存」のルールに従って優れた人種が文明を進化させるという考え方。ヨーロッパ系の「白人」が進化の頂点にあり、劣等な「有色人種」は優れた人種に支配されるのは当然だと考えられた。

これほどまでにして、アングロ・ケルト系を中心とした均質的で、民主主義的な先進国家を目指したオーストラリアなのだが、二〇世紀後半に入ってそれを支えた白豪主義政策が見直しを迫られることになる。

一つの転機は第二次世界大戦後で、防衛と経済復興・成長のためには人口増が急務とされ、大量移民政策を導入した。イギリスだけではなく、難民が溢れるヨーロッパ各地や、イタリアやギリシャから渡航費を援助して移民を受け入れた。一九四五年から二〇年間の移住者は二〇〇万人にのぼる。さらに一九六〇年代から七〇年代にかけては、トルコやレバノンといった中近東からの移住者を受け入れ、英語を母語としない「非英語系移民」のコミュニティが形成されていった（5章、6章参照）。

二つ目は、インドシナでの戦争で発生した難民の受け入れである。一九七五年からの二〇年間に、一六万人近くのインドシナ難民が到着し、一九八〇年代以降はアジア系の住民が目立って増えていった。加えて、一九七六年にベトナムからの「ボートピープル」がダーウィンに到着し、以後五年間に二千人が到着した。オーストラリアがアジアに隣接することを実感させる出来事であった（5章、12章参照）。

しかも一九六〇—七〇年代は、先住民に対する政策にも変革が起こった。アメリカでの公民権運動の影響を受けて国民としての権利の保障と、大規模な鉱山開発を機に奪われた土地の返還を求めて、オーストラリアの先住民が声を挙げてい

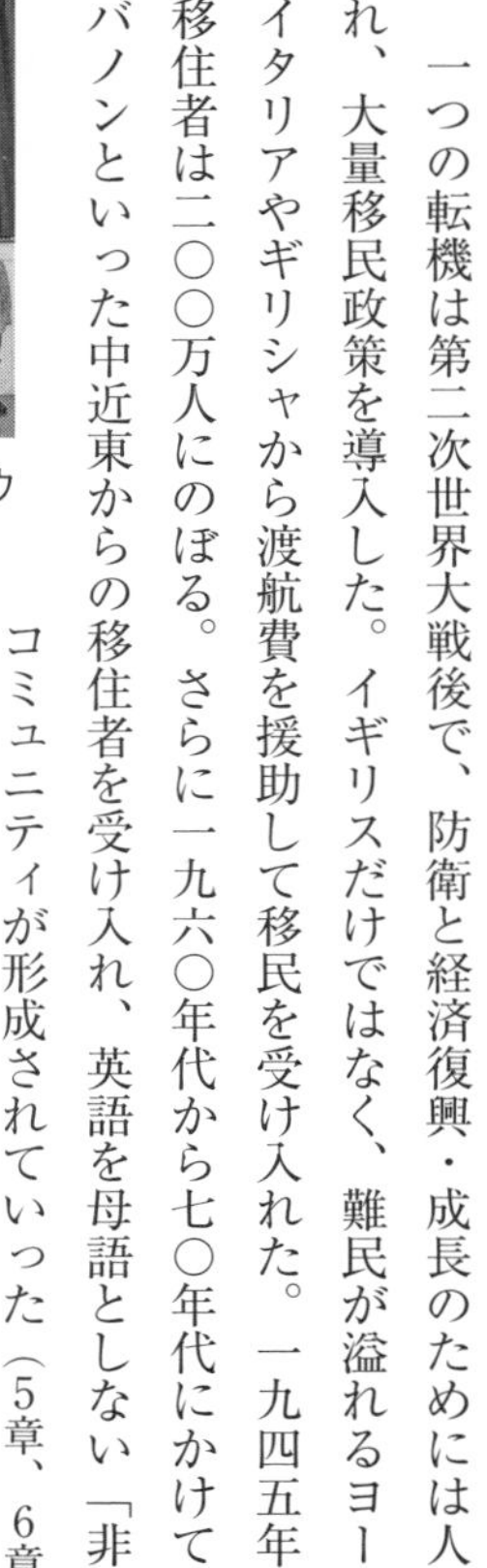

図10　オーストラリア・デーの国籍授与式（Moira Shire ウェブサイト）

た（7章参照）。

このように、非英語系移民、特に白豪主義のもとで排除されてきたアジア系移民の増加と、先住民の権利回復運動の高まりで、アングロ・ケルト系中心の主流社会は揺さぶられ、多文化共生社会への模索が始まったのである。[20]

こんにちのオーストラリアは、多様な民族が共存し文化が融合する多文化社会である（図10）。先住民も政治的発言力を持つだけでなく、かれらの伝統と文化はオーストラリア文化の不可欠な要素となっている。本書では、オーストラリア大陸部やタスマニアの先住民の総称として「アボリジニ」や「アボリジナル」（英語では大文字のAで始まる複数形）を用いるが、差別的な意味合いを含んで使われてきたために、昨今のオーストラリアでは「アボリジナル・ピープル」が使われることを指摘しておきたい。

このような多文化社会への変貌は、多文化主義の理念に基づく積極的な政策と、人種間対立を排そうとするオーストラリア人の努力の成果と考えてよい（5章、6章、7章、8章、9章参照）。とはいえ人種差別がなくなったわけではない。オーストラリアに旅することがあれば、偏見や差別を再認識することがあるだろうし、自身がその対象となることもあろう。オーストラリアは多文化社会のあり方を考えさせてくれる。

4　本書の構成

一度の旅でオーストラリア全土を巡ることができないように、一冊の本でオーストラリ

（20）多文化社会としてのオーストラリアに着目した教科書としては、以下を参照していただきたい。小山・窪田編（二〇〇二）、山内編（二〇一四）、関根・塩原・栗田・藤田編著（二〇二〇）

アの全てを解説することは不可能である。本書でも、取り上げることを断念した場所や事項が多くある。

こんにちでは、長距離の旅には飛行機を利用するのが一般的だ。けれども長い間、船が人びとの移動や交易を支えてきた。しかもオーストラリア国家の歴史は、ヨーロッパからの航海で始まる。第一部は、海からの視線で、オーストラリアの歴史や人びとの交流を紐解いてみたい。第二部は、さまざまな文化的背景を持つ人たちが作り出してきた空間や、アート、文学、スポーツに注目して、多民族・多文化オーストラリアの姿を描き出す。

第三部は、オーストラリアの戦争体験を取り上げる。それは、アメリカの独立戦争や南北戦争のような国家づくりに伴う痛みでもなければ、日本やヨーロッパのように国土が焦土となった経験でもない。遠く離れたヨーロッパや中東、東南アジアの戦場での兵士の体験が、国民の体験として敬意を持って語り継がれている（10章参照）。

多くの日本人は、太平洋戦争中に日本とオーストラリアが交戦国であったことを知らない。[21] 日本軍がシドニーやダーウィンを攻撃したことや、悲惨な戦場となったニューギニアがオーストラリア領であったことも、さらに、太平洋戦線での戦死者の三割近くが日本軍の捕虜収容所で命を落としたことも、[22] ほとんど知られていない（11章、11章コラム参照）。それでも、日本とオーストラリアは極めて良好な関係を築いてきたし、安全保障上も重要なパートナーである（12章、12章コラム参照）。市民間の交流も盛んでお互いの印象も良い。

本書を通じて、日豪関係を「発見」し、オーストラリアへの旅を楽しんでいただければ嬉しい。

(21) 鎌田編（二〇一二）

(22) 第二次大戦でのオーストラリア兵の戦死者は三万四千人、うち太平洋戦線で二万七千人が戦死した。また、日本軍の捕虜となった二万二千人のうち八千人が死亡した。

［参考文献］
鎌田真弓編『日本とオーストラリアの太平洋戦争—記憶の国境線を問う』御茶の水書房、二〇一二年
小山修三・窪田幸子編『多文化国家の先住民—オーストラリア・アボリジニの現在』世界思想社、二〇〇二年
関根政美・塩原良和・栗田梨津子・藤田智子編著『オーストラリア多文化社会論—移民・難民・先住民族との共生をめざして』法律文化社、二〇二〇年
竹田いさみ・森健・永野隆行編『オーストラリア入門』（第二版）東京大学出版会、二〇〇七年
藤川隆男編『オーストラリアの歴史—多文化社会の歴史の可能性を探る』有斐閣、二〇〇四年
ブレイニー、ジェフリー（長坂寿久・小林宏訳）『距離の暴虐—オーストラリアはいかに歴史をつくったか』サイマル出版会、一九八〇年
村井吉敬・内海愛子・飯笹佐代子編著『海境を越える人びと—真珠とナマコとアラフラ海』コモンズ、二〇一六年
山内由理子編『オーストラリア先住民と日本—先住民学・交流・表象』御茶の水書房、二〇一四年
Gammage, Bill, *The Biggest Estate on Earth: How Aborigines made Australia*, Crows Nest, N.S.W., Allen & Unwin, 2011.

［参考ウェブサイト］
「オーストラリア研究のためのリファレンス・サイト」追手門学院大学図書館オーストラリア・ライブラリー、https://library.otemon.ac.jp/australia/reference_site/（二〇二〇年八月三日アクセス）
Tourism Australia, https://images.australia.com（二〇二〇年九月一二日アクセス）
'Indigenous Australian Languages,' Australian Institute of Aboriginal and Torres Strait Islander Studies (AIATSIS), https://aiatsis.gov.au/explore/articles/indigenous-australian-languages（二〇二〇年八月三日アクセス）
'Citizenship Ceremonies,' Moira Shire, https://www.moira.vic.gov.au/Community/Citizenship-and-Australia-Day/Citizenship-Ceremonies（二〇二〇年一二月一二日アクセス）

シドニータワーから東にポートジャクソン湾と南太平洋を望む（写真提供：南出眞助）

第1部

海を渡ってオーストラリアへ

第1章　移民の歴史はすべて港から始まった
――シドニー、メルボルン、ブリズベン、パース

南出眞助

1　イギリスの領有と植民地政府

いわゆる大航海時代以来、ヨーロッパ列強はみんな「インドより東にある大きな陸地」を狙っていた。一六〇二年にオランダ東インド会社が設立されてからはオランダが有利な地位を占めたが、当時「インド」ないし「インド洋」と題された地図の右端には、一六〇二年にイタリア人宣教師マテオ・リッチによって北京で刊行された『坤輿（こんよ）万国全図』の影響が残り、ニューギニア島と区別がつかないようなオーストラリア大陸の北部が描かれていた。その意味でもオランダ人探検家アベル・タスマン（一六〇三～五九）がオーストラリア大陸の東岸とニュージーランド近海を航行した功績は大きく、一七七〇年にイギリス海

軍士官ジェームズ・クックが現在のシドニー近郊に上陸し、一七八八年にイギリスによる領有宣言が行われた後の地図でも、しばしば"Hollandia Nova"あるいは"New Holland"などと記されていた。つまりオーストラリアは、ヨーロッパ世界において二〇〇年以上も「新オランダ」と認識されていたのである（図1）。

しかし海洋国家オランダは、もっぱらインドネシア周辺諸島の香辛料や中国貿易に主力を向け、オーストラリアの内陸部に対する領土的野心は希薄であった。海岸部ではフランスもイギリスと先陣争いを繰り広げていたが、わずかな差で退いた。イギリスが大急ぎで

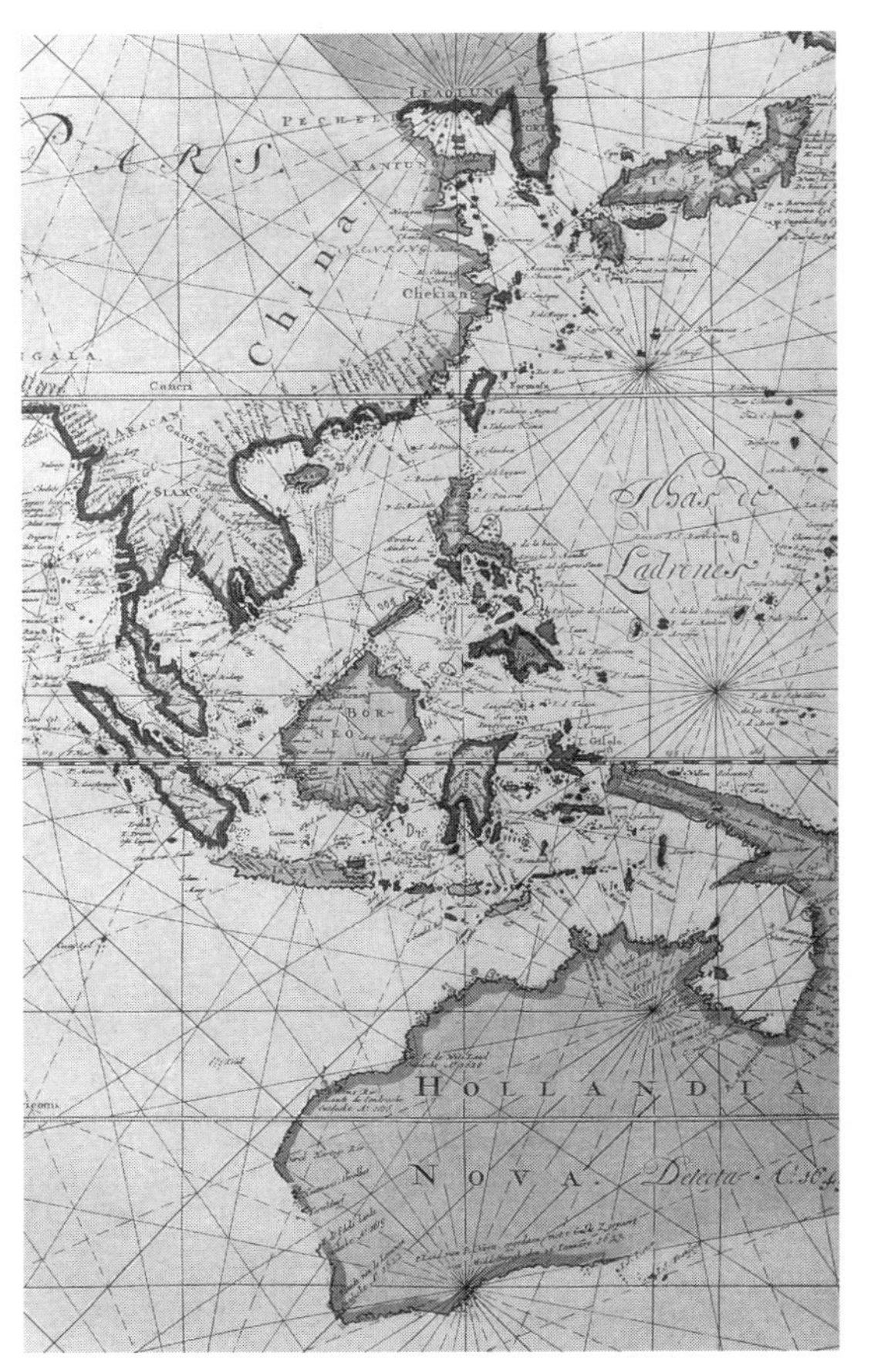

図1　オランダが作成した地図（1705年）

領土獲得に乗り出した理由の一つは、一七七六年にアメリカ合衆国が独立し、囚人を送り込めなくなったことにある。オーストラリアは、アメリカに替わる新たな流刑地と目されていたのである。

初期の囚人移民はほどなく自由移民へと移行し、一九世紀には本格的な農業開拓も一挙に進行する。一八四七年に流刑制が廃され、各植民地に自治権が与えられたのである。しかし、一九〇一年にオーストラリア連邦が発足して「州」が制定されるまでは、議会や内閣を備えた現地行政府でも、あくまで植民地であった。入植当初「ニューサウスウェールズ植民地」と呼ばれていた広大な領域も、内陸部は農業開拓には適さない「不毛の土地」であり、実質的な開拓の対象とはならず、放置されたままであった。その後、ウェスタンオーストラリア、サウスオーストラリア、クインズランド、ヴィクトリア、タスマニアなど、今日の州名につながる各植民地に分割されていき、連邦成立時には開拓の拠点となった植民地行政府がそれぞれ「州都」に定められた（図2）。

《Key Word》

「第一船団（The First Fleet）」

オーストラリアへの最初の流刑囚輸送船団は、食料船も合わせて11隻。モリー・ギレンの統計によれば、船員・海兵・役人等631名、男性囚人582名、女性囚人と子ども207名の計1,420名が分乗。8ヶ月の航海中に67名死亡、20名出産。女性囚人には若年者も多く、移住開拓者としての適性が求められたともいわれている。

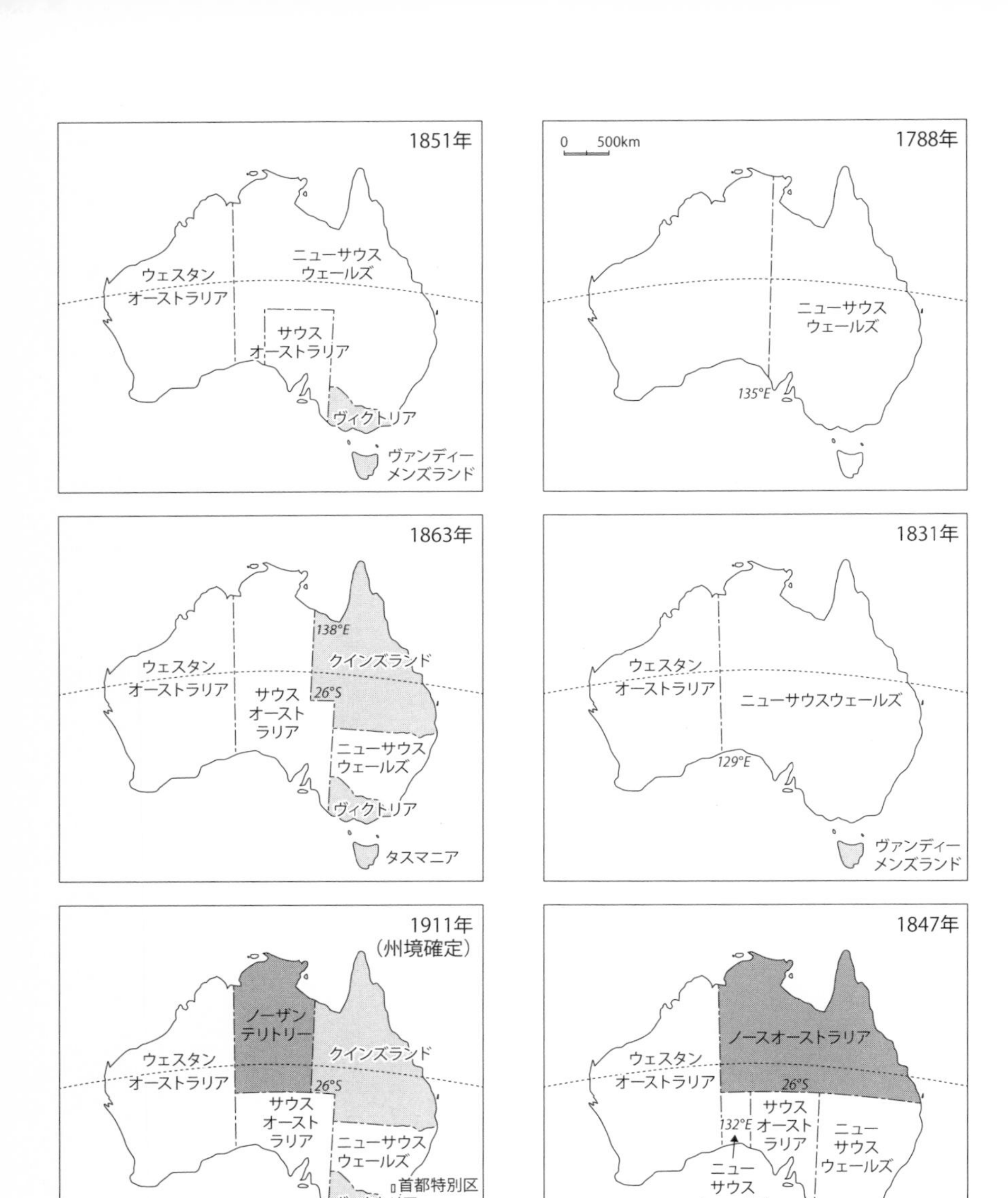

図2　植民地および州境の変遷

2　港をどこにつくるか

港に最低限必要なものは何か。船が停泊できる水面と並んで重要なのは、船に積み込む飲料水である。外洋航海中は何日も寄港できないことがあり、とりわけ赤道を通過する南半球への航海では「腐らない水」が不可欠であった。したがって、地形的にみて「天然の良港」といえるシドニー以外の都市は、ほとんどが川を遡って淡水が得られる地点として置かれた開拓拠点であった。

たとえばメルボルンの開拓拠点を探してヤラ川を遡行したジョン・バットマンは、自らの記録に「河口から八マイル遡った地点に小さな滝があり、その上で良質な淡水が得られた」と記している。より赤道に近いクインズランド地方では、満潮と干潮の差が大きいことを利用し、ブリズベン川の河口から二〇キロ遡った感潮限界（満潮の影響によって河川水が押し上げられる最上流地点）にあたる場所に植民地政府が置かれた。その場所は現在も州政府の官庁地区に引き継がれている。サウスオーストラリアのアデレードも、ウェスタンオーストラリアのパースも、いずれも河口部ないしその近くに設置された港からのアクセスが必要不可欠であった。河川の感潮限界では淡水が得られると同時に、たとえ渇水期でも船を満潮に乗せればそこまで苦労なく遡れる「可航河川」の利便性が享受できたという条件も大きい。

3　シドニー

ニューサウスウェールズ植民地の初代総督を命じられたアーサー・フィリップの船団は、一七八七年五月一三日に囚人たちを乗せてイギリス南端に近いポーツマス港を出帆し、アフリカ沖のカナリア諸島からいったん大西洋を横断、南米のリオデジャネイロに滞在したのち、再び大西洋を渡ってアフリカ南端のケープタウンに停泊、ここから一気にインド洋を横断し、一七八八年一月一八日にシドニー南方のボタニー湾に上陸した。インド洋無寄港横断は一見驚異的だが、当時はまだ帆船の時代であった。インド洋の南緯四〇度以南では「吠える四〇度」（Roaring Forties）と呼ばれる強い偏西風が常に吹いており、南緯二〇度付近で逆方向に吹く南東貿易風とを組み合わせることによって、一八六九年にスエズ運河が開通するまではオーストラリアへの最短往復航路として利用されていた。オーストラリアの初期の開拓が「南回り」であったことには留意しておくべきである。

ところが最初に上陸したボタニー湾は浅い泥の海で、停泊地にも飲料水にも恵まれなかったため、より北方への探索が再開され、ポートジャクソン湾内のシドニーコーブ（コーブは入り江）に再上陸し、一月二六日のイギリス領有宣言となった。これが今日、国民の祝日とされる「オーストラリア・デー」の由来である。

ポートジャクソン湾はリアス式海岸で水深が大きく波も穏やかなため、停泊には最適であった。その最奥部はパラマッタ川の河口につながるが、最初の船着場となったシドニーコーブの港湾機能は、現在も小型の近郊フェリーや観光船が頻繁に発着するサーキュラーキーとして引き継がれている。ここで海に向かって立てば、右手にオペラハウスが優美なたたずまいを見せ、左手に鋼鉄の塊のようなシドニー・ハーバーブリッジがそびえ、太陽がまぶしく水面に映えるので、つい「南」を向いているように錯覚しがちだが、ここでは「太陽は北」であることを忘れてはならない。つまりサーキュラーキーから海に向かって右手方向が太平洋であり、左手のハーバーブリッジの奥は、のちに拡張されたダーリングハーバーの貨物港・工業港地区である。

さて入植後のシドニー港の拡充は不可避の課題であった。なにしろニューサウスウェールズ植民地の範囲は極端に広大で、その統括本部がシドニーに置かれたのであるから、人や物資の集散もケタ違いであった。スエズ運河が開通してからは、アラフラ海を横切る「北回り」航路が一般的となり、シドニーはメルボルンよりもヨーロッパにわずかに近い玄関口としての優位性を確保した。一九世紀末頃には、季節風を利用した帆船の時代は終わり、はるかに大量の物資を一度に輸送できる蒸気船の時代が到来した。その大型船に対応するために、湾の奥にダーリングハーバーが建設され、船舶の往来を妨げずに対岸のノースシドニー地区への連絡路を新設するために、桁下四九メートルに及ぶハーバーブリッジが架設された。一九三二年のことであった。いまサーキュラーキーから出る近郊フェリーの船上からポートジャクソン湾の地形を観察すれば、なぜそこにハーバーブリッジが架けられたのかが納得できる（図3）。

ところが時代は合理性を求めて船舶のさらなる大型化へと進み、とうとうハーバーブリッジの下も通過できない大きさになってしまった。ダーリングハーバーの港湾機能は失

図3　シドニー ハーバーブリッジ（筆者撮影）

われ、その後のウォーターフロント再開発によって、水族館・博物館・飲食店などが並ぶおしゃれな街に生まれ変わった。かつて船の出入りに際して橋桁を旋回させたピアモント橋は遊歩道として整備され、シドニー港の歴史を伝える産業遺跡となっている。この橋を渡って「国立海洋博物館」を見学すれば、そのバランスよく配置された展示を通じて、南太平洋での捕鯨活動や、日本との交流／戦争も含めたオーストラリア全体の「海」の歴史が一目で分かる。

では、ダーリングハーバーから締め出された大型貨物船はどこへ行ったのか？——なんという歴史の皮肉か、当初アーサー・フィリップが見切りをつけたシドニー南方のボタニー湾を埋め立て、最新式の巨大なコンテナ基地が造成されたのである。現在では、海運業界で一般に「シドニー港」と言う場合、このボタニー湾を指す。

飛行機がシドニーのキングスフォードスミス空港に着陸する直前には、ハーバーブリッジだけでなくボタニー湾も一望できることを覚えておきたい。

4　メルボルン

メルボルンの海は「メルボルン湾」とは呼ばない。ホブソン湾ないし広くはポートフィリップ湾である。地図で確認すれば、外洋である南極海とつながるポートフィリップ湾の入り口は狭く、規模は全然ちがうが浜名湖のような地形をしており、その一番奥まった北側にメルボルンの町は位置している。

図4　フリンダーズストリート駅の裏を流れるヤラ川

メルボルンの繁華街に位置するフリンダーズストリート駅の南側にはヤラ川が緩やかに流れている。メルボルンを訪れてここを散歩しない観光客はいないだろう。関西出身の筆者がたとえれば大阪の中之島のような一角であり、また碁盤の目の街をのどかに走る路面電車（トラム）はひと昔前の京都を想起させ、シドニーより落ち着いた気分になれる（図4）。

メルボルン港の歴史は、このヤラ川下流部の改修工事から始まった。バットマン率いる偵察隊が上陸を決めた「滝」のすぐ下が最初の船着場となった。現在「移民博物館」となっている旧税関の前の狭い水面である。ほどなく一八五一年にゴールドラッ

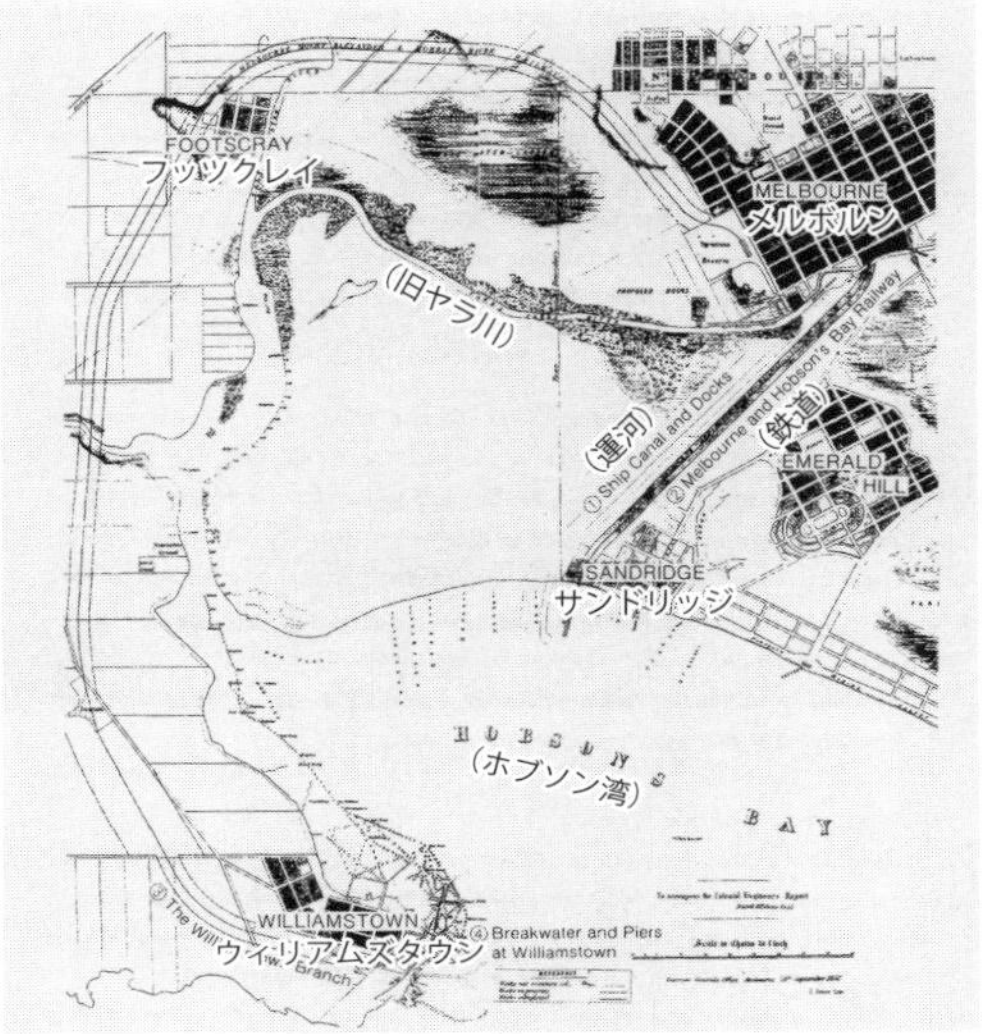

図5　蛇行する旧ヤラ川と初期のメルボルン港改良案（運河＋鉄道案）の一例（1855年）

シュが始まり、この狭いメルボルンの船着場は、文字どおり一攫千金を狙う移民たちでごった返した。しかし当時のヤラ川は河口に至るまで川幅が狭いうえに極端に蛇行しており、渇水期には大型船がすれ違うこともできないほど混雑をきわめた（図5）。

　そこでヴィクトリア植民地政府は、早急にメルボルン港を近代化する必要に迫られた。これも地図を広げれば一目瞭然なのだが、じつはメルボルン市街から最短距離の海岸はヤラ川河口ではなく、現在もタスマニア行の大型フェリーが発着するサンドリッジの浜辺である。一八五三年頃から始まったメルボルン港改修計画をめぐる植民地議会での議論は、まさに百家争鳴、さまざまな案が飛び出て収拾がつかず、最後はイギリス本国から土木技師ジョン・クードを招いて決着をつけたのだが、初期の案の中には、市内からサンドリッジに至る直線運河構想もあった。この運河は実現しなかったが、海岸には旅客桟橋が設置されポートメルボルンと名付けられ、一八五四年にオーストラリア最初の鉄道がフリンダーズストリート駅から通じた。今はその路線を踏襲した路面電車が走っているので、市内から片道四〇分程度で、夕日に染まる海を眺めることができる。

さらに一八六〇年代以後にまで持ち越されたメルボルン港改修計画の中には、ヤラ川河口部の対岸ウィリアムズタウンへの全面移転という案もあり、そのための鉄道も敷設された。この案は見送られたが、ウィリアムズタウンには海軍の施設が設置された。当時ロシア帝国がアムール川の河口に到達したという情報が伝わり、ロシア艦隊が太平洋を南下してくるおそれに備えて、メルボルンの湾口に砲台が設置されたのである。いわば東京湾の「お台場」のような防衛施設であった。ウィリアムズタウンは、メルボルンＣＢＤ（中心業務地区）の西部に位置し、長距離列車が発着するスペンサーストリート駅から電車で約三〇分、メルボルン市内の喧騒からは考えられない静かな町である。

さて、近代的なメルボルン港の建設は、一八七九年にヤラ川の拡幅直線化とドック建設というプランに落ち着いた。ここでドックというのは、造船所のような「ドライドック」ではなく、水面の一部を区切った櫛歯状の船溜まり「ウェットドック」である。スペンサーストリート駅の裏に近接して造られた「ヴィクトリアドック」周辺は、今ではウォーターフロントの高級マンション地区に変貌している。

フリンダーズストリート駅裏のヤラ川河畔から出る港めぐりの遊覧船に乗れば、ヴィクトリアドックも、さらに下流の大規模なスワンソンドックも、湾口部で大型船を通すために一九七八年に建造された、オーストラリア最大の五八メートルの桁下をもつウェストゲートブリッジも含め、二〜三時間で手軽に見学できる。やはり港は海から見るにかぎる。

5　ブリズベン

シドニーにニューサウスウェールズ植民地の開拓拠点を置いたトーマス・ブリズベン総督は、より北方の入植適地を求めて探検を繰り返した。一八二三年に、ジョン・オクスレイ率いる探検隊は、モートン湾北部のレッドクリフに流刑植民地を設置したが、良質な水が得られず、短期間で放棄された。続いて現在のブリズベン川河口部から遡行し、大きく蛇行する「感潮限界」付近が新たな開拓拠点とされ、初期の町づくりが始まった。オクスレイは総督の名にちなんでそこをブリズベンと名づけた。これよりさらに六〇キロ上流のライムストーン（のちのイプスウィッチ）までは可航河川であり、「グレートディヴァイディング山脈」の分水嶺を越えたダーリング川源流のトゥウンバを中継基地とする内陸開発ルートへと結びついていた（図6）。

このようにブリズベンの発展は、市内を貫流するブリズベン川の存在なしにはありえなかった。一八八八年頃にはすでに現在の市街地中心部が形成されていた。しかしここでも時代とともに船舶は大型化し、とりわけ下流部に大規模な工場がつぎつぎ建設され始めると、ニューステッド、ハミルトン、ピンケンバなどの地区に工場の専用埠頭が林立し、貨物港・工業港としてのブリズベン港の機能はどんどん下流側へ移転していった。そして一九七〇年代には河口部のフィッシャーマンズアイランドを埋め立ててコンテナ基地が造成され、今日の「ブリズベン港」と称されるようになった（図7）。

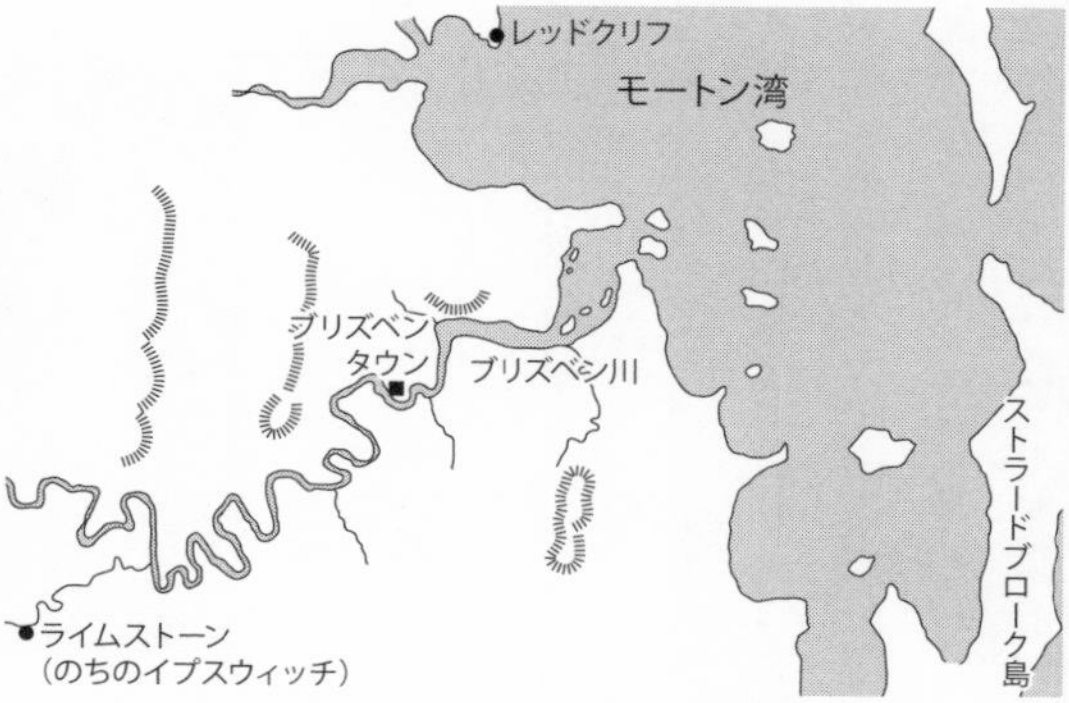

図6　レッドクリフとブリズベンの位置

図7　1888年のブリズベンのスケッチ（中央対岸が政庁）

かつて入植者を運ぶ旅客船や内陸への生活物資を満載した貨物船が頻繁に往来したブリズベン川には、いま高速船「シティキャット」が運航され、道路渋滞に影響されない市民の足として大活躍している。ただ、川に面する都市としての宿命でもあるが、二〇一一年一月にブリズベン川が未曽有の大氾濫を起こし、市内が広い範囲にわたって水没した。そのニュースは日本国内にも広まり、各地で義援金が集められた。そして同年三月には東日本大震災が発生し、こんどはブリズベンで募金活動が行われた。自然災害がきっかけとはいえ、日豪双方向の交流にもつながった一コマであった。このときの大洪水の様子は、今

図8　クインズランド大学前で停泊するシティキャット（筆者撮影）

でも市民に語り継がれる話題である。

ブリズベン空港から鉄道やバスで市内に向かうと、左手にブリズベン川下流部を見ながら遡る形になる。ここにもメルボルンと同様に五九メートルという高い橋桁を持つゲートウェイブリッジが一九八六年に工業地帯をまたいで完成した。また市街中心部からやや上流に位置するクインズランド大学へシティキャットで通うのも、「川の町」ブリズベンを体験できるよい機会である（図8）。

6　パース

先にふれたように、オーストラリア大陸の西海岸も、フランスとの熾烈な競争の中で成立したイギリス植民地であった。東海岸から西へと拡大を続けた「ニューサウスウェールズ植民地」も、大陸中央部に広大な砂漠地帯を挟むため、遠く隔たった西海岸まで実効支配が及ぶには多大な年月がかかった。オーストラリア西海岸は、アメリカのように内陸地帯を突き進んでの「西部開拓」ではなく、インドやヨーロッパへの「西の玄関口」として東海岸とは別の二元的な開拓が進められたのである。

シドニー開拓より四〇年近くもすぎた頃、フランスが西海岸へ着岸の動きを見せ、それを察知したイギリス軍は、一八二六年に現在のパースより四〇〇キロ南方（のちに南極海の捕鯨基地として有名になったアルバニー付近）に軍事基地を置き、一八二九年に自由移民の入植適地として、スワン川河口近くの湖に面した高台にパースの町を建設した。しかしスワン川は流れが細く、外洋航海船が遡ることができなかったため、約二〇キロ離れた河口部のフリマントルに大規模な港湾を建設、ここから陸路でパースと結ばれることになった。

インド洋の強い風波が直接吹きつける遠浅の浜辺に近代的な外洋港を建設することは困難であった。一八七三年には、当時の外洋航海船の水深三・六メートルを確保するために、延長二二九メートルに及ぶ木造のオーシャンジェティー（桟橋）が建設され、一八九六年にはなんと全長一〇〇四メートルにまで達したが、それでも十分な水深は確保できず、河口港の整備に方針転換したのである。ちなみにフリマントルから南方二〇〇キロのバセルトンには、森林材積み出しのために「南半球最長」とうたわれた全長一八四一メートルの桟橋が建造された。

船着き場はスワン川河口部にあったが、インド洋に面した海岸として、密入国・密貿易には目を光らせる必要があった。海上を監視し、上陸した移民をチェックするためにラウンドハウスと呼ばれる八角形の堡塁が設置された。ラウンドハウスの前のメインストリートには、インド貿易の拠点として銀行や商社が立ち並ぶ一方、パース市民にとっての「憩いの場」としての保養施設も整備され、エスプラネードと呼ばれる海岸沿いの散歩道周辺には豪華なリゾートホテルやレストラン、ヨットハーバー、スポーツ施設などがつぎつぎと建設されていった。日本にたとえれば、横浜の隣に湘南の保養地がくっついたような複合型港湾都市である。

スワン川河口部は、風波の影響がない静かな水面とはいえ、ドックを建設するほどの川幅が確保できないため、大型船舶もすべて川岸に横づけするという方法で着岸せざるをえなかった。しかしこの方法では、出港に際して船の向きを変えるのも大変であり、河床の堆積物を取り除く浚渫コストも膨大である。もはや飽和状態に達したフリマントル港の代替として、南方の沖合に大規模な埋立地案が計画されているが、環境への影響も懸念されている（図9）。

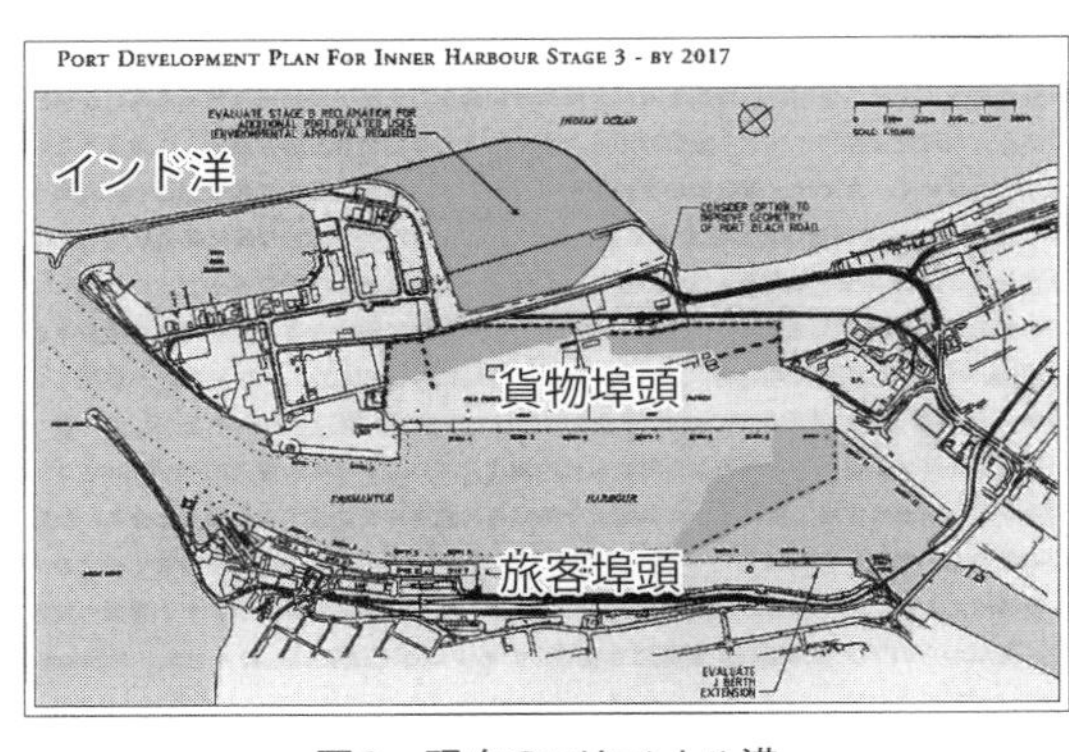

図9　現在のフリマントル港

フリマントルへはパースから電車で三〇分。港湾局（ポートオーソリティー）の一画に建てられた新しい海洋博物館を見学し、ラウンドハウスを抜けて広大な浜辺に立てば、目の前はインド洋、その向こうはアフリカ大陸へとつながる。

〔参考文献〕

金田章裕『オーストラリア歴史地理』地人書房、一九八五年
Minamide, Shinsuke, 'Improvements to the Port of Melbourne 1850 - '90s',『追手門学院大学オーストラリア研究紀要』20、一九九四年

南出眞助「クイーンズランド州における主要港湾の動向」『追手門学院大学オーストラリア研究紀要』17、一九九一年

南出眞助「西オーストラリア州フリーマントル港の特質」『追手門学院大学オーストラリア研究紀要』38、二〇一二年

'Kincaid New Holland.1790', in Tooley R. V., *The Mapping of Australia and Antarctica*, London, Holland Press, 1985.

Taylor, P., *The Atlas of Australian History*, Frenches Forest, N.S.W., Child & Associates, 1990.

Statham, P. (ed.), *The Origins of Australia' s Capital Cities*, Melbourne, Cambridge Univetsity Press, 1989.

column

アデレードと沿岸航路

南出眞助

アデレードは流刑地としてではなく、当初から自由入植地として一八三六年に開かれた。ごく初期にはシドニーから捕鯨業者も進出し、港を必要としていた。鯨油が一般的な照明用燃料であった時代、ウェスタンオーストラリア州のアルバニーなどと同様に、大陸南岸には南極海捕鯨の基地が設置されたのである。

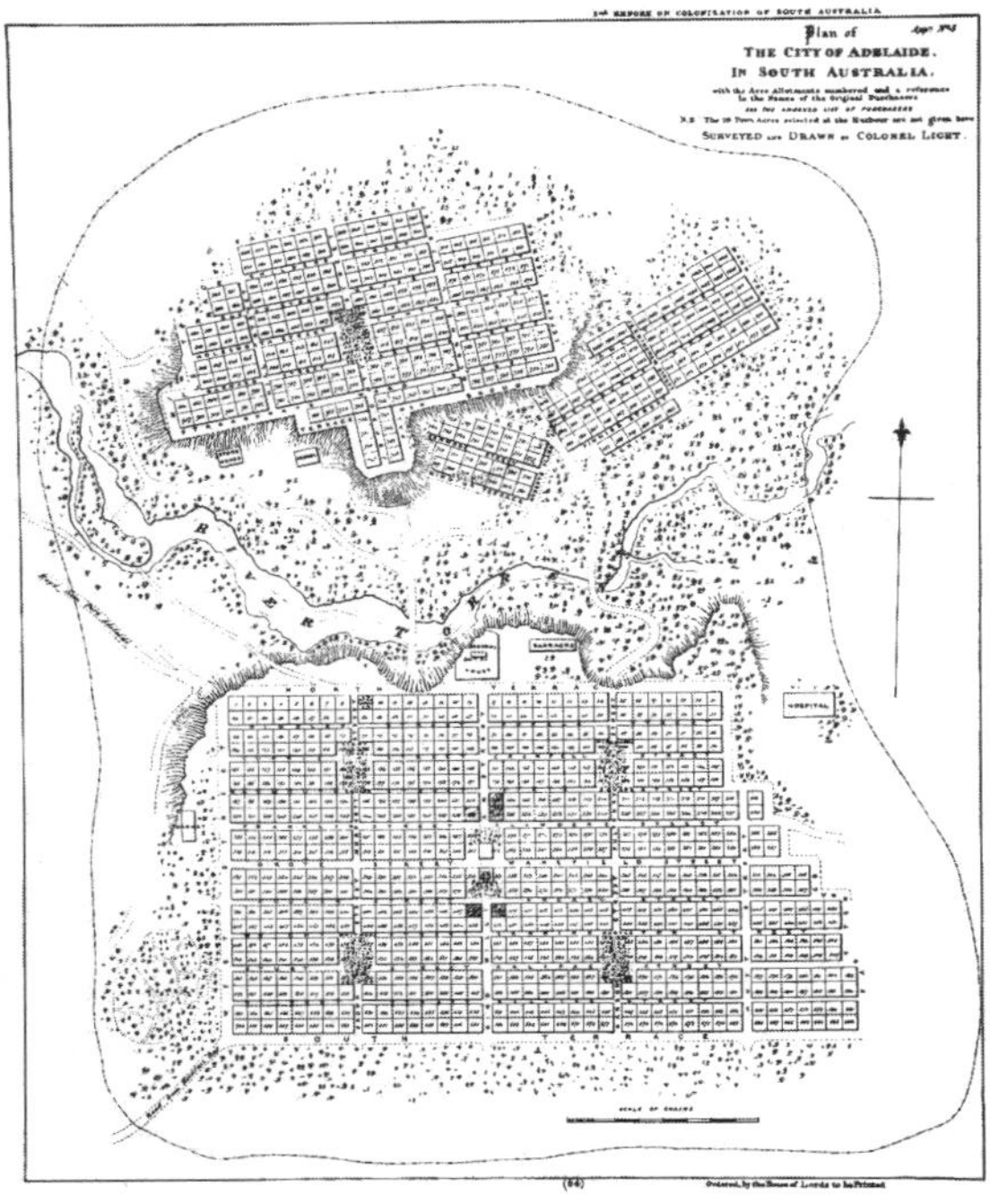

図1　ライトによるアデレード設計図（1839年）

アデレードの町は、初代測量局長官ウィリアム・ライトの設計による整然とした街並みでも知られる（図1）。細いトレンス川を挟む小高い丘（アデレード・ヒルズ）が選ばれ、北側が官庁地区のノースアデレード、南側が商業地区のサウスアデレードと設定された。トレンス川に上る飲料水確保を優先したため海岸からはやや離れた立地になった。港は町から約二〇キロ下ったトレンス川河口部に設置され、半島と湾とが複雑に入り組んだサウスオーストラリア各地を沿岸航路で結んだ。サウスオーストラリア州の平野部は、シドニーやメルボルンに比べれば夏季の降水が少ない典型的な地中海式気候であり、小麦やぶどうの栽培に適している。オーストラリア随一の穀倉地帯を誇り、各地の豊富な農産物は船に満載されてアデレード港に集結し輸出された。

ここでもしかし、アデレード港が建設されたトレンス川河口部は河床が浅くて狭く、大型の蒸気船が進入できなくなったため、貨物港の機能はその後外洋に面したアウターハーバーに移転した。これに対し旅客港は、グレネルグと呼ばれる砂浜に長大な桟橋を突き出して設けられていた。ちょうどメルボルンの貨物港がヤラ川下流のドックに置かれ、旅客港が砂浜のサンドリッジに設けられたのと類似のパターンである。そしてオーストラリア人はビーチが大好きである。シドニーのボンダイ／マンリービーチや、メルボルンのセントキルダビーチに比すべきビーチがアデレードのグレネルグであった。ここも市内とトラムで結ばれ、現在アデレード市内の職場で働く市民にとっての「息抜きの場」としてにぎわっている（図2）。

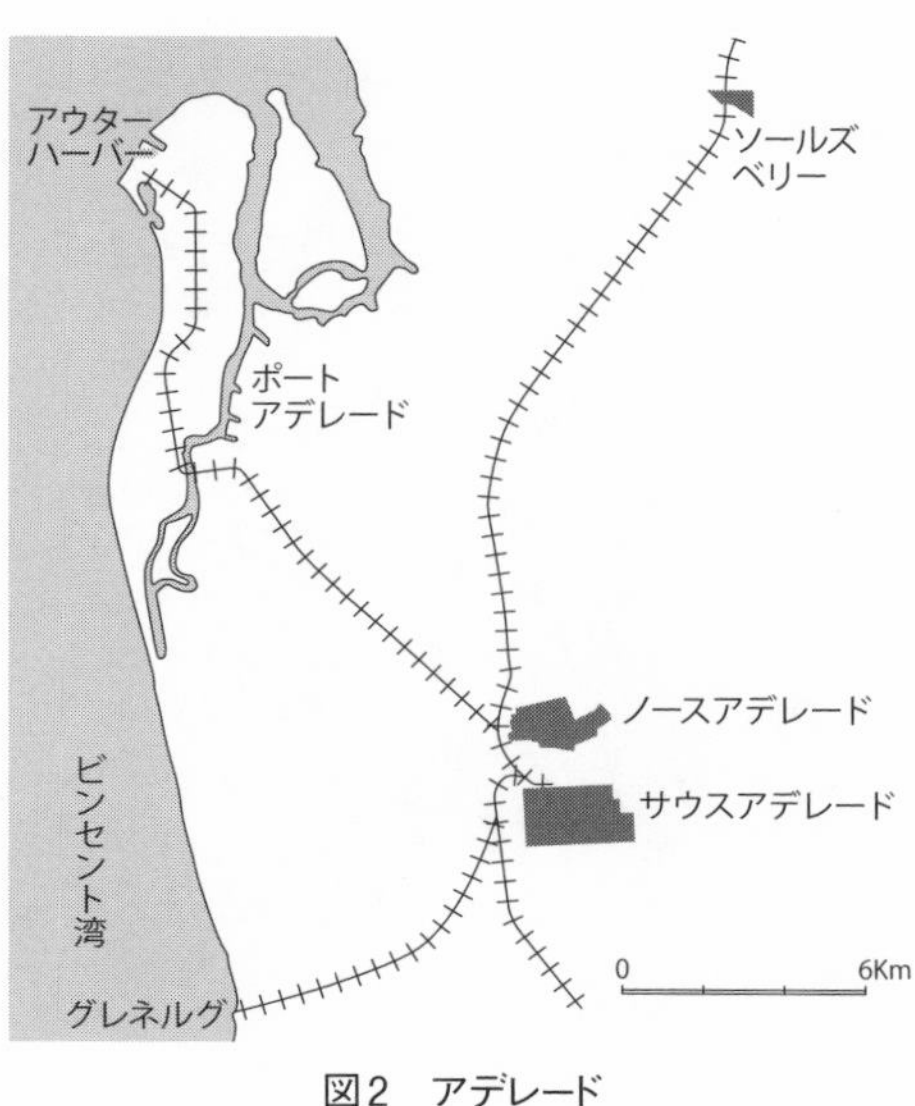

図2　アデレード

よりマクロに大陸全体からみれば、東西横断路と南北縦断路との十字路にあたるのが西のスペンサー湾最奥部のポートオーガスタであり、アデレードはその連絡港としても位置づけられていた。東海岸のシドニーから西に向かう大陸横断列車「インディアン・パシフィック号」は、海岸沿いの大都市メルボルンを経由せず、まっすぐ内陸の金鉱山の町ブロークンヒルを抜け、このポートオーガスタに出る。そこから列車はいったんアデレードまでを往復した後にふたたび西に向かい、これも内陸の

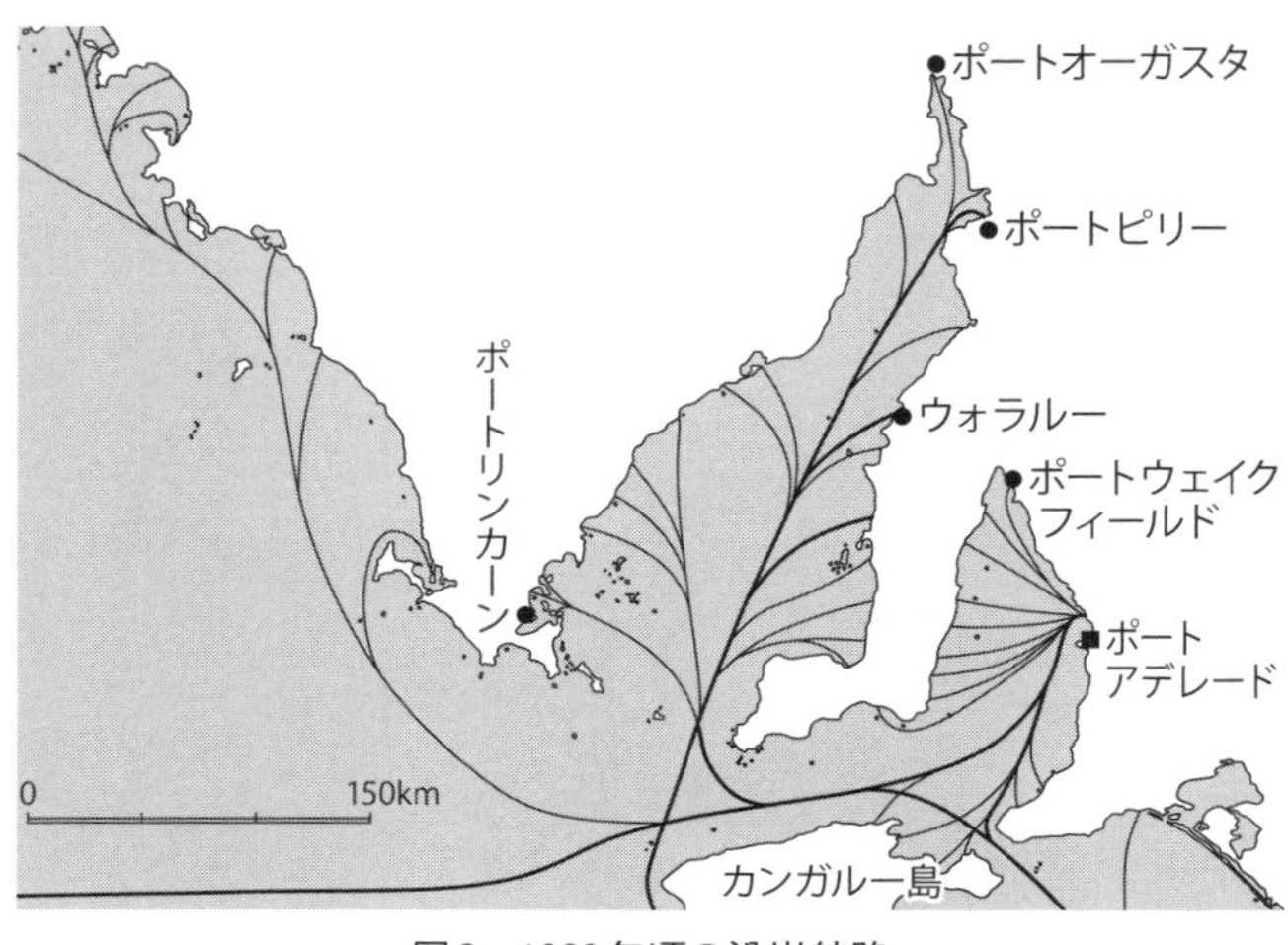

図3　1920年頃の沿岸航路

金鉱山の町カルグーリーを通って大陸西海岸の終点パースに至る。約四千キロ、三泊四日の旅である。これに対しポートオーガスタから北へ大陸を縦断し内陸部の最大都市アリススプリングスを経て大陸北端のダーウィンに至る全長二八〇〇キロの国道は、ヨーロッパ人として初めてオーストラリア大陸を縦断したスコットランドの探検家にちなんでスチュアート・ハイウェイと呼ばれている。このルートは、ロンドンからインドを経由して海底を伝い、メルボルンやシドニーへと電信線をつなぐ重要な通信ルートであった。そのルートと重なるように、今では直通の大陸縦断列車「ザ・ガン号」が「インディアン・パシフィック号」と同様に、週に二便運行されている（図3）。

〔参考文献〕

Parsons, R., *Southern Passages: A Maritime History of South Australia*, Netley, S. A., Wakefield Press,1986.
Griffin, T. and M. McCaskill, *Atlas of South Australia*, Adelaide, South Australia Government, 1986.

第2章 「非ヨーロッパ」と「ヨーロッパ」の交差点――トレス海峡諸島

松本博之

1　トレス海峡諸島

トレス海峡諸島はオーストラリア大陸の北東部に槍先のように突きでたケープヨーク半島とニューギニア島のあいだに位置している。南北一六〇キロ、東西二五〇キロ、平均水深三〇メートルほどの熱帯海域に、無数のサンゴ礁と大小の島々が点在する（口絵1頁、図1）。そこには、街場のある小島に二千人足らずのヨーロッパ系の人びとと、その街場の島をはじめ海峡の一七の島々に六千人ほどの「トレス海峡諸島民」が暮らしている。この地は、こんにちオーストラリア全土で「アイランダー」と自認する六万人近くの人びとの故郷なのだ。この人たちはオーストラリアのもう一つの先住民として法律上「トレス海峡諸島民」

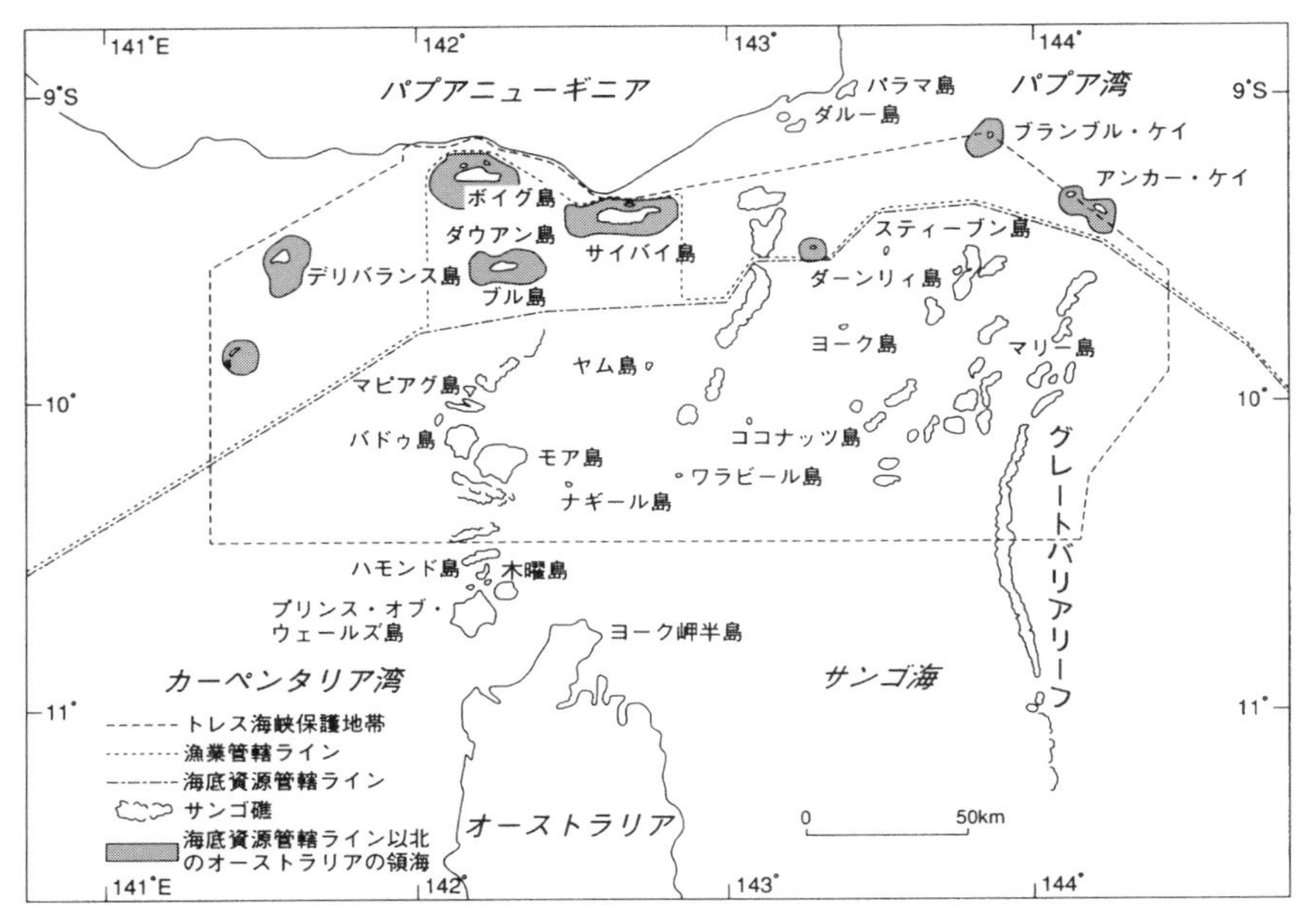

図1　トレス海峡諸島と「保護（緩衝）地帯」（口絵1頁参照）

（以下通称のアイランダーズと記す）という民族名でよばれている。だが、その場に立つと、外見的には「アイランダーズって誰のこと」と思うほど、かなり多様である。

トレス海峡は南部のシドニーやメルボルンから遠くはなれ、現在では地の果てのようにも見えるが、一九世紀後半から一世紀のあいだ、外貨を稼ぐ熱帯海域の開拓前線であった。そのために、多くの他地域からの人びとが入りこみ、その後、混血[1]を重ね、キリスト教の布教や流入者からの影響を受けながら、新たな自分たちの文化を形づくってきた[2]。だから、よそ者の侵入以前とは、身体的にも文化的

（1）こんにちオーストラリアでは「混血」の言葉は差別用語として使われていない。mixed heritageあるいはmulti-racialの言葉が使われる。それらの適切な訳語は目下の日本語には存在しない。ここでは便宜的に使用する。もちろん、差別的な意味はまったくない。
（2）松本（二〇〇五）

にも大きく変わっている。

例えば、わが国の地図帳には、この海峡への日本人の流入をうかがわせる「木曜島」（街場）と漢字で記された島がある。その理由を司馬遼太郎の『木曜島の夜会』[3]で知り、小説を片手に夜会の場所「レインボー・モーテル」の前にたたずむ日本人もいる。

また、近年の日本のテレビ番組を見ていると、「在地のポリネシア人が…」といった解説を耳にすることもある。画面には、ポリネシアのサモアやトンガのような大柄の人たちも登場するからまちがいではないのだが、その背景を知らなければ、「ニューギニアに近いからメラネシア人ならわかるけど、なぜポリネシア人？」といった疑問もわいてくる。

それに加えて、インターネットで検索すると、古くは太平洋探検航海で著名なジェームズ・クック船長の名前、太平洋戦争後には、パプアニューギニア独立時の住民運動、マリー諸島民エディ・マボ氏による先住民の土地保有権訴訟の勝訴、また「トレス海峡自治局」の設置といった、オーストラリアでは画期的な政治問題に関する出来事も箇条書きされている[4]。この章では、こうした地域の特殊性と並んで移民国家オーストラリアの一つの縮図として、この地がへてきた地域史の輪郭を描いてみよう。

（3）司馬（二〇一一）

（4）https://en.wikipedia.org/wiki/Torres_Strait_Islands（二〇二〇年九月二〇日アクセス）

2 トレス海峡諸島の幕開け

トレス海峡には遅くとも二五〇〇年以上も前から人びとが住んでいたわけだから、「幕開け」と言うのもおかしい。だが、ヨーロッパ人にとっての歴史的な出来事といえば、クッ

《Key Word》

「トレス海峡諸島民（Torres Strait Islanders）」
　オーストラリアのもう１つの先住民。元来ニューギニアのパプアから海峡の島々へ進出したメラネシア系の人びとであった。1870年代以降オーストラリア側に組みこまれ、南太平洋系、アジア系、ヨーロッパ系の人びととの流入により融合化した。アボリジナルの人びととは違った民族意識をもつ。

ク船長が一七七〇年オーストラリア大陸の東岸を四ヶ月かかって北上し、八月二一〜二三日、この海峡の南西端を通過したことであろう。ヨーク岬先端の西側の小島で英国旗をかかげ、英国王ジョージ三世の名において東オーストラリアの領有を宣言したのである。[5]ヨーロッパ人、とくにオーストラリアの英国系の人からみれば、まさに記念すべき土地なのだ。その島をポゼッション（領有）島と名づけたばかりか、かれの航路沿いで命名したヨーク岬、エントランス島、プリンスオブウェールズ島、ブービィ（カツオドリ）島、それにかれの探検船の名前を取ったエンデバー海峡はこんにちも地名として使われている。

　かれの領有宣言がその後のオーストラリアを方向づけることになるが（1章参照）、この海峡をはじめて通過したヨーロッパ人はクックではない。一六〇六年、イスパニア（スペイン）の探検家ルイス・バエズ・ド・トレスが太平洋探検からの帰り道、一ヶ月もかかってこの海峡を通りぬけていた。でも、その情報はイスパニア国によって隠され、二〇〇年後に公開されるまで世界に知られることはなかった。[6]ただ、ヨーロッパ人の慣習として、こんにち、かれの名が海峡名、引いては民族名として残ることになったのである。

　クック以後、この海域は複雑で迷路のような難所であるから、ときおり水路や地勢を調査するヨーロッパ人が訪れたものの、島の人びとにそれほど影響を及ぼすことはなかった。

（5）クック（二〇〇四）二一九—二三三頁

（6）Captain Hilder (1978) p.180.

ところが、一九世紀の七〇年代になると、一気にあわただしくなった。ナマコ・真珠貝の採取、キリスト教の布教、植民行政の施行が同時に進行しはじめたからである（図2）。

3　真珠貝採取業の展開とよそ者の流入

なかでも、真珠貝採取業はこの地域の社会も文化も大きく変えていく。当時ヨーロッパで女性のファッションが変わり、高級ボタン材料（図3）としてシロチョウガイ（白蝶貝大型の真珠貝）の需要が増え、英国のロンドンで取引されるようになった。一八七〇年代の太平洋世界では、白檀(びゃくだん)（中国むけの香木）の枯渇や鯨油需要の落ちこみで不景気であった。それらの基地であったシドニー港には南太平洋通商会社の船舶や沿岸廻りの商船が係船され、新たな産業をもとめており、この海峡に流れこんだのである。(7)

図2　大手の真珠貝採取業社バーンズ・フィルプの事務所と倉庫（1936年頃、写真提供：城谷勇）

真珠貝採取は海底から一つひとつ貝を拾う作業であるから、多くの人手を必要とした。当初島々の若者たちを使っていたが、酷使や流入者による畑作物の略奪などの横暴のために島々の人びとは接触をさけ、しかもヨーロッパ系の持ちこんだ感染症により人口減少したこともあって、白人事業主は新たな労働力をもとめ

（7）Ganter（1994）p.17.

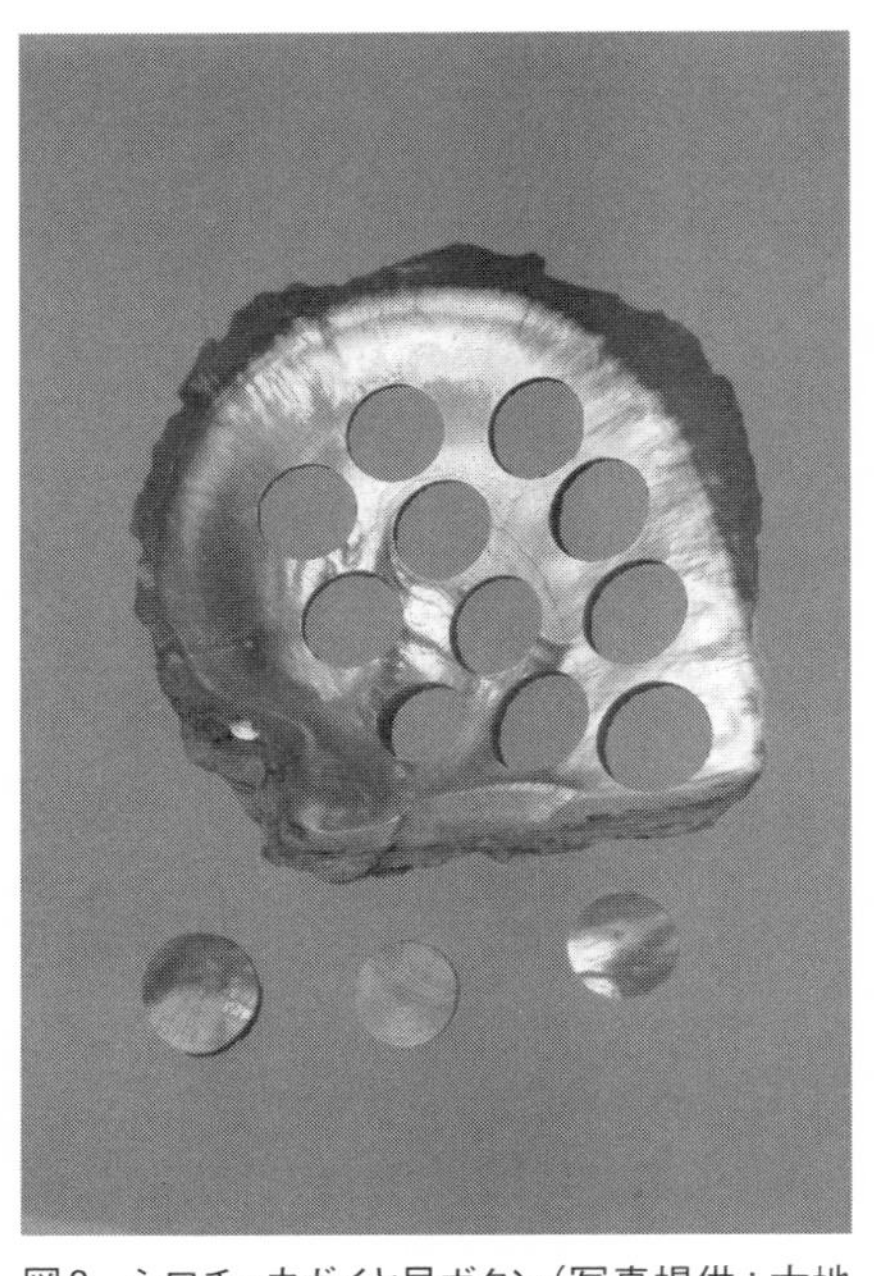

図3　シロチョウガイと貝ボタン（写真提供：太地町）

図4　真珠貝採取船（写真提供：チチ・フジイ）

ざるを得なくなった。白人の労働者は僻遠の地であり、潜水の危険性、船内生活の窮屈さ、何よりも低賃金であったから、その仕事に就こうとはしなかった。

白人事業主たちは、太平洋での貨物船乗組員やクインズランドのサトウキビ農園の先行例もあったから、南太平洋のポリネシアやメラネシアから商船や貨物船で運ばれた出稼ぎ労働者を雇ったのである。なかには誘拐まがいに連れてこられた者もいたらしい[8]。しかし、数メートルの素潜りで採取する浅い水域の貝は数年後には取りつくされ、深い海で作業する潜水装置が

（8）Mullins（1994）pp.63-64.

導入されると、今度はアジア世界に目がむけられた。香港やシンガポールに代理人を送り、主にフィリピン人（マニラメン）とマレー人（東インドネシア人をふくむ）が集められた。一八七〇年代の末には、明治初期に外国船の船員に雇われて日本をはなれた数人の日本人もこの地に到着し、真珠貝採取に従事することになった（図4）。

日本人の流入以後、一八八〇年代から白人事業主は好んで日本人出稼ぎ者を雇うようになる。かれらの採貝効率がほかのアジア系の労働者にくらべ高かったからである。その結果、真珠貝採取業の基地であった木曜島の一八九〇年代前半の人口構成は白人四八四人に対し、日本人五〇五人、その他のアジア系七六三人、南太平洋系五四四人、先住の人びと八二人と、外来者でも非ヨーロッパ系の人びとが圧倒的多数を占める多民族社会になった[9]。だから、この海域が「太平洋の吹きだまり」とよばれ、オーストラリアのジャーナリストは「木曜島はアジアの前哨地であり、アジアへむかうならここからアジアが始まり、オーストラリアへの帰途ではここでアジアに別れをつげるのだ」と形容するほどであった。

またそこには、白人を頂点に、アジア系、なかでも日本人、それ以外のアジア人、南太平洋からの流入者、周辺のパプアンやアボリジナルをふくむ在地の人びとといった民族間の階層性（エスニック・カースト）が形成された。かれらのあいだでは元々それぞれの故郷の地でつちかった仕事ないし労働に対する考え方が違っていたのに、白人事業主と植民行政官は真珠貝採取の効率性だけを基準に賃金の格差を設け、怠惰—勤勉というものさしばかりか、未開—文明という社会進化主義的なまなざしを当然のこととしたのであった。

ところが、一九〇一年のオーストラリア連邦の成立、とくに白豪主義政策（移民制限法）

（9）服部（一八九四）二八頁。エバンズのオーストラリア公文書による詳細な研究によると、流入者の出身地は世界の一五の国および地域に亘っている（Evans（1974）pp.26-27.）。

によって海峡の人模様がかなり変化する。大英帝国は前世紀から太平洋の人びとを労働力として移動させていたので「奴隷交易」との非難をあびていた。白豪主義政策を機に、南太平洋からの出稼ぎ者のかなりの部分を国外退去させ、フィリピン人の大半やマレー人の半数もこの地を去った。ただ、海峡の島々で長く滞在し、高齢者や、島の女性と結婚していた南太平洋系の一五〇人ほどをはじめ[10]、同じようなケースのフィリピン系とマレー系の人たちも残ることを許可された。かれらが海峡の島々に定着し、それぞれの祖先の来歴を自覚しつつ半ば融合化が進み（図5、6）、その後のアイランダーズの主要な構成員になったのである[11]。

一方日本人についても、政府は白豪主義政策の対象にしたが、事業主たちは日本人出稼ぎ者がいなくなると真珠貝採取業が成りたたず、政府はその妥協点を見出しながら員数制

(10) Shnukal (2008) p.73.

(11) われわれの確認したアイランダーズの出身地については次の文献を参照のこと。大島（一九八三）二八四―二八五頁

図5　サモア系とマレー系の祖先を持つ家族（筆者撮影）

図6　木曜島カトリック系の小学校に通う生徒たち（筆者撮影）

限を設け[12]、和歌山県南部を中心に愛媛、のちに広島・沖縄からも加わって年季契約労働者三〇〇～五〇〇人がその後も真珠貝採取業を支えた。そうした歴史がわが国の地図帳に「木曜島」の漢字名を残すことになったのである。

現在木曜島には五家系の二～四世の日系家族がいる。かれらは太平洋戦争以前に現地生まれの日本人ないしアジア系の女性と結婚し、すでに家族を持っていた出稼ぎ者の子孫たちである。戦争の開戦と同時に日本人・日系人の三五九人はすべて拘束され、オーストラリア南部の強制収容所に送られた[13]。戦後収容所からの釈放後、大半は日本へ強制送還された。残留許可を得た日本人・日系人はオーストラリア全体で一五〇名あまりにすぎなかったが、そのうち、木曜島は三〇名の最大の集住地であった。

(12) Ganter (1994) pp.107-117.

(13) 永田 (二〇〇二) 七三頁

4 アイランダーズの自治への道のり

白豪主義は南太平洋系やアジア系の人びとの排斥のみならず、国内的に先住の人びとにも人種差別的な政策を取った。南太平洋やアジアから海峡の島々に定着し、在地の女性と結婚した家族もふくめ、白人社会からの「保護」という名目で、クインズランド州政府はかれらの島々を一九一〇年代に「居留地 (Reserves)」として隔離した。そこでは、(1)夜間外出禁止、(2)白人保護官による収入・支出の管理と「島基金」の名目で二〇％近い賃金からの天引き、アルコール飲料の禁止、(3)島外訪問の許可制、(4)他人種（とくに白人）との会話・婚姻の禁止、(5)白人の行政中心地木曜島での夜間滞在禁止、といった数々の制限により、まさに植民地行政を敢行したのである。[14] それに加えて、白人経営の真珠貝採取業にあっては、さきにも述べたように賃金格差を設け、真珠貝船乗組員の中で雑用に従事する未熟練労働者の地位しか与えられなかった。

しかし、アイランダーズはそうしたさまざまな制約に一方的に耐えていたわけではない。一九三〇年代後半には、政府管理の真珠貝船での労働拒否のストライキを行ない、各島内での半ば自治的な権利を獲得する動きがあった。また、太平洋戦争中にも歩兵として加わった軍隊で白人兵との賃金格差があり、それにもストライキを敢行してベースアップを獲得した。[15]

戦後になると、先住民に関する国際的な関心も高まり、アイランダーズの政治的な動きは活発化する。一九七五年の、それまでいささか蔑視していたパプアニューギニアの独立はかれらのあいだにショックにも近い動揺を引きおこした。国際基準に則って、海峡のほぼ南北中央線とする国境変更案が提示されると、それまで進行していた海峡側とパプア側の経済格差の既得権を守るために、国境線の外側に位置する島々の住民たちはオーストラリア内にとどまる運動を展開した（図7）。また、国際条約として結ばれた「トレス海峡条約」にあっては、世界的にも注目された「開かれた国境（オープン・ボーダー）」、つまり国境をまたぐ「保護地帯」の設置も承認された。[16] それ

図7　パプアニューギニアの独立にともなう国境変更に反対するボード（サイバイ島）（筆者撮影）

（14） Peel（1947）。一九七〇年代の後半でさえ、人種差別はあからさまであった（松本一九八二）。

（15） Sharp（1993）pp.181-218.

（16） 松本（二〇〇二）四三—五四頁

は植民地化以前からのパプアとのあいだの人の交流と漁業資源の相互利用を一定程度保障するものであった(図1)。

さらに、この海峡で特筆すべきなのは一九九二年先住民の土地の伝統的保有権が確認されたことであろう。オーストラリアは英国による領有化以後、「無主地」を開拓したものとされてきた。トレス海峡諸島の場合も、一八七九年の「クインズランド島嶼法」によってパプア南西部の海岸近くまでクインズランド植民地に併合され、英国王の土地(クラウン・ランド)とされていた。だが、トレス海峡マリー諸島出身のエディ・マボ氏が州政府を相手に訴訟をおこし、一〇年にわたる審議をへて、マリー諸島の人びとがメール、ダワール、ワイエール三島の所有権を持つだけでなく、英国人が領有化を宣言する以前オーストラリア大陸に土地所有者が存在しなかったとする従来の考え方(無主地の法理)を最高裁判所が完全に否定したのである。これは、オーストラリアの先住民の権利回復にとって、土地権の承認以上に画期的な出来事であった[17]。

図8　トレス海峡自治局庁舎玄関口　海洋民を象徴するアウトリガー・カヌーが掲げられている(筆者撮影)

それに加えて、一九九四年には、アイランダーズが自治にむけて一歩前進させる「トレス海峡自治局」(Torres Strait Regional Authority)も設置され、アイランダーズはその後オーストラリア政府のスローガンとなった「和解」にむけて、ようやくそのスタートラインに立とうとしているのである(図8)。

(17) マボ氏の出身地マリー諸島はトレス海峡諸島で最も東辺の離島である。火山性の肥沃な土壌からなり、農耕への依存度が高く、旧来のクラン制に基づく土地の伝統的保有制度を色濃くとどめていた。

5　日本人・日系人と木曜島

最後に、非ヨーロッパ系の流入者である日本人との関係にすこし触れておこう。[18] 明治期から、日本人出稼ぎ者は木曜島の南東部で暮らし、その地区は「ヨコハマ」ないし「ジャップタウン」とよばれていた。そこには、日本人商店の民家と並んで真珠貝採取出稼ぎ者が休漁期に暮らす出身地ごとのボーディングハウス（簡易宿泊所）があった（図9）。しかし、太平洋戦争の勃発は木曜島を軍事拠点に変え、民間人の強制疎開、日本人の強制収容所への移送後、日本人関係の建物は一掃された。こんにち残るのは戦後日系人家族の民家の一部となった「日本人会館」のみである。

それと関連して、司馬遼太郎の『木曜島の夜会』の舞台であるレインボー・モーテルが木曜島のメインストリート、ダグラス通りに面して建っている。現在は営業していないが、戦後日本人最後のダイバーと言われた藤井富太郎氏が真珠貝採取業の先行きを見こし、一九六〇年代中頃に長男アキラ氏とともに二年の歳月をかけ、レンガ作りで建てたものである。[19] その裏手の二世の娘と息子の家族が暮らす家の玄関脇には、藤井富太郎氏の銅像が日本の友人たちの好意で海峡の海を見はるかすように建てられ、かつての日本人の活躍の面影をかすかに伝えている。

だが、日本人に関わる最も目をひく施設は木曜島北部の日本人墓地である。真珠貝採取業の危険さをものがたるように、潜水病をはじめ事故死した出稼ぎ者の墓碑六〇〇基あま

(18)　日本人出稼ぎ者の詳細については、本書3章および次の文献を参照のこと。村井・内海・飯笹編著（二〇一六）

(19)　マイリー（二〇一六）七七頁

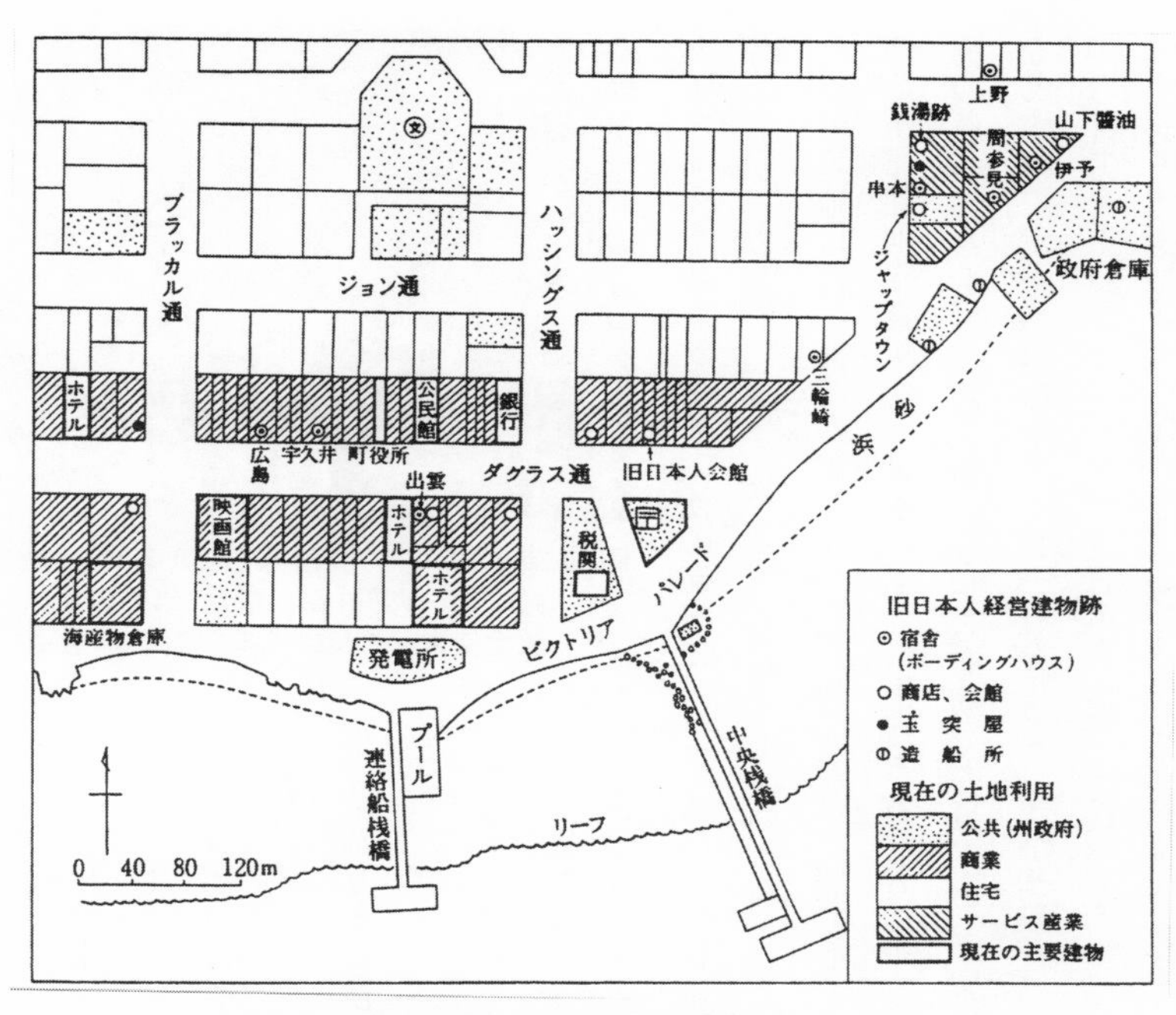

図9　木曜島の旧日本人関係施設（杉本 1976 p.391）

りがある。日本人墓地の世話をしてきた藤井氏の嘆きもあり、日本人出稼ぎ者の研究をつづけていた和歌山県の久原脩司氏が墓地の荒廃を憂いて、和歌山、愛媛、広島の遺族から基金を募り、一九七九年、黒御影石製の「慰霊塔」が日本から運ばれ、日本人墓地の一角に石灯籠とともに建てられた（図10）。建設工事には、世話好きで面倒味の良かった藤井氏との関係もあり、当時日系南洋真珠養殖場に勤めていた若い日本人技術者の方々が手弁当で手伝った[20]。慰霊塔はいまや、木曜島観光

(20) 一九六〇年からシロチョウガイによる日系真珠養殖事業がこの地で展開した（3章コラム参照）。最盛期には五社九養殖場があった。現在は一人の日系技術者がオーストラリアに帰化し、木曜島隣りの金曜島で事業を続けているだけである。

ルートの代表的な観光スポットになっている。ただ、毎年雨期に茂る雑草は墓地をいかにも無縁墓地といった様相に変える。お盆をむかえる時期になると、生前は藤井氏が、その後は日系二世や真珠養殖会社の日本人技術者、近年はそこに勤めるワーキングホリデーの若者も加わって、慰霊塔周辺の草刈りとお盆の墓参りをつづけてきた。数年前から、ブリズベンの白人僧侶に依頼し、お盆が恒例行事になっている。

図10　「慰霊塔」の開所式（1979年8月）中央で挨拶するのが藤井富太郎氏、当時のオーストラリア大使大河原良雄夫妻も臨席（筆者撮影）

慰霊塔は建ったものの、墓碑は長年の歳月をへて大きく傾き、墓碑さえないものもある。二〇一九年に前オーストラリア大使の配慮で、ブリズベンの日本総領事館が四〇〇万円の資金を出し、「地・水・火・風・空・識」の梵字を書いた角塔婆三〇〇本が建てられ整備された。

その墓地には一九三六年わずか一五歳のおり、同じ船で渡豪した二人の竹馬の友が眠るのだが、強制収容所から日本に帰った出稼ぎ者が五〇年後、埋葬のおりのやるせなかった胸の思いとともに、若き頃のトレス海峡での日々を、「気候、言葉、生活形態、労働条件などすべてが不慣れな中で一日一日を生き、生活基盤をつくるために多くの犠牲を払いながら苦労を重ねた。……ただ、日本人移民にとっての一つの救いはトレスの美しい海であり、茫茫たる大自然であった。また、トレスの島人たちの友情も忘れられない[21]」と振りかえっている。

(21)　城谷（一九九三）四八頁

〔参考文献〕

大島襄二編『トレス海峡の人々―その地理学的・民族学的研究』古今書院、一九八三年
クック、ジェームズ（増田義郎訳）『太平洋探検第一回航海（下）』岩波文庫、二〇〇四年
司馬遼太郎『木曜島の夜会』文春文庫、二〇一一年
城谷　勇「トーレス海に生きた日々」『歴史と民俗　ありだ』第五号、一九九三年、一―四八頁
杉本尚次「トレス海峡諸島調査記」『国立民族学博物館研究報告』一―二、一九七六年、三八六―三九九頁
永田由利子『オーストラリア日系人強制収容の記録』高文研、二〇〇二年
服部　撤『南球之新殖民』博文社、一八九四年
マイリー、リンダ（青木麻衣子・松本博之・伊井義人訳）『最後の真珠貝ダイバー　藤井富太郎』時事通信社、二〇一六年
松本博之「トレスの人と人と」『季刊民族学』五―一、一九八一年、八八―九五頁
松本博之「「トレス海峡条約」と先住の人々」小山修三・窪田幸子編『多文化国家の先住民―オーストラリア・アボリジニの現在』世界思想社、二〇〇二年、三五―六〇頁
松本博之「トレス海峡諸島民―生成する、生成される先住の人びと」綾部恒雄監修　前川啓治・棚橋訓編『オセアニア』（講座世界の先住民族　〇九）明石書店、二〇〇五年、七八―九七頁
村井吉敬・内海愛子・飯笹佐代子編著『海境を越える人びと―真珠とナマコとアラフラ海』コモンズ、二〇一六年

Captain Hilder, Brett, 'Exploring a hazardous passage', *Australian Natural History*, vol.19 no.6, 1978, pp.179–181.
Evans, G., 'Thursday Island 1878–1914: A plural society', B.A. (Hons.) University of Queensland, 1972.
Ganter, R., *The Pearl-Shellers of Torres Strait: Resource Use, Development and Decline, 1860s–1960s*, Carton, Melborne University Press, 1994.
Mullins, S., *Torres Strait: A History of Colonial Occupation and Cultural Contact 1864–1897*, Rockhampton, Central Queensland University, 1994.
Peel, G., *Isles of the Torres Strait: An Australian Responsibility*, Sydney, Current Book Distributors, 1947.
Sharp, N., *Stars of Tagai: The Torres Strait Islanders*, Canberra, Aboriginal Studies Press, 1993.
Shnukal, A., 'Historical Mua', *Memoirs of the Queensland Museum: Cultural Heritage Series* 4 (2), 2008, pp.61–205.

column

ジュゴンと先住民

松本博之

先住のトレス海峡諸島民はアオウミガメと並んでジュゴン猟を行なっている。ジュゴンは国際自然保護連合をはじめワシントン条約の締約国では絶滅危惧種Ⅱ類（日本ではⅠA類）にリストアップされ、国際的な保護対象になっている。そのために、先住民のジュゴン猟は今日微妙な立場におかれ、オーストラリアでは懸案事項としてくすぶりつづけている。

ジュゴンは一方で、法律上先住民の「伝統的漁業」として自給目的の狩猟が認められている（図1）。だが、一九九〇年代から国際的な生物多様性保全のスローガンにより、オーストラリアでも「自然保全法」（クインズランド州一九九二）や「環境保護および生物多様性保全法」（連邦一九九九）が施行され、ジュゴン猟に対するまなざしには厳しいものがある。とくに、自然や野生生物への思い入れの強いオーストラリアでは、ジュゴンは大型の海生哺乳類であるから、その狩猟には生物学者や一般国民からの反発が強い。

図1　ジュゴンとハンターたち（マビアグ島）（筆者撮影）

ただ、先住民は自ら情報発信しないので、かれらにとってのジュゴン猟の意味はあまり知られていない。ジュゴン猟はたんに食料の確保にとどまるものではない。ハンターがカウラライ（耳のいい奴）とよぶように、ジュゴンは音に敏感で体表に感覚毛を持つから海の中でも

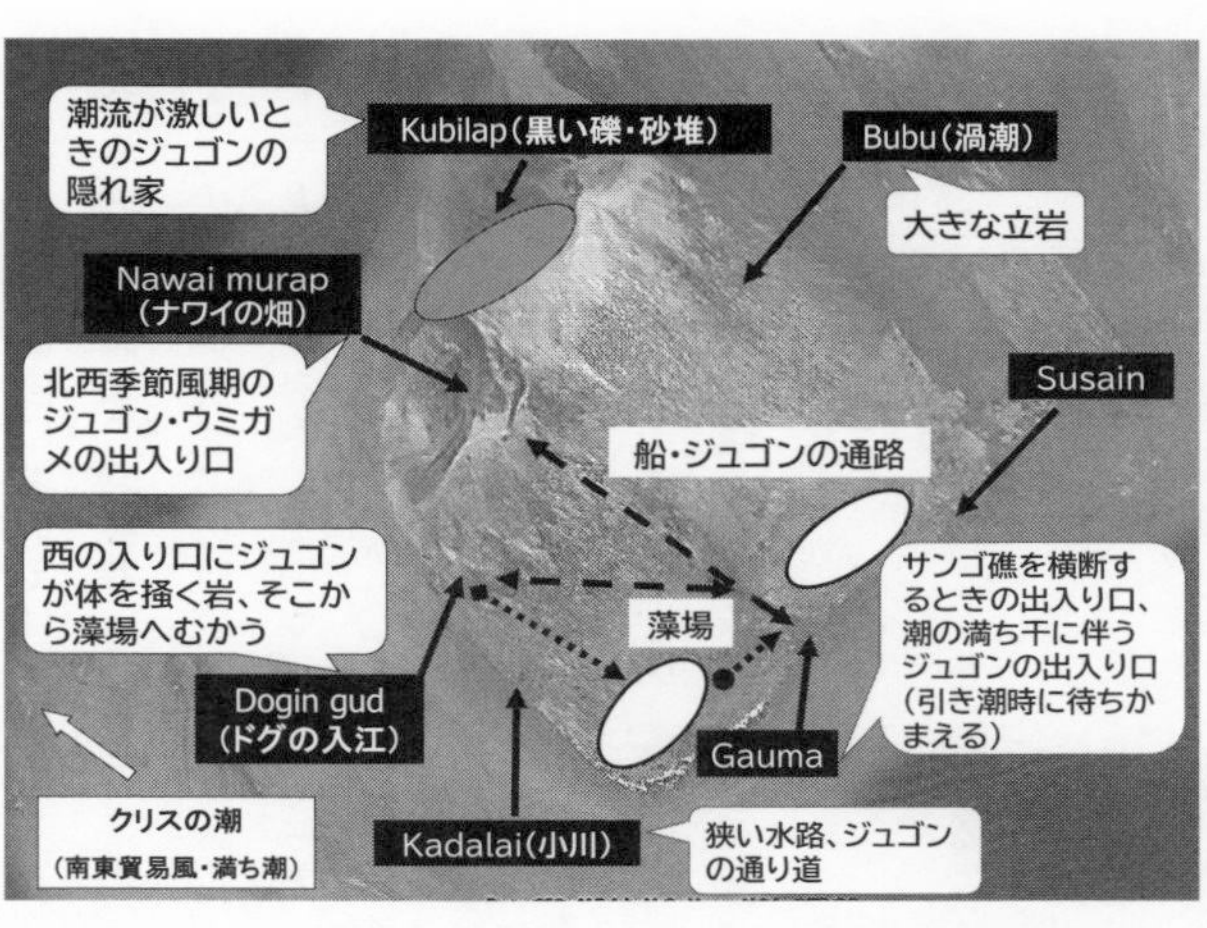

図2　ジュゴン猟によるサンゴ礁の海底地名とその実践的認識

きわめて敏捷な生き物である。だから、狩猟場ではジュゴンの行動習性を熟知して、それに沿った動きのある海洋環境のありようにも習熟しなければならない。潮流、風向、海底状態、太陽光線、ジュゴンの策餌痕、息つぎなど、ジュゴン猟にともなってハンターたちが認識する海の実践的な知識は微に入り細をうがっている（図2）。それはまた、さまざまな身体経験と情動をよびおこす。だから、例えば、「ジュゴンがほかを向いている／ジュゴンがほかのアマモをもとめて走り去る／時がたったら、いつかきっと私のところに戻ってくる／ああ、ジュゴンが去っていく」とアマモ（餌場）の消長によるジュゴンの去就へのやるせない思いに重ねながら、悲恋の恋心を唄う表現活動にも通じている。要するに、ジュゴン猟は自らを「海の民」と言い、その場所を「故郷だ」と言い表す、目に見えないかれらのアイデンティティに深く関わっているのだ。

それに加えて、ジュゴン猟は、高度な技量ゆえにハンターの獲得する社会的威信、またコミュニティへの肉の無償の分配がかれらの倫理性の核にあり、先住民の社会生活の安全保障としても役立っている。さらに近年では、多文化主義政策のもとで、ジュゴンやジュゴンの棲む海が、自分たちの民族性のシンボルとしてその意味合いも強めているのである。

ところが、国際的な生物多様性保全に責任を感じる生物学者たちはジュゴン猟のインパクトを避けようとする。ジュゴン保護のために、一九七〇年代後半からジュゴンの生息頭数調査が行なわれてきた。二〇一三年の最新の調査では一九七〇年代に比べると一四〇〇頭ほど増加し、目下一万六千頭近く生息する。だが、立場の違いによってさまざまな問題が投げかけられている。

例えば、生物学者たちは法規定にある「伝統的」の言葉尻を取り上げ、一九七〇年代から使われはじめた可動性の持続する船外機付きの小型ボートを問題視し、狩猟手段や狩猟法をヨーロッパ人との接触以前のあり方にとどめるべきで、ジュゴンの利用目的も「冠婚葬祭の儀礼食」に限定するべきだと主張する。また、生物学者は漁網やサイクロンで事故死した数少ない標本からジュゴンの再生産率を割りだし、捕獲許容頭数の数値を設定して、政府への勧告においてはつねに「過剰捕獲」の一言が付いてまわる。政府がその勧告を公表すると、大手のメディアが「無知の虐殺者」、「ジュゴンの捕獲、なんと残忍な」といった見出しで報じる。しかし、先住民は自分たちの年間捕獲頭数の経験から海峡全域の捕獲許容頭数一〇〇〜二〇〇という数値を信用できず、生物学者に対しても不信感を抱いている。そして一方、生物学者は「捕獲頭数の総量規制と割当制」、「捕獲禁止区域の拡張」、「捕獲禁止年の設定」といったトップダウン的な施策も口にするのである。

先住民は海峡でのジュゴン生息頭数の保全に反対しているわけではない。ただ、政府や生物学者が国際社会の方向をむき、「国民」の義務として先住民をジュゴンの利害関係者の一部と位置付けるが、ハンターたちは俺たちの海であり、俺たちのやり方(アイラン・カスタム)があると、目下のところ文化的な意味づけに温度差がある。両者の相互不信を拭い去り、合意に基づく保全を図るにはかなりの時間を要するであろう。

〔参考文献〕
松本博之「ジュゴン猟をめぐるトレス海峡諸島民と生物学者たち」秋道智彌・岩崎望編『絶滅危惧種を喰らう』勉誠出版、二〇二〇年、四五―五六頁

第3章　日本人の夢の跡——ブルーム——

村上雄一

はじめに

ウェスタンオーストラリア州の玄関口である州都パース[1]から空路で北東に二時間半、直線距離で一七〇〇キロほど離れたブルームの空港に降り立ち、ラウンジに進み出ると、まず「ナカムラズ・バー&カフェ」（図1）が目に留まることであろう。この店名の由来は、オーストラリアの著名なフォークシンガーであるテッド・イーガン[2]の「サヨナラ・ナカムラ」（一九八三年リリース）に由来する。その歌の最後には日本語で次のような一節が歌われている。

（1）日本からパースは直行便で約一〇時間のフライトである。

（2）イーガンは二〇〇五年九月から二〇〇七年一〇月までノーザンテリトリーの行政長官を務めている。

Sayonara Nakamura　　　（サヨナラ　ナカムラ）
Kimi ga, nemuru chi, Nishi Australia　（君が眠る地、西オーストラリア）
Mo kailenu sokoku ni Itoshiki furusato　（もう帰れぬ祖国に愛しきふるさと）
Sayonara, Sayonara, Nakamura.　（サヨナラ、サヨナラ、ナカムラ）

二〇世紀前半まで真珠貝採取業[3]で栄えたブルームは、雨季（一二月から三月）と乾季（四月から一一月）がはっきりし、最も暑い一二月の平均気温は三〇度を超え、最も寒い七月でも平均気温は二〇度を超える、熱帯地域に属している。一九八〇年代以降、リゾート地としての再開発が進み、オーストラリア国内外から多くの観光客が訪れるようになった。ウェスタンオーストラリア州キンバリー地域[4]の中核市で、ダンピア半島[5]の西の付け根にあり、インド洋に面している（図2）。パースから内陸路なら約二千キロ、ほぼ丸一日休みなく時速一〇〇キロで車を飛ばして、ようやく着く距離である。

二〇一八年現在のブルームの人口は一万五千人ほどだが、六月から八月にかけての観光シーズンには、その人口が約三倍の四万五千人ほどにまで膨れ上がる。日本でも観光ガイドブックや日本語ウェブサイト等でもブルームが紹介されるようになり、特に一九世紀末から存在する同地の日本人墓地[6]の存在が広く知れ渡るようになった（図3）。また近年では、ワーキングホリデーでオーストラリアに渡った若者たちが「ラウンド」と呼ばれる大陸一周旅行中にブルームに立ち寄ることも増えており、同地における彼らの体験記をネット上でも目にする。このように、久しく忘れさられていたブルームと日本（人）との歴史的なつながりを改めて知る日本人が増えてきている。

（3）本章では主に「真珠産業」ではなく、「真珠貝採取産業」と少し回りくどい言い回しを用いる。戦前、北部オーストラリアでは真珠「玉」ではなく、主にボタンの材料として真珠「貝」そのものを採取していたからである。

（4）キンバリー地域は、ウェスタンオーストラリア州を九つに分けた地域区分のうちの一つ。面積は同州の六分の一を占め、日本の面積とほぼ同じである。人口はおよそ三万八千人、その約三分の一は先住民アボリジナルである。

（5）イングランド出身のウィリアム・ダンピアに由来する。彼は一六九九年にローバック号でウェスタンオーストラリア・シャーク湾のダーク・ハートグ島、ダンピア群島、そして、ブルームが面しているローバック湾に達している。

（6）現在の日本人墓地は、日本船舶振興会会長であった笹川良一氏の寄付金や、元参議院議員の玉置和郎氏の修復計画推進によって、一九八三年に整備されたものである。

図1　ナカムラズ・バー&カフェ（筆者撮影）

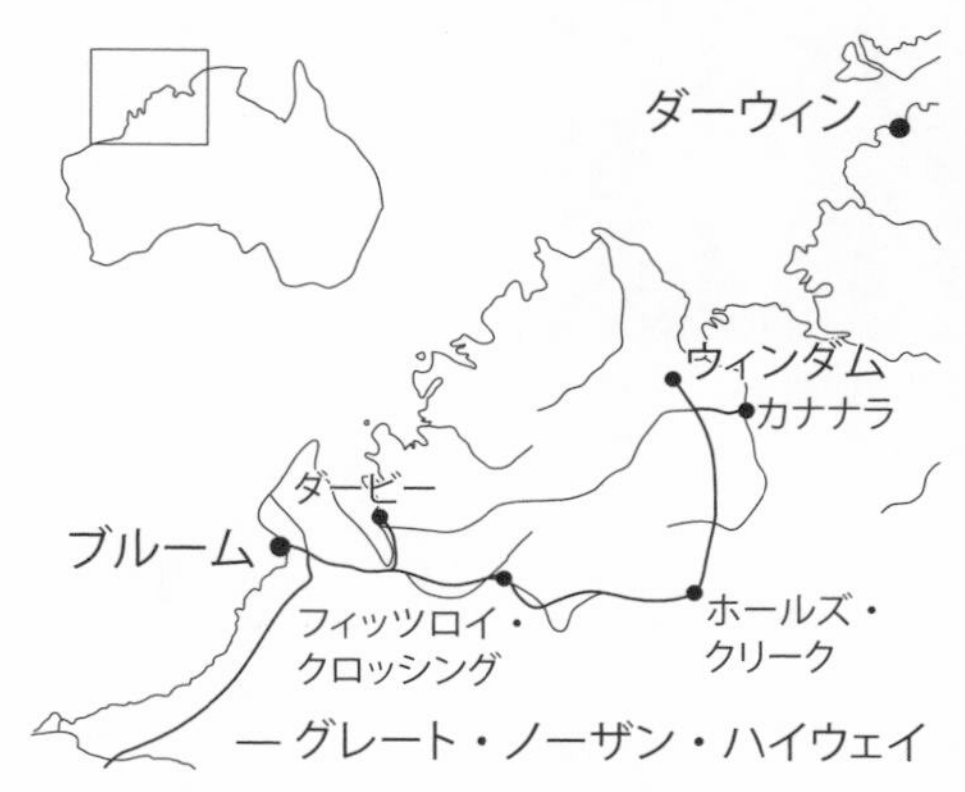

図2　ブルームおよびキンバリー地域（出典：Broome and the Kimberley ホームページ、https://www.broomeandthekimberley.com.au/）

図3　ブルーム日本人墓地（筆者撮影）

1　ブルーム日本人墓地

ブルームの中心街であるチャイナタウンから車で一〇分ほどのところに、日本人墓地がある。現在、その墓標は主に石造りで、「明治」と漢字で刻まれている、少し赤茶けたサンド・ストーンを用いた古いものもあれば、一九八三年の大規模修繕の際に立て替えられたのであろうか、比較的新しく立派な御影石を用いたもの、はたまた、中には十字架を模したものなど約七〇〇基があるとされ、その数に圧倒される（図3）。

一九四一年一二月に始まる太平洋戦争前（以下、戦前）まで、出稼ぎ目的で日本からブルー

図4　1910年ごろ、真珠貝採取船上のフル装備ダイバー（左）と命綱を預かるテンダー（右）（出典：Broome Historical Museum絵葉書）

《Key Word》

「白豪主義政策（White Australia policy）」

「白人の、白人による、白人のためのオーストラリア（豪州）」を謳うことで国民統合を目指した政策。1901年の連邦結成後、同政策の守護神となったのがヨーロッパ言語50語による「書き取り試験」である。連邦政府は入国させたくない人物（主に有色人）に、この試験を課していたが、1958年に廃止された。

ムに渡ってきた多くの若者が真珠貝採取船の操業中の事故や潜水病、そして、サイクロン[7]による海難事故[8]等によって命を落とし、故郷から何千キロも離れた地に葬られた。先述の「サヨナラ・ナカムラ」は、そのような日本人ダイバーの悲劇がモチーフになっている（図4）。

戦前、日本のお盆の時期に合わせて日本人墓地では盆踊りが、そしてブルーム市内のタウン・ビーチでは灯篭流しが行われ、ブルームで亡くなった人々の霊を慰めていた。

この日本人墓地のすぐ近くには「ワカヤマ・クレセント」や「タイジ・ロード」と名付けられた通りがある。これはブルームに渡って来た日本人は和歌山県出身者が多く、中でも戦前から多くの人材を送り出した縁で、一九八一年にブルームと姉妹都市になった同県太地町[9]に由来している。

2 チャイナタウン

ブルームを初めて訪れた日本人観光客は、まずは中心街であるチャイナタウンを中心に散策を始めることであろう（図5）。例えば、同タウンの目抜き通りであるカーナヴォン通りで営業している、現役の野外映画館としては世界で最も古いと言われる「サン・ピク

（7）インド洋北部・インド洋南部・太平洋南部で発生する熱帯低気圧

（8）二〇世紀の大きな海難事故としては、一九〇八年（一五〇名以上死亡）と一九三五年（一四〇名死亡）がある（日本人以外の船員含む）。

（9）二〇〇九年八月、太地町のイルカ漁に抗議してブルーム市議会が姉妹都市提携停止を決議したが、地元の文化交流団体などからの抗議をうけ、二ヶ月後の一〇月には姉妹都市提携継続が同市議会で決まっている。

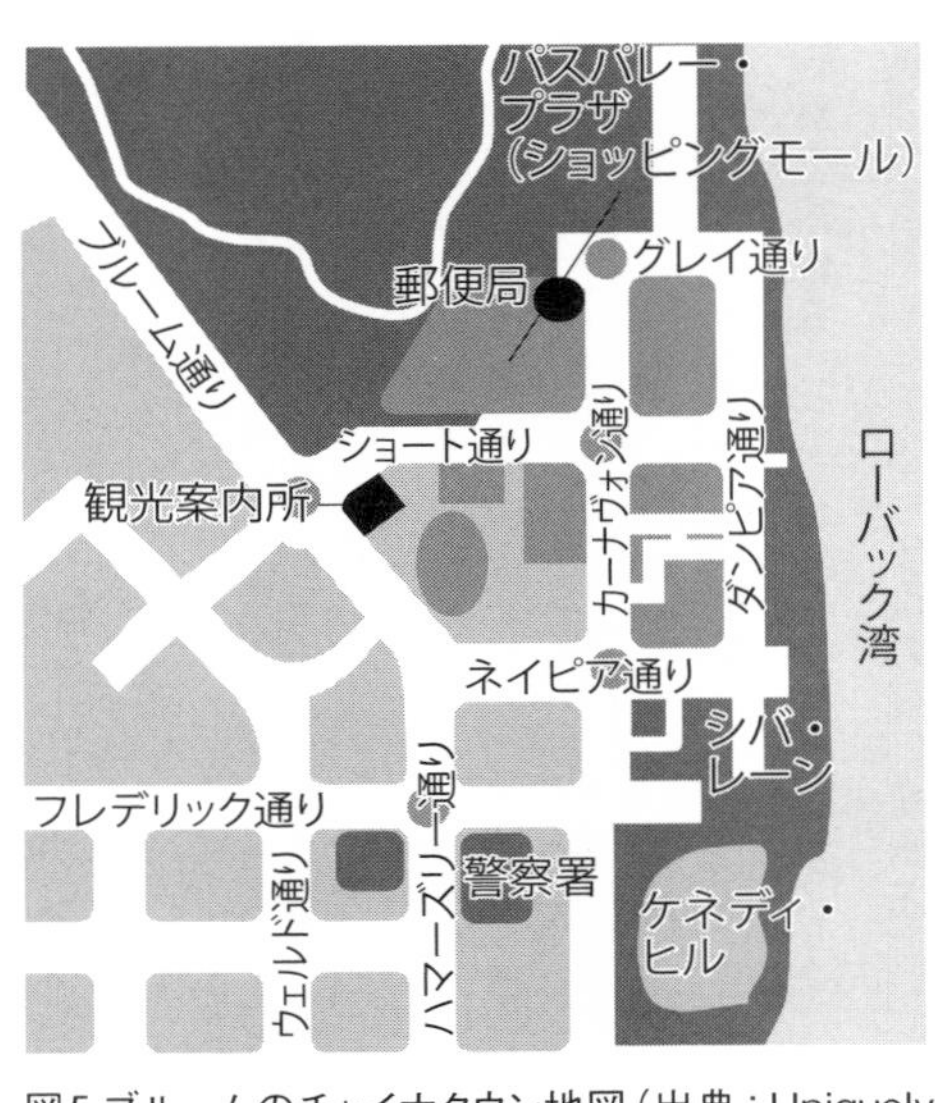

図5 ブルームのチャイナタウン地図（出典：Uniquely Broomeより）

チャーズ・ガーデンズ」[10]（一九一六年営業開始）が目に入るであろう（図6）。この建物の一部は「ヤマサキ・ストア」[11]と呼ばれた商店で、日本から輸入した工芸品や着物、魚の缶詰などの食料品、そして、日常用品等を販売していた（図7）。当時の建物の一角には、日本風の舞台もあり、能が上演されたこともあったという。その映画館の隣には一九九八年に建てられた複合商業施設の「ハシモト・ハウス」[12]があり、不動産や弁護士事務所、カフェなど、複数のテナントが入居している。

このように街中には日本人名を冠した建物が散見されるのであるが、日本人観光客が日本人墓地やチャイナタウンの予備知識を持って、遠路はるばるブルームを訪れてみると、多少拍子抜けするかもしれない。確かにチャイナタウンは、その店名や店の外観からアジア色を強く感じさせる区域であることは間違いないし、それ自体は観光客にとってはとても魅力的である（図8）。また、ローバック湾[13]に面するチャイナタウンのダンピア通りを歩くと、一八九〇年ごろ真珠貝採取船のために設置されたという旧桟橋や、南洋真珠等を扱う宝飾店（図9）、そして、往年の真珠貝採取船をはじめ、真珠産業に関わる品々を展

（10）戦前、一等席は白人、二等席は日本人というように、ブルームにおける社会的ヒエラルキーが可視化される場所でもあった。非白人に対する差別は、一九六七年に国民投票で先住民に市民権が与えられるまで続いた。

（11）愛媛県出身の山崎栄次郎が経営者。彼は一八九〇年代末に渡豪、同県出身の三瀬豊三郎、山本亀太郎、泉宅造と共に日本人会や「西豪州愛媛合資銀行」（一九〇一年）を設立、一九一〇年ごろシンガポールに移動した。

（12）名前の由来はシバ・レーンで商店を経営していた「ハシモト・センシロウ」である。ウエスタンオーストラリア州の遺産委員会報告書には、一九二〇年代、「ハシモトズ・ジャパニーズ・ストア」があったと記載されている。

（13）近年、このローバック湾で見られる「月への階段」が日本でも知られるようになった。これは干潮時に満月が干潟の上に現れ、月の光が干拓に反射し、あたかも月へと続いている階段のように見えるという自然現象である。

図7　ヤマサキ・ストア店内と山崎栄次郎（出典：Flickr、https://www.flickr.com/）

図6　サン・ピクチャーズ・ガーデンズ（筆者撮影）

図8　チャイナタウン「トリ（Tori、鳥居）・ゲート」（出典：Flickr、https://www.flickr.com/）

図9　チャイナタウンのダンピア通りにある真珠宝飾店（筆者撮影）

示している資料館等、ブルームと真珠産業の強いつながりを実感することができる。しかし、戦前、多い時には千人以上の日本人が暮らしていたとされる同タウンにしては、日本との歴史的なつながりを彷彿とさせるものを目にすることは、思いのほか少ないのである。

3 マッツォズ(Matso's)

チャイナタウンの散策が一通り終われば、更なる日本との繋がりを求めて、同タウンを超えた地域を散策したくなるであろう。

カーナヴォン通りのバス停からリゾート地のケーブル・ビーチからやってくる市内バスに乗ると、五分とかからない二つ目の停留所には「マッツォズ」という、地元の人々や観光客に人気のマイクロ・ブルワリー[14]がある。この「マッツォズ」の前身は「マッツォズ・ストア」と呼ばれた、主に食料品や軽食等を扱う店で、その店名はブルーム在住のマツモト(松本)一家に由来する。

現在のマッツォズ・ストアの建物は、一九一〇年にオーストラリア・ユニオン銀行の支店としてシバ・レーン(小路)に新築されたものである。この銀行は一九〇〇年にブルームで最初の銀行として設立され、一九四二年一一月に閉店するまで、四〇年以上にわたりブルームの主要な金融機関として、人々の生活を支えた。

一九四五年、旧ユニオン銀行の建物は牧畜・真珠貝採取・漁業・日用品販売等を営んでいたストリーター&メール社に売却され、アン通りとウェルド通りが交わる角に移設、同

(14) 小さな規模でビールを生産するブルワリー(ビール工場、ビール醸造所)

社が経営する二番目の店舗ということで、「ナンバー・2・ストア」と呼ばれ、雑貨や食料品等を取り扱った。

一九四一年生まれの松本家の次男フィリップは、ブルームでパン屋を営んだ後、ストリーター&メール社に入り、ハードウェア（機材・設備）部門の部長を務めるまでになった。一九七〇年代末、フィリップが「ナンバー・2・ストア」の店舗を借り受け、それを「マッツォズ・ストア」と名付けた。その店では引き続き食料品を取り扱う一方、聖母マリア・カソリック学校やブルーム小学校に近かったこともあり、両校の屋外売店としての役割も果たした。

フィリップは一九七四年から一九八九年にかけて、ブルーム議会議員を務めたが、当時は唯一の非白人系議員であった。彼は一九九一年から一九九四年にかけて再び議員を務めている。

マッツォズ・ストアは一九八五年まで営業を続けた後、土地が売却されることになり、売却後、建物は取り壊しの危機に晒された。一九八〇年代、イギリス出身の実業家であり政治家でもあったマカルパイン卿は、観光地としてのブルームの可能性に着目して大規模な投資を行っていた。その投資総額は五億豪ドルとも言われ、ケーブル・ビーチ・クラブ・リゾートを開発したり、パール・コースト動物園を開園したりする一方、歴史的建造物の保護や修繕、アボリジナル・アートを含む地域文化の振興にも積極的に関っていた。マカルパイン卿は自身を会長とする非営利団体「ブルーム保存協会」を設立、当時、市街地の再開発のために取り壊しの危機にあった建物のうち、マッツォズ・ストアを含む、三棟の保存活動に乗り出した。そして、同協会は六万豪ドルの募金を集めることに成功し、マッツツォズ・ストアともう一棟はカーナヴォン通りとハマースレイ通りが交わる角地への移築が決まり、取り壊しの危機から逃れることになった。

一九九七年マッツォズ・ストアは「マッツォズ」としてカフェ兼マイクロ・ブルワリー兼アートギャラリーとして生まれ変わった。当初、一度に二〇〇リットルしか醸造できなかったが、二〇〇四年には一二〇〇リットルへと規模を拡大した。その後も需要が伸び続け、瓶詰機械の導入などが必要となったが、マッツォズの敷地内での設備増設に限界があったため、二〇〇七年にはパースのビール製造業者にも生産を委託することになった。そのようにして、引き続き地元の人々にはマッツォズ内で醸造されたクラフト・ビールを提供する一方、パースのビール醸造所からオーストラリア各地へもマッツォズのビールが出荷されるようになるほど、人気を博している（図10）。

図10　マッツォズ店内（筆者撮影）

4　松本カキオ

フィリップの父、松本カキオ（以下、カキオ）は長崎県五島出身で、一九一六年ごろ真珠貝採取ダイバーになろうとオーストラリアに渡って来た（図11）。後に彼はブルーム出

図11　松本カキオ（出典：『長崎新聞』、2012年1月9日付）

身のレナ・コーパス（先住民アボリジナルを母に、フィリピン人を父に持つ）と結婚し、三男一女をもうけた。太平洋戦争が勃発すると、カキオは敵性外国人として強制収容されることになった。妻のレナは強制収容の対象ではなかったが、カキオと離れることを拒んだため、当時すでに生まれていた三人の子供たちと一緒にヴィクトリア州の収容所に送られた。収容中の一九四二年に第四子が誕生している。当初、カキオは民間人捕虜として家族との生活が許されていたが、翌年、真珠貝採取船の日本人船員たちは戦闘員捕虜として扱われることになったために、彼だけサウスオーストラリア州の収容所に移送された。同年、レナと四人の子供たちは釈放されたが、レナは心労から体調を崩し入院、四人の子供たちはサウスオーストラリア州の修道院へと送られた。その後、子供たちはノーザンテリトリーのダーウィンから八〇キロほど北に位置するメルヴィル島[15]の施設に送られた。

オーストラリア在留が許されたカキオがようやく解放されたのは、終戦から三年近く経った一九四八年五月であった。当初オーストラリア政府は松本一家がブルームへ戻ることを許可しなかったが、キンバリー教区のレイブル司教やレナの親族による当局への度重なる陳情の結果、ようやく彼らはブルームへ戻ることが許された。その後、カキオは大工兼製帆職人として真珠貝採取業のマクダニエル社に勤めた。松本一家は現在ブルーム病院

（15）映画『オーストラリア』（バズ・ラーマン監督、二〇〇八年）では一九四二年二月のダーウィン空襲で、日本軍がメルヴィル島に上陸してくる。この上陸の場面はフィクションであるが、日本軍は同島を空襲している。

が建つ土地で暮らしていたが、カキオは一九七〇年に、レナは九年後の一九七九年に亡くなり、両名ともブルームの日本人墓地に埋葬されている。

5 白豪主義と日本人労働者

ここで簡単に戦前の日本人とオーストラリアの関係について振り返ってみたい。日本人がオーストラリアの地に渡るようになったのは、一九世紀後半、幕末の開国以降である。最初に現れた日本人は、外国人興行者によって雇われた大道芸人たちが中心であり、記録上明らかなものとしては、明治維新直前の一八六七年末にゴールドラッシュで活気にあふれていたヴィクトリア植民地に二つの日本人グループが相次いで上陸している。そのような一団の多くはオーストラリア各地で巡演後、次の巡演国へと移動していき、最終的には帰国している。一八七四年一一月にウェスタンオーストラリアの地をはじめて踏んだとされる日本人も、大道芸人たちであった。

一八六〇年代以降、後にコサックやブルームと呼ばれるようになる地や、そして、クインズランドの木曜島（2章参照）を中心に、北部オーストラリアでは真珠貝採取業が発展しはじめる。亜熱帯地域への白人入植者数が伸び悩み、常に労働者不足が深刻だったため、初めは現地の先住民、後にはインドネシアのマレー人を中心に東南アジアからの労働者も雇い入れ始めた。

一八七〇年代ごろから日本人も北部オーストラリアの真珠貝採取業で働き始めた。その

図12　1896年ごろ、クインズランド植民地ケアンズ近郊の日本人農場労働者（出典：クインズランド州立図書館ホームページ、https://www.slq.qld.gov.au/）

後、優秀なダイバーとして高く評価される日本人が多く出たこともあり、白人の真珠貝採取業者は好んで日本人を雇うようになった。また、一八九〇年代には同じく労働者不足に悩む北部クインズランドのサトウキビプランテーションにも日本人年季契約労働者が導入され、一八九〇年代末の最盛期には一八〇〇人を超える日本人が同地域に滞在していた（図12）。

一九〇一年にオーストラリア諸植民地が連邦を結成し、有色人移民制限を核とする、白豪主義政策が大陸全土で行われるようになったが、その後も日本人ダイバーに対する需要は続いた。北部クインズランドのサトウキビプランテーションにおける日本人労働者がほぼ排除された一方、真珠貝採取産業だけは、白豪主義の例外として、外国籍の有色人を年季契約労働者として使用することが認められた。例えば、一九〇九年九月末のブルームで外国人船員として登録されていた住民（欧州国籍者も含む）は、日本人（九七六名）を筆頭に、マレー人（六六三名）、ジャワ人（一二四名）、「マニラマン」と呼ばれたフィリピン人（一二〇名）など、合わせて二一〇〇名を超えていたが、その中の中国人船員はわずか九名であった。このようにブルームは、白豪主義政策下でありながら、多民族・多文化が入り乱れていた非常に稀有な地であった。(16)

(16)　人種間抗争も起きていて、特に一九一四年一二月に発生した日本人とインドネシアのクパン出身マレー人の抗争は「暴動」と呼ばれたほどの規模であった。マレー人が日本人から不当な扱いを受けたのが原因とされる。

6 シバ・レーンと日本人コミュニティー

今でこそ「チャイナタウン」と呼ばれているブルームの一角は、戦前までは「ジャップタウン[17]」と呼ばれていた。

ブルームに日本人が渡って来るようになったのは一九世紀末であった。その後、太平洋戦争勃発までの間、増減はあったものの、最盛期の一九一三年には一二〇〇人近い日本人がおり、その多くは真珠貝採取船のダイバーや船員として働いていた。その数は、ヨーロッパ系住民の数に匹敵し、アジア系人口の約三分の一を占め、有色人の中では最大のグループを形成していた。

ブルームに渡ってきた日本人の中には、下宿屋や商店、写真館や売春宿等を経営する者も現れ、大工などの職人も住むようになった。また、醤油の生産を始める者や、郊外で露地野菜栽培を生業にする日本人も出てきた。

このように真珠貝採取船で主に過ごした日本人船員とは別に、陸を主な生活の拠点にした日本人の多くが住んでいたのは、チャイナタウンのネイピア通りを挟んで南側に位置する、先述の「シバ・レーン」と呼ば

図13　戦前のシバ・レーン（出典：Broome Historical Museum絵葉書、年代不詳）

(17) 現在「ジャップ」は蔑称であるが、戦前は「ジャパニーズ」の短縮形としても用いられていた。無論、オーストラリアで日本人に対する偏見が全く存在しなかったということではない。

れる区域であった（図13）。この小路の名前は、一八九〇年代頃にブルームに渡り、後にその地で借地権を得て一九〇一年から〇五年にかけて下宿屋を営んでいたシバ・カメマツに由来する。

その後シバ・レーンは、戦前のブルームにおいて、日本人コミュニティーの中心地として、また、アヘン窟[18]や売春宿、麻雀荘などが軒を連ねる風俗や賭場として発展していくことになる。一九二〇年代には、日本人が経営する二階建ての下宿屋や先述のハシモトの商店等があり、日本人の大工兼棺桶職人や墓石職人、そして、中国人も住んでいた。その路地の一番奥にはスター・ホテルの建物があり、その営業許可を一時得ていたハイランドは

（18）一九世紀アヘンは大英帝国内では合法的に取引されていた。しかし、アヘンの害悪が広く知られ、オーストラリアでも連邦化した一九〇一年以降、アヘンの輸入や取引を禁止したが、アヘン流入は完全には止まらなかった。

図14　シバ・レーン・アパートメンツ（筆者撮影）

図15　シバ・レーン・アパートメンツの中庭（筆者撮影）

サーカス団の長であったために、ホテル近くで馬の曲芸を披露していた時期もあった。またシバ・レーンのすぐ近くには、日本人会の建物もあった。

一九四〇年代末に起きた火災によって、シバ・レーンにあった建物は二、三棟を残し、すべて撤去されてしまったという[19]。その廃墟の中、先述のマッツォズの建物は奇跡的に火災の被害を受けずに残ったと言われている。

現在のシバ・レーンにはその小路名を冠した二棟からなるアパートが建っている。日本人が多く行き交った当時の面影は全く残っていないが、その二棟のアパートの中庭には、神社の鳥居を模したのであろう、赤く塗られた四基の門が四角を形作るように配置されている。だが、それを見ても、昔この場所に日本人街があったことを想起できる日本人観光客は、ほぼ皆無であろう（図14、15）。

(19) この火事の話は、マッツォズのホームページや現地で配布されているブルームの観光地図に記載されているが、筆者が当時の新聞を検索しても、それに当たるような記事が見当たらず、その真偽のほどを確認できなかった。

7 日本人の夢の跡

では、なぜブルームの日本人街が存続できなかったのかを簡単に考察したいと思う。

ブルームの日本人街が後世にその面影すら残せなかったのは、先述の火災が大きな一因なのかもしれない。しかし、それ以前、すなわち太平洋戦争が勃発したことで、ブルームを含む、オーストラリア全土の日本人・日系人がほぼ全員強制収容され、戦後、その多くが日本へ強制送還されてしまい、日系人コミュニティーが事実上壊滅したことが一番の要因であると筆者は考えている。松本一家のように、戦後もオーストラリアに残ることが許

図16　ブルーム空襲を伝えるパネル（筆者撮影）

された元収容者は、ごく少数でしかなかった。

　太平洋戦争後、これほどまでに徹底して日本人がオーストラリアから追放された理由には、もちろん白豪主義政策が大きく影響していることは確かだ。一方、一九四二年二月から一九四三年一一月まで、日本軍はダーウィンを中心に北部オーストラリアの中核市に対し断続的に空襲を続けた（11章参照）。ブルームも例外ではなく、一九四二年には計四回の空襲を受け、犠牲者も出ている[20]（図16）。さらに戦後は、戦時中の日本軍によるオーストラリア兵捕虜に対する虐待が広く知れ渡り、長らく日本人に対するオーストラリア人の嫌悪感が払しょくされなかった。毎年ブルーム空襲に対する慰霊式典が三月に行われているが、その式典に日本政府の代表が初めて招待されたのは二〇一七年、空襲から七五周年目であった。

　戦前、海外で一旗揚げようと北部オーストラリアに渡って来た多くの日本人の夢を潰えさせたのは、彼らの祖国が引き起こした戦争だったのである。

おわりに

　最後に「シンジュ・マツリ」という、日本語を冠した祭りについて紹介し、結びに代え

（20）一九四二年三月の空襲では少なくとも八八名が犠牲になった。多くはオランダ領東インドから避難し、港に停泊中の水上機に乗っていた女性や子どもたちであった。マッツォズ傍のベッドフォード公園には慰霊碑がある。

図17　シンジュ・マツリ（出典：Shinju Matsuri ホームページ、https://shinjumatsuri.com.au/）

図18　マッツォズの広告（筆者撮影）

たい。

この祭りは真珠産業によって育まれたブルームの多文化を祝すものとして、一九七〇年に始まった。例年八月下旬から九月上旬にかけて開催されており、先述の日本のお盆をはじめ、中国やマレーシアの祭り文化、アボリジナル伝統文化が融合しており、願いや祈りのメッセージを書いたランタンを海へ流すという、灯篭流しを模したイベントも行われる（口絵1頁）。本章執筆中の二〇二〇年八月二九日から九月六日にかけては五〇周年を祝う記念祭が開催された。新型コロナ騒動の最中にありながらも、開会式に参加した人数は過去最高を記録したという（図17）。

この「シンジュ・マツリ」に合わせてブルームを訪れ、マッツォズで出来立てのジンジャー・ビール[21]（図18）でも飲みながら、ブルームで暮らしていた多くの日本人の夢に思いを馳せてみるのも、また一興であろう。

（21）マッツォズを代表する定番ビールでアルコールを含む。その他にチリ・ジンジャーやマンゴー、近年ではベリーやメロン、レモン等のフルーツ・ビールも生産している。またマッツォズ店頭限定のクラフト・ビールもある。

〔参考文献〕

ジョーンズ、ノリーン（北條正司・白籏佐紀枝・菅紀子訳）『第二の故郷　豪州に渡った日本人先駆者たちの物語』創風社出版、二〇〇三年

永田由利子『オーストラリア日系人強制収容の記録』高文研、二〇〇二年

ブラック、デイビッド・曽根幸子編著『西オーストラリア・日本交流史』日本評論社、二〇一二年

村上雄一「戦前までのオーストラリアの日本人労働者」長友淳編『オーストラリアの日本人　過去そして現在』法律文化社、二〇一六年

Burton, Val, *General History of Broome*, Broome, W.A., Pindan Printing, 2000.

村上雄一「日本人移住の歴史（1）—白豪主義期まで」関根政美・塩原良和・栗田梨津子・藤田智子編著『オーストラリア多文化社会論・移民・難民・先住民との共生をめざして』法律文化社、二〇二〇年

Heritage Council of Western Australia, 'Register of Heritage Places — Assessment Documentation Matso's Store & Captain Gregory's House (fmr)', 14 March 2008.

Shaw, Carol, *The History of Broome's Street Names*, Broome, W.A., Pindan Printing, 2001.

Sissons, D. C. S., 'The Japanese in the Australian pearling industry', in Arthur Stockwin, and Keiko Tamura (eds), *Bridging Australia and Japan: Volume 1: The writings of David Sissons, historian and political scientist*, Canberra, ANU Press, 2016.

column

南洋真珠養殖

田村恵子

南洋真珠の輝き

海外旅行は搭乗手続きを終えて機内に座った瞬間から始まる。ワクワクしながら機内誌を開くと、サウスシーパールと呼ばれる南洋真珠の広告に目がとまるかもしれない。青い海とまぶしい太陽を背景に、小麦色の肌のモデルが身につけている真珠は、その大きさと独特のテリ（輝き）が美しい。南洋真珠はオーストラリアの自然が生みだした宝石と謳われるが、実はこの真珠は、日本人がウェスタンオーストラリア州北西部のキンバリー地域で一九五〇年代に始めた養殖の成果なのだ。

オーストラリア産の南洋真珠は、白蝶貝を母貝として白く輝く大粒の真珠である。この貝は、海水温度が約二〇度以上の海域で直径三〇センチにまで大きく育ち、かつては日本人ダイバーによって貝ボタン原料として採取されていた（2章、3章参照）。天然真珠はその希少性から非常に高価な宝石だったが、二〇世紀初頭に日本でアコヤ貝を母貝として真珠養殖技術が開発されると、市場に劇的な変化がおこった。

真珠養殖は母貝に小さな核を人工的に挿入し、分泌される真珠層が核を巻いて真珠となるのを待って収穫される。母貝の調達、挿核技術、挿核後の母貝の養生と手入れは優れた技術と激しい肉体作業が必要であり、貝の成育と真珠の品質は水質や水温や潮の流れなどの自然条件に大きく影響される。通常、南洋真珠は挿核後二年で収穫される。

栗林徳一と養殖事業の始まり

白蝶貝を母貝とする養殖は、一九二〇年にスラウェシ島南端のブトン島に日本人によって養殖場が設置され、一九二八年に最初の収穫が実現した。太平洋戦争で閉鎖されたが、終戦となり南洋真珠養殖関係者は、再び海外進出のチャンスをうかがっていた。オーストラリアでの養殖事業は一九五〇年代前半から準備が始まった。北海道出身の実業家で戦後に再開された真珠貝採取事業の代表だった栗林徳一[1]が、日豪アラフラ海真珠貝採取交渉[2]のオブザーバーとして渡豪した際に、南洋真珠養殖の話をもちかけられたのだ。栗林は興味を持ち、真珠貝取引があったメルボルンの貿易商のキース・デューロー、真珠貝の大物仲買業者だったアメリカ人のアラン・ガードー、そしてブルームの有力者で真珠貝採取船主だったサム・メイルと共同で事業を開始することとした。一方、事業成功の鍵を握る挿核技術者には、戦前にブトン島での養殖経験がある岩城博を数名の若手技術者と共に確保

図1　1956年の上陸直後のテント宿舎（写真提供：村岡英夫）

することができた。

クリベイでの真珠養殖

一九五六年六月、挿核技術者や母貝採取担当の潜水夫などの一三名は、大粒の真珠への願いを込めて命名された大球丸（おおたままる）（六二トン）に、機材を満載して四日市港を出発した。ブルームに到着後、さらに三〇時間かけて養殖場設置場所のキンバリー地域オーガスタス島を目指した。上陸した海岸は岩に覆われ、人が住んだ気配はなく、男たちはテントで寝泊まりをしながら作業を始めた。幸い母貝の成育に適した小湾が対岸に見つかり、本格的な養殖が間もなく始まって、一九五七年には半円真珠が、一九五八年には真円真珠が収穫された[3]。最初のテント生活では、夜半のスコールや虫の襲来に悩まされたが、次第に宿泊施設も充実し、最盛期には一〇〇人以上が暮らすコロニーに成長した。この湾は栗林徳一にちなんでクリベイと名付けられ、その後約三〇年間にわたって南洋真珠養殖のメッカとなった。産出された南洋真珠は最高級宝石としてニューヨークやパリの宝石店で世界中の女性を魅了した。クリベイでの南洋真珠養殖貢献者三名（栗林、岩城、デューロー）の銅像はブルームの中心部に建てられている。

図2　ブルーム市内に残る南洋真珠養殖貢献者の銅像（左からキース・デューロー、岩城博、栗林徳一）（筆者撮影）

養殖事業の拡大と変化

クリベイの成功は、一九六〇年代から七〇年代にかけての日本企業の南洋真珠養殖展開に発展した。オーストラリアのトレス海峡諸島、ダーウィン、クインズランド州ケープヨーク半島だけでなく、

図3　ボート前方に広がるクリベイ真珠養殖場（筆者撮影）

ニューギニアにも養殖場が設置された。タヒチ島では黒真珠養殖が日本人技術者の協力で始まった。当時は養殖技術、生産量、流通ルートを日本企業が政府の指導下にコントロールしていたので日本の独壇場だった。やがてグローバル化の波が訪れると、技術面や資本面で国外の参入者が増え、インドネシア、フィリピン、タイなどでも養殖が始まり、過当競争になって日本企業は撤退していった。しかしオーストラリアの業者と技術面で提携関係を維持している日本企業は現在も存在している。

日本の男たちが生み出した「月の涙」

オーストラリアの観光地には南洋真珠を販売している店が必ずある。シドニーの目抜き通りにある高級真珠専門のパスパリー本店は、重厚な石造りの建物の入口に警備員が常駐し、気軽に立ち寄れない雰囲気もある。しかし、臆せず入店して真珠を間近で見て、値札に怖気づくことなく試着してはどうだろうか。真珠はしばしば「月の涙」にたとえられるが、六〇年前に厳しい自然の中で養殖を手掛けた日本の男たちの血と汗の結晶でもあるのだから。

〔参考文献〕

田村恵子「ボタンから宝石へ―オーストラリアの南洋真珠養殖の始まり」村井吉敬・内海愛子・飯笹佐代子編著『海境を越える人びと』コモンズ、二〇一六年

〔注〕

（1）栗林徳一（一八九六―一九八一）は戦争中に南洋興発社長を務めた。

（2）真珠貝採取権と領海問題をめぐる日豪政府間の交渉。結局、貝の需要が減少したため終了した。

（3）半円真珠は母貝に張り付けた半球型の核を真珠層が覆った養殖真珠。真円真珠は母貝に球形の核を挿入して作る丸い養殖真珠。

第4章　アジアとオーストラリアを繋ぐ人びと——海域世界の視座から——

長津一史
間瀬朋子

はじめに

オーストラリアとインドネシアのあいだには長い交流の歴史がある。にもかかわらず、両者が断絶されているかのように思い込んでいるのは、わたしたちの〈世界の見方〉に偏りがあるからだろう。たとえば、高校地理の教科書では、オーストラリアとインドネシアはたいてい別々のページに描かれる。世界地図をいくつかに区切った範囲、つまり地域でみると、前者は「オセアニア」に、後者は「アジア」か「東南アジア」に分けられる。何より、わたしたちの頭の中にある世界地図では、オーストラリアとインドネシアは、全く接点のない異なる歴史と文化を持つ国としてイメージされがちである。

インドネシアのスラウェシ島は、東西五〇〇〇キロ強の幅で広がる同国のほぼ中央に位置する。スラウェシ島の南端から南東の海に進むと、やがてオーストラリアの北岸に至る。両者間の距離は直線でも一〇〇〇キロ以上に及ぶ。しかしその距離は、スラウェシ島の漁民たちにとって、エンジンのない時代でも障壁にはならなかった。かれらは、遅くとも一七世紀には、木造帆船を操り、北西モンスーンに乗って南下し、現在のオーストラリアの北岸を訪れるようになった。

オーストラリア北岸の先住民、アボリジニの人たちは、インドネシアからやって来た漁民たちをマカッサンと呼んだ。マカッサンは、中国向けの輸出産物であるナマコを採捕する漁場を開拓していく過程でオーストラリアに到達した。そこでかれらは、アボリジニの人びとともにナマコの燻製加工を行ない、互いにさまざまな物資を交換した。その歴史は、イギリス人のジェームズ・クック船長がオーストラリアに到着した時（一七七〇年）をはるかに遡ると考えられている。[1]

マカッサンは多数の民族で混成されていたと考えられている。その一民族であるバジャウ人は一八世紀前半には小スンダ列島に進出し、オーストラリア西北岸に繋がる海域で漁撈活動を営むようになっていた。こうした海の民にとって、現在のインドネシアからオーストラリアに至る海は、豊かで自由な生活圏であり、交易の道だった。

この章では、オーストラリアとインドネシアを結ぶ交流の歴史を担ってきたインドネシア漁民の生き様を描きながら、同時に生活圏としての海域世界に注目してわたしたちの〈世界の見方〉を問い直してみたい。

（1）村井・内海・飯笹編著（二〇一六）

1　ティモール海域における「線引き」

オーストラリア西北岸とインドネシアのあいだに広がる海をティモール海という。この海に引かれた国境線の近くに、アシュモア礁という名の環礁がある。アシュモア礁はオーストラリア領内に位置する。オーストラリア西北岸からの距離は北西に約三五〇キロ、インドネシア最南端のロテ島からの距離は南に約一五〇キロ。このようにアシュモア礁は、かなりインドネシアよりに位置している。

前述のマカッサンとアボリジニの人たちとの交易は、イギリスによるオーストラリアの植民地化、オーストラリア連邦による先住民の保護・隔離政策や白豪主義政策によって衰退した。さらに、オーストラリア連邦が成立し、「国境」や「大陸棚」や「排他的経済水域」といった海の線引きが行われるようになると、インドネシア漁民の生活圏は、しだいに同連邦によって囲い込まれ、狭められていった。

一九六八年、オーストラリア連邦政府は、自国の漁業水域にあるアシュモア礁とその周囲に点在する岩礁・島でインドネシアの漁民が漁業活動を行なうことを認めた。スラウェシ島などの漁民は、数百年以上前からこの海域でタカセガイ（サ

《Key Word》

「海域世界（maritime world）」

海を媒介に結ばれた歴史的持続性のある社会文化生態圏を指す。東南アジアの海域世界は熱帯雨林の広がる多島海である。ここには古くから、離散移住傾向の強さ、商業志向の卓越、ネットワークの中心性を特徴とする社会が形成されてきた。

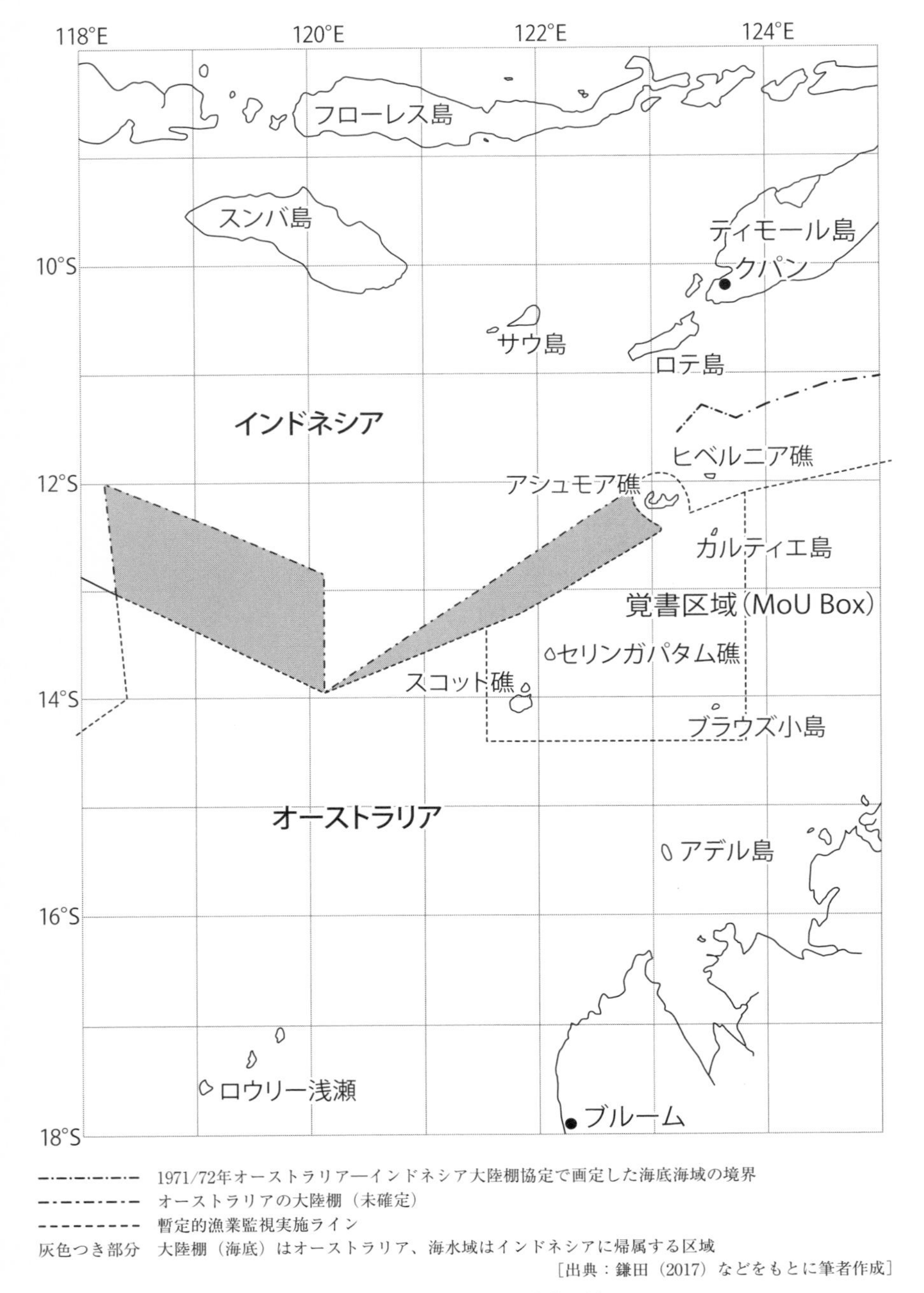

図1　ティモール海域と覚書区域

ラサバテイ）[2]やナマコなどを採捕してきた。こうした歴史を考慮して、連邦政府は上記のように認めたのである。

一九七四年の「オーストラリア漁業水域と大陸棚におけるインドネシアの伝統的漁民に関するオーストラリア―インドネシア覚書（ＭｏＵ）」は、インドネシア漁民が一九六八年の通告にあるアデル島を除いた岩礁・島の半径十二海里において「伝統的かつ自給的な」漁業活動を行なうことを容認した。しかしその一方で、インドネシア漁民がそれ以外の範囲で漁業活動を行なうことは禁止した。一九八九年、覚書は修正され、エンジン、冷蔵設備、ＧＰＳ、コンプレッサー等を搭載していない小型木造帆船（口絵2頁）による漁のみが「伝統的な漁」であると定義された。そのうえで、覚書にある岩礁・島を取り囲む覚書区域（MoU Box）においてのみ、インドネシア漁民による「伝統的な漁」が許可されると定められた。

一連の流れの中でインドネシア漁民は、アシュモア礁などでの漁を禁じられ、先祖伝来の良好な漁場を失っていった。帆船を使ったかれらのナマコ漁はスコット礁、サメ漁[3]はカルティエ島の周辺やブラウズ小島の覚書区域に限定されてしまった。

2　オーストラリアにいちばん近い島――ロテ島

ロテ島は、インドネシアの首都ジャカルタから約二〇〇〇キロ東、同国の最南端に位置する。オーストラリア大陸にもっとも近い有人島である。[4]一七世紀の末からオランダ植民

（2）　巻き貝の一種。貝殻がボタン材として利用される。

（3）　サメは尾びれと背びれを切り取る。そのヒレを乾燥させて商品「フカヒレ」とする。フカヒレは主に中国市場に輸出される。サメの肉は海上で捨てられることが多い。

（4）　厳密に言えば、ロテ島と同じ県に属するンダナ島が最南端の有人島である。

地勢力の影響を受けて、ロテ島民はキリスト教（プロテスタント）に改宗していった。サバナ気候が卓越するこの島では、パルミラヤシが人びとの暮らしを支える。住民は樹木に登り、その扇形の葉で作った容器に樹液を集める。樹液は煮詰めて砂糖液や固形の砂糖を作る。あるいは発酵させて酒にする。砂糖液や砂糖は自家消費するほか、スラウェシ島の南・南東部に運ばれる交易商品にもなる。それらは、島の重要な交換用産物であった。

ロテ人は一八世紀以前からアシュモア礁に航海していた、と語り継がれている。かれらはアシュモア礁を「砂の島（プラウ・パシル）」と呼ぶ。「アシュモア礁」は、イギリス人が一九世紀になって付けた新しい名前でしかない。「砂の島」周辺で漁撈活動を行なうために、古くからインドネシア諸島のムスリムもロテ島に寄港・移住してきた。スラウェシ

図2　ロテ島の漁村（筆者撮影）

図3　パルミラヤシ樹液の採取（写真提供：鎌田真弓）

島を故地とするブトン人やバジャウ人などがそうである。しかしながら、「砂の島」を最初に発見したのは、あくまでロテ人だとかれらは主張する。

ロテ島内には多数の漁村がある。ただ、そのうち現在も覚書区域まで出漁しているのは、移住者とロテ人が混住する二つの集落（A集落とB集落）にほぼ限られる。A集落は島北東の南岸に位置する。同集落には、バジャウ人とムスリムの移住者、かれらと婚姻関係にあるロテ人が住む。バジャウ人は古くからアシュモア礁などに出漁する途上でA集落に寄港してきた。ただし、ここに定住し始めたのは一九八〇年代末になってからのことである。B集落は、島南西の北岸に位置する。ブトン人らムスリム移住者と、かれらと婚姻関係にあるロテ人が住む。

一九八〇年代末まで、両集落の漁民は、東風の吹く七～一〇月に約三ヶ月間のタカセガイ漁やナマコ漁に従事するのが常だった。一九九〇年頃にそのパターンに変化が生じた。A集落ではナマコ漁からサメ漁への転換が起こった。A集落の漁民は、サメ延縄漁を行なっていたバジャウ人からその技術を学んだ。やがてかれらは、四～一二月に複数回、帆船でオーストラリア海域に向かい、サメ漁をするようになった。十分な漁獲がないまま漁期の一ヶ月間が過ぎてしまいそうなときには、オーストラリア当局の目を盗んで覚書区域の外に出漁した。覚書区域を出た海域にサメが多いことを、かれらは経験的に知っているのである。

二〇〇〇年代のA集落では、オーストラリアによる境界監視の厳格化や不漁のため、漁業の多角化が進んだ。オーストラリア海域へ入ってサメ漁をするA集落の漁民の帆船は次々と拿捕され、焼却処分された。捕まった漁民はオーストラリアの刑務所で服役するこ

図5　サメ漁（写真提供：ロテ島漁民A）

図4　帆船（写真提供：ロテ島漁民A）

とを余儀なくされた。高額の罰金を支払えば、刑務所での服役を逃れることができる。しかし、かれらにそうした経済的余裕はない。二〇〇〇年に一〇〇隻以上あったA集落の帆船は、二〇〇〇年代末にはわずか数隻にまで激減した[5]。

二〇〇〇年代半ば以降、A集落では、建造費がかさむ上に小回りが利かずに拿捕されやすい帆船の建造は減少し、他方でエンジンを備えた安価な小型木造船の建造が増加した。ただし、「ボディ」と呼ばれるこの小型木造船では覚書区域に入ることはできない。オーストラリア当局の定義では、エンジンを搭載した船による漁は「伝統的な漁」に該当しないからである。そこで漁民たちは、ロテ島の七〇〜八〇キロ南のインドネシア領海でマグロ漁を行なうようになった。また、ボディより少々大きなエンジン付きの船を使って国境線の近くまで航行し、ハタ類を釣る漁民も増えた。その漁場からさらにオーストラリア領海まで船を進めてサメ延縄を仕掛け、オーストラリア当局の監視の少ない夜間にサメを引き揚げる漁民もいる。

(5) ロテ島での聞き取り(二〇一八年一二月)によれば、エンジン付きの船による操業で蓄財した者は二〇一〇年代に入って再び帆船の建造を始めた。二〇一八年末、A集落の帆船数は約五〇隻にまで回復している。

3 「線引き」がもたらした商機——難民移送

一九九〇年代半ばから二〇一〇年代の半ばにかけて、アフガニスタンやスリランカ、イランなどの戦火、政治的迫害、経済的苦境を逃れた難民の一部は、かれらにとっての新天地であるオーストラリアやニュージーランドを目指した[6]。ティモール海は、そうした難民の密航ルートとして使われた。国際人身売買シンジケートは、賄賂が通用するインドネシ

(6) これらの人びとは、英語では"Asylum seekers"「庇護地を求める人びと」と呼ばれる。ここでは、内容をふまえてわかりやすく「難民」と記した。

図6　小型機械動力船（筆者撮影）

アを密航の中継地として利用し、そこから難民をオーストラリアやニュージーランドに送り込もうとしたのである。難民は、ジャワ島南岸、ティモール島西岸、ロテ島などで、十から数十名、さらには数百人単位で朽ちかけた漁船に詰め込まれ、オーストラリア領のクリスマス島やアシュモア礁に運ばれた(7)。漁船の操縦士の多くは、ロテ島民を含むインドネシアの漁民であった(8)。

二〇〇一年以降、難民は、運よくオーストラリア領内のクリスマス島やアシュモア礁に上陸できても、ナウル共和国やパプアニューギニアに移送され、その地の収容所で長い難民審査期間を過ごさなければならなくなった(9)。二〇一三年からは、正式に「難民」であると認められても、当該者がオーストラリアに居住することは不可能になった。かれらは収容所で、アメリカなど他国の受け入れを待たなければならなくなったのである。ロテ島の漁民たちは、こうした事情を知っていながら、密航船の操縦やその補助に携わっている。二〇〇〇年代、オーストラリア当局による境界管理が厳格化されるにしたがって、ロテ島の漁民たちが漁業のみで生計を立てることは困難になっていった。そうしたかれらにとって、難民の移送は貴重な収入源にみえたのである。

難民の移送に対する報酬はたいてい事後払いである。その契約は詐欺であることも少なくない。しかし国際人身売買シンジケートの末端に位置する代理人は、サメ漁を何十回実

(7)　難民たちにとって密航が命がけの行為であることには留意しておきたい。一九九〇年代末から二〇〇〇年代はじめにかけて、数百人を乗せた密航船が沈没し、乗船していた難民の多数が命を失う事故が頻発した（飯笹 二〇一七）。

(8)　村井・内海・飯笹編（二〇一六）

(9)　オーストラリアの難民受け入れ政策の変遷については、飯笹（二〇一七）を参照

図7　密航船カナッ号（筆者撮影）

施しても得られないような高額の報酬を漁民たちに約束する。難民の移送なら、自分たちの土地勘や操船技術を活かすことができる。それは、難民を安全な国境の向こう側へ運ぶ「人助け」でもある。こう考えた漁民たちは、「国際犯罪の片棒担ぎ」をするのにほとんど躊躇しなかった。

二〇一九年末、国際移住機構（ＩＯＭ）が反人身売買キャンペーン集会をロテ島で開催した。参加した漁民たちは「家族のために密航の手伝いをするな、とはどんな理屈なのか。わたしたちは家族が生きていくために難民移送をやっている」「難民移送をやめろと言うなら、他の現金獲得の機会を準備してくれ」などと、ＩＯＭの説明に反論した。自国の海域に侵入する手前で密航船をインドネシア海域へ追い返すなど、オーストラリアの非人道的な水際対策は国際的な非難をあびた。それでも、その水際対策は十分に功を奏し、二〇一六年頃までにロテ島からオーストラリアに向かう難民はほぼ姿を消した（12章参照）。ロテ島の漁民のあいだでは、そのことを残念がる声が止まない。

ロテ島漁民にとって難民移送は、国家によって「線引き」された海が期せずしてもたらした商機にほかならない。かれらは、難民移送がオーストラリアで逮捕され、刑務所に服役することになりうる危険な商売であると認識している。そうであってもかれらは、住宅の建築や改築、子弟の就学、結婚準備などのためにまとまった資金が必要になると、一過的に難民移送に関与する。そうした選択をするかれらのあいだには、オーストラリア当局による尋問や身柄の拘束は総じて「人道的」であるという経験知が働いている。

インドネシア政府は、自国西北部の南シナ海では、ティモール海でのオーストラリア政府と同じように、中国等の外国船舶による領海侵犯を阻止するため、武力の誇示とナショナリズムの煽動を含む強硬な対策を講じている。他方、ティモール海では、自国民が隣国オーストラリアの領海を侵犯しているが、そのことにはあまり注意を払っていない。インドネシアは、「難民の地位に関する条約ならびに難民の地位に関する議定書」（いわゆる難民条約）に調印していない。自国に滞留する密航希望者の数は膨れ上がっている。こうした状況にあるため同国政府は、密航希望者を「外国」に運び出すロテ島民ら難民移送者を積極的に取り締まろうとはしない。「インドネシア海域で捕まるのは、事前の根回し（インドネシア当局への賄賂）が足りなかっただけ」。ロテ島の漁民たちは、そう軽口を述べていた。

4　出稼ぎと幸運探し

インドネシアにはムランタウという慣行がある。もともとはスマトラ島に住むミナンカバウ人の言葉で、自らの故地から開拓地に渡って出稼ぎをする行為を指す。それは、ミナンカバウ人のみならず、多くのインドネシア人にとって、特に男らしさと結びついた望ましい行為とみなされている。人は一度はムランタウするべきだ、と。このムランタウの目的を尋ねると、かれらから判を押したように返ってくる返答が「幸運を探す（チャリ・レジェキ）ため」である。

未知の土地に赴き、自らの才覚、人付きあい、コネクションを駆使して、経済的な成功を収める。森に分け入り高価な沈香を探しあてること、そうした宝探しの者たちが集まる場所で食堂を開くこと、雑貨を売ること。もちろんこれまでにみたような、国境を越えてナマコやサメを獲ることも含まれる。その行為は、近代国家が持ち込んだ法のもとでときに違法になる。そんなことは百も承知で、かれらは幸運を探し続ける。チャリ・レジェキは、インドネシアの人びとの価値観や生き様を理解するうえで欠かせないキーワードである。

そこでの幸運とは、一義的にはもちろん経済的な成功を指す。しかし、それだけではない。人がうらやむような経験を積み、その経験を語ることができるようになることも、かれらにとっては大事な「幸運」のひとつになっている。

ロテ島のA集落に住む五〇代の男性は、次のようなオーストラリアへのムランタウ経験をわたしたちに語った（二〇一五年一〇月）。

アシュモア礁には一九九〇年代の半ば頃から出漁するようになった。目的ははじめの頃はタカセガイの採捕、一九九〇年代後半からはサメ延縄漁だった。一九九八年、サメ延縄漁をしているとき、オーストラリアの国境警備隊に見つかり、捕まった。船は燃やされた。わたしは、ダーウィンの入国管理局施設に七〇日収容された。飛行機でバリ島に送り返された。あんな大きな飛行機に乗ったのは、はじめてだった。

二〇一〇年にも国境侵犯で捕まった。今度は漁ではなく、密航手伝いのための国境侵犯だった。ミャンマー人五人をオーストラリア領に運び、引き渡す（引き渡す相手は、聞き取りでは不明）予定だった。裁判の結果、懲役を宣告された。ダーウィンなどの刑務所で計二年間過ごした。ただ、クーラーのついた刑務所の生活は快適だった。食事は牛乳にパンなど。ロテ島では食べたことのない美味しさだった。運動や英語の勉強もできた。いまも、ちょっとなら英語を話すことができる。芝刈りや簡単な木工仕事をすると給料ももらえた。いくらか忘れたけど、結構な金額だったな。

先に述べたように、国境を越える出漁も難民移送も、かれらにとっては様々な商機のひとつでしかない。それはまた、たとえ財をなすことがなくとも、ムランタウの語りをなすに十分な価値を持ちうる。似た話は、東インドネシアの各地で聞いた。大型旅客機、オーストラリアのパンと牛乳、英語学習――インドネシア人の多くは経験することのないこれらのアイテムを含むその語りには、話を伺ったわたしたちだけでなく、集まってきた住民たちも目を輝かせ、ときに驚きの声をあげながら耳を傾ける。語り部たちは、その瞬間にこそムランタウの愉悦を見いだす。

近代国家の論理では、国境を越える出漁も難民移送も違法行為である。特に後者は、「国際犯罪の片棒担ぎ」でさえある。しかし、それらの行為は、この海域で生きてきたインドネシア諸島の漁民が五〇〇年以上にわたり紡いできた歴史や価値観と明らかに連続している。他方、ほんの数百年前に、はるか西のイギリスからやってきた植民者たちが、勝手に土地を占拠し、海に線を引き、漁民たちを「外国人（インドネシア人）」としてその線の向こうに追いやっている。この構図をふまえていえば、オーストラリア政府が漁民たちの行為を一方的に断罪することはかならずしも正当とはいえないはずである。

おわりに——新たな〈世界の見方〉に向けて

日本を含む東アジアから、東南アジア、そしてオーストラリアに至る地域は、豪亜地中海とも呼ばれる。この海では、島々が途切れることなく連なっている。紀元前から各地に港が築かれ、港と港のあいだでは交易が営まれてきた。冒頭で述べたように、オーストラリア北岸も一七世紀にはその交易ネットワークに組み込まれるようになった。これまでみたように、インドネシア漁民のオーストラリアへの海を渉る移動は、いまも様々なかたちで続いている。しかし、わたしたちが思い描く世界地図では、多くの場合、オーストラリアとインドネシアのあいだに明確な断絶線が引かれたままである。

こうした世界についての見方を持続させている背景のひとつは、先進国—発展途上国というすでに色褪せたはずの経済力を指標とする地域の分類方法であろう。それは、〈進んだ西洋〉と〈遅れた（東南）アジア〉と読み替えることもできる。このいびつな〈世界の見方〉が、インドネシア諸島からオーストラリア大陸に連なる交流の連鎖を頭の中で断ち切ってしまっている。インドネシア諸島民がオーストラリア周辺海域に向かった出漁の歴史は、そうした〈世界の見方〉を修正するための手掛かりになるにちがいない。

〔参考文献〕

飯笹佐代子「密航という選択――ボートピープルと境界」『オーストラリア研究』三〇号、二〇一七年
鎌田真弓「豪北部海域における「脅威」と境界管理」『オーストラリア研究』三〇号、二〇一七年
村井吉敬・内海愛子・飯笹佐代子編著『海境を越える人びと―真珠とナマコとアラフラ海』コモンズ、二〇一六年
Macknight, C. C., *The Voyage to Marege: Macassan Trepangers in Northern Australia*, Melbourne, Melbourne University Press,1976.
Stacey, Natasha, *Boats to Burn: Bajo Fishing Activity in the Australian Fishing Zone*, Canberra, ANU Press, 2007.

バジャウ人の集落（マレーシア・サバ州）（筆者撮影）

column

タマリンドが語るもうひとつのオーストラリア史

――長津一史

オーストラリアノーザンテリトリーのダーウィンは南緯一二・二七度に、インドネシア共和国南端のロテ島は南緯一〇・四一度に位置する。緯度の差は二度弱。東京と郡山の緯度の違い程度でしかない。だから、両地域の植生はよく似ている。ダーウィン周辺で目にする木々、紙のような樹皮をまとったカユプテやギザギザに縁取られた長い葉のタコノキは、インドネシア東南部でもおなじみである（ただし、動物相は異なる）。

双方の大地に根づく樹木で興味深いのは、タマリンド（*Tamarindus indica*）である。マメ科の植物で、酸味の効いた果実をつける。原産地はアフリカと推定されているが、インドネシアには紀元前をはるかに遡る古代に移植され自生するようになったらしい。他方、ダーウィンのタマリンドは、比較的新しい時代、とはいっても数世紀前に、この地に持ち込まれたと考えられている。

図1　ノーザンテリトリー・ダーウィン市タマリンド・パークに植えられたタマリンドの木（写真提供：Dr. Natasha Stacey, Charles Darwin University）

インドネシア人にとってタマリンドの実は、なくてはならない食材である。スープの材料にも調味料にもなる。ジャムゥと呼ばれる生薬にも使われる。かれらの祖先が食用にタマリンドの実をオーストラリア北岸に持ち込み、種をすてた。その種から生まれたタマリンドがこの地に広がったのである。

インドネシア人の祖先たちは、なぜこの地にやってきたのだろうか。かれらの目的は、なんとナマコを採捕することだった。ナマコは、東南アジアでもっとも重要な換金用海産物のひとつである。土地の人たちは食べない。輸出先は中国で、華人の食卓に供されてきた。カチカチに乾燥させたものが商品である。日本の煎海鼠(いりこ)をイメージしてほしい。

インドネシア諸島からの来訪者を、オーストラリア北岸の先住民、アボリジニの人たちはマカッサンと呼んだ。マカッサンの来訪は一七世紀から二〇世紀初頭まで続いた。マカッサンは半年ごとに向きを変える季節風に乗り、帆船で海を渡った。一九世紀後半には、年に千人を越すマカッサンがオーストラリア北岸を訪れた。数ヶ月滞在し、現地で加工作業をおこなうこともあった。浜辺でナマコを茹で、燻し、天日で干したのである。ノーザンテリトリー・アーネムランドの沿岸には、ナマコ加工場の遺跡が多数残されている。

この歴史過程で注目したいのは、ヨルング人などアボリジニの人たちとマカッサンとの関係である。ヨルング人はナマコ加工場で働き、労働あるいは加工品の対価として、マカッサンから鉄具やカヌーなど様々なモノを得ていた。諍いや相互不信がなかったわけではない。しかし、ヨルング人の口承伝承や岩絵をみる限り、両者はおおよそ友好的な関係にあったと考えられている。少なくとも、欧州からの移民とアボリジニの人たちとのあいだにみられた、前者が後者を差別・搾取するような関係ではなかった。

図2　ノーザンテリトリー・アーネムランドのアボリジニ作家によるマカッサンの帆船とナマコ加工を描いた樹皮画（キャンベラ市内オーストラリア国立美術館の展示。筆者撮影）

この交流史を学んで思いだしたのが、わたしが研究するバジャウ人のことである。バジャウ人はマカッサンを構成する集団のひとつであったと考えられている。一七世紀までに現在のフィリピン南部からマレーシア・サバ州、東インドネシアに至る海域に拡散居住し、ナマコをはじめとする換金性の高い海産物を漁（すなど）っていた。

遅くとも一七世紀までに、スラウェシ島南部のバジャウ人はナマコを採捕するためオーストラリア北岸に到達した。かれらの海の世界は、ナマコ需要を契機として、フィリピンの南からオーストラリア北岸にまで繋がった。バジャウ人の人口拡散は、移住、移住先の人たちとの結婚、さらには移住先の人たちの「バジャウ化」によって生じた。わたしが調査をしているジャワ島沖合のバジャウ人の多くは、周辺に住むマンダル人やブギス人、さらには華人を祖先に含んでいる。祖先がまったくバジャウ人と関係しない人も少なくない。バジャウ人は、海の生業を志向する多様な出自の人びとが混じりあって生成した、混淆的（クレオール）な海民として理解することができるのである。その混淆をもたらしたのは、ナマコをめぐって発達した在地の商業ネットワークであった。

一九世紀末までに、マカッサンはヨルング人と結婚関係を結ぶようになっていた。マカッサンと結婚したヨルング人のなかには、スラウェシ島に移り住んだ人もいた。先に述べたように、バジャウ人はマカッサンの一集団であったと考えられている。インドネシアとオーストラリアのあいだに国境線が引かれていなければ、かれらの居住地はおそらくオーストラリア北岸にまで広がっていただろう。

オーストラリアは、かつての白豪主義を捨て、アボリジニの人たちの語りにも耳を傾け、自らの歴史を見直すようになっている。マカッサンとヨルング人の交流史は、そうした歴史の再構築を進めていくうえでも重要な意味を持つに違いない。タマリンドの木は、その歴史をいまに伝える貴重なアイコンなのである。

〔参考文献〕

長津一史「海民の社会空間―東南アジアにみる混淆と共生のかたち」甲斐田万智子ほか編『小さな民のグローバル学―共生の思想と実践をもとめて』上智大学出版会、二〇一六年

村井吉敬『スラウェシの海辺から―もうひとつのアジア・太平洋』同文舘、一九八七年

Macknight, C. C., *The Voyage to Marege: Macassan Trepangers in Northern Australia*, Melbourne, Melbourne University Press, 1976.

第2部

多民族社会オーストラリア——文化の混淆と共存

第5章　多文化の街——シドニー——

飯笹佐代子

はじめに——オーストラリア最大の多文化都市

シドニーといえば、まずはハーバーブリッジとオペラハウスが映えるシドニー湾の風景や美しいビーチを思い浮かべるだろう。ヨットの帆や貝殻を連想させる独創的な建築として有名なオペラハウスは、デンマークの建築家ヨーン・ウッツォンによる設計で一九七三年に完成された。ユネスコの世界文化遺産としては最も建造年代が新しい。オーストラリア大陸の中でヨーロッパ人が最初に入植したシドニーには、その痕跡を残す歴史的遺産も多い。これらの有名な観光スポットに加えて、シドニーが多くの人びとを惹きつけるのは、多文化都市としての躍動感と、それを支える多様性への寛容さではないだろうか。

表1　主要大都市圏の人口構成（外国生まれ、出身国、家庭での使用言語の割合）

	オーストラリア全体		シドニー大都市圏		メルボルン大都市圏	
人口（人）	23,401,892		4,823,991		4,485,211	
外国生まれの割合（%）		33.3		42.9		40.2
出身国トップ5（%）	イギリス	3.9	中国＊	4.7	インド	3.6
	ニュージーランド	2.2	イギリス	3.1	中国＊	3.5
	中国＊	2.2	インド	2.7	イギリス	3.0
	インド	1.9	ニュージーランド	1.8	ニュージーランド	1.8
	ベトナム	0.9	ベトナム	1.7	ベトナム	1.8
家庭での使用言語（%）	英語のみ	72.7	英語のみ	58.4	英語のみ	62.0
英語以外のトップ5	北京語	2.5	北京語	4.7	北京語	4.1
	アラビア語	1.4	アラビア語	4.0	ギリシャ語	2.4
	広東語	1.2	広東語	2.9	イタリア語	2.3
	ベトナム語	1.2	ベトナム語	2.1	ベトナム語	2.3
	イタリア語	1.2	ギリシャ語	1.6	広東語	1.7

	ブリスベン大都市圏		パース大都市圏		アデレード大都市圏	
人口（人）	2,270,800		1,943,858		1,295,714	
外国生まれの割合（%）		32.2		42.7		31.8
出身国トップ5（%）	ニュージーランド	4.7	イギリス	8.6	イギリス	6.2
	イギリス	4.0	ニュージーランド	3.2	インド	2.0
	中国＊	1.6	インド	2.4	中国＊	1.8
	インド	1.6	南アフリカ	1.8	イタリア	1.3
	南アフリカ	1.0	マレーシア	1.5	ベトナム	1.1
家庭での使用言語（%）	英語のみ	78.0	英語のみ	78	英語のみ	75.4
英語以外のトップ5	北京語	2.4	北京語	2.4	イタリア語	2.1
	ベトナム語	1.0	イタリア語	1	北京語	2.1
	広東語	0.9	ベトナム語	0.9	ギリシャ語	1.7
	スペイン語	0.7	広東語	0.7	ベトナム語	1.4
	ヒンディー語	0.6	アラビア語	0.6	広東語	0.7

＊香港・マカオ・台湾を除く

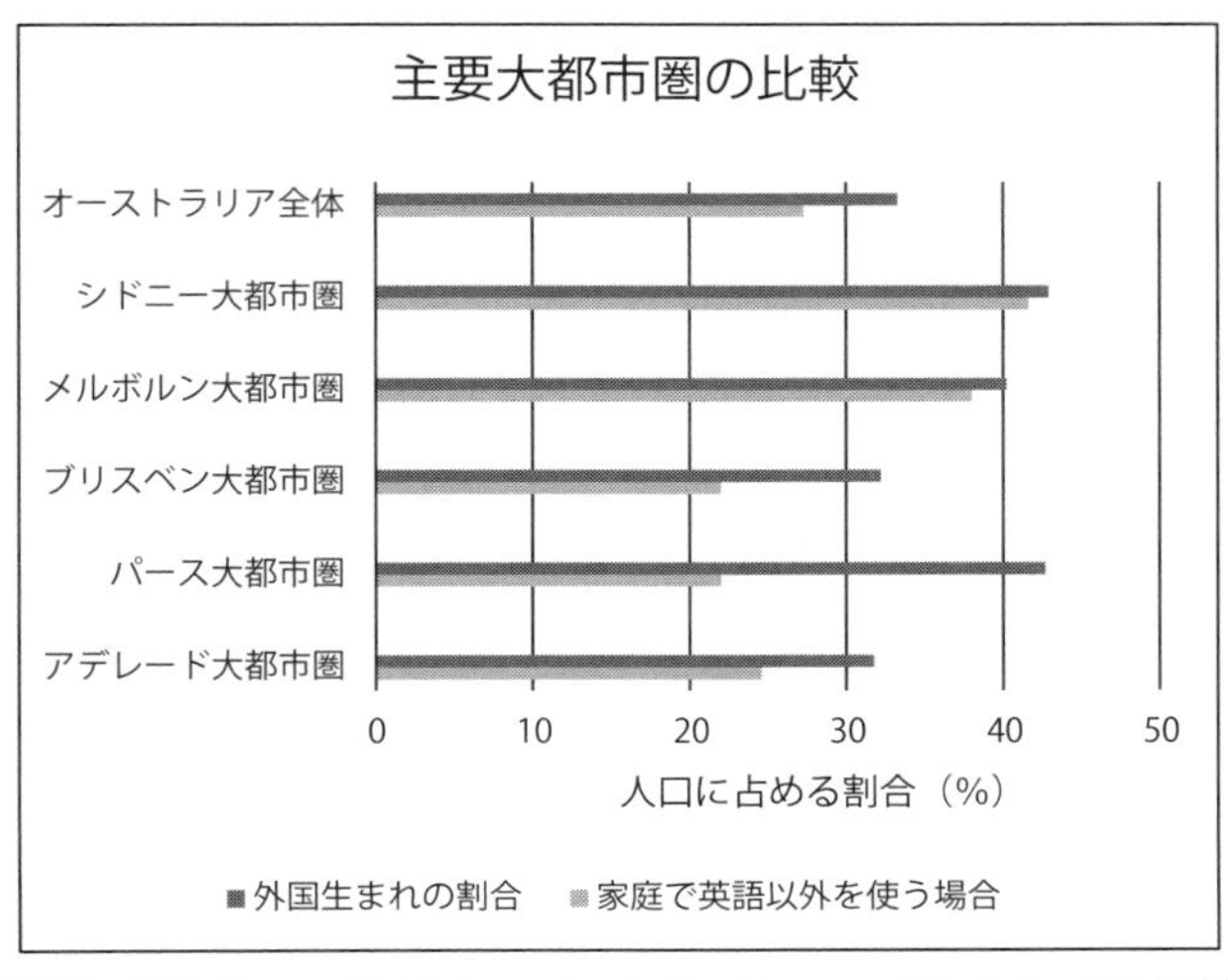

（出所：2016 Census QuickStats, Australian Bureau of Statisticsより作成）

二〇一六年の国勢調査によると、[1]シドニー大都市圏[2]の人口は四八〇万人超、うち外国生まれは約四三%と半数近くを占める。その出身国・地域は二〇〇以上に及び、もっとも多いのは中国（香港、マカオ、台湾を除く）で、住民全体の四・七%を占め、イギリス（三・一%）より多い。また、総人口の四割以上が家庭内で英語以外の二〇〇を超える言語を使用しており（多い順に北京語（四・七%）、アラビア語（四・〇%）、広東語（二・九%））、宗教については、カトリック（二五・一%）、英国国教会（一二%）の次に多いのがイスラム教（五・三%）だ。

表1は主な大都市圏の人口構成を示したものであり、シドニー大都市圏が非ヨーロッパ系ないしは非英語圏の出身者をもっとも多く擁していることがうかがえる。加えて、シドニーは世界からLGBTQIの人びとが集う街としても知られる。こうした多様な人びとが織りなすシドニーの姿を、本章では、歴史的背景を踏まえつつ、特徴のある街やフェスティバルに注目して紹介したい。

（1） Australian Bureau of Statistics の 2016 Census QuickStats による。本章の以下の人口数値も同様。

（2） シドニー大都市圏（Greater Sydney）とは、オーストラリア連邦政府統計局によって区分された地域で、シドニー市（人口約二〇万）を含む三五の地方自治体から成る。広さは一万二三六八平方キロで、東京、千葉、埼玉、神奈川の一都三県を合わせた面積よりやや小さい。

1　多文化都市シドニーの成り立ち

多文化都市としてのシドニーの形成をめぐる歴史は悲劇や苦難が伴うものでもあった。一八世紀末にイギリス人がシドニーで入植を開始し、狩猟・採集を糧に生活するアボリジニと遭遇したとき、入植者たちの目には野蛮な「放浪の民」としか映らなかった。自分たちとは大きく異なったアボリジニ独自の社会形態や土地との宗教的、経済的な結びつきを理解することができなかったからである。アボリジニの文化を踏みにじり、土地を略奪するような形で、シドニーは都市として急速に発展していった。一七八八年に囚人を含む約一二〇〇人がシドニー入りして以降、人口は増え続け、一八二〇年代に入ると自由移民も続々と流入した。[3]

　一八四〇年にニューサウスウェールズへの囚人移送が終了した時点で、シドニーとその界隈には先住民を除いて約四万五千人が住んでいたという。移住者は主にイギリスとアイルランドからであったが、一九〇一年の移民制限法によって白豪主義の時代が始まるまでに、すでに中国人やキリスト教徒のレバノン人、インド人など非ヨーロッパ系の人びともシドニーに定住していた。一八九五年にはメルカイト（東方正教会の一つ）の教会が、また一八九八年には中国寺院が初めて建てられた。他方、ユダヤ系のコミュニティーはより早く一八四四年からシナゴーグを有していた。[4]

　ギリシャ正教の初の教会が誕生したのは一八九五年で、ギリシャ人はイタリア人とともに白豪主義の下で増加し、両者の多くは果物などの商店やカフェを経営した。同じヨーロッパ系の白人といえども、イギリス系やアイルランド系と対等な関係ではなかった。なお、イギリス系とアイルランド系はオーストラリア独自の表現で「アングロ・ケルト」系と総称されるが、均質な集団ではなく、出身地による文化の差異や、時に対立構造も内包していた。イギリス系は、イングランド系、スコットランド系、ウェールズ系から構成され、

《Key Word》

「多文化主義（multiculturalism）」

　デモクラシーの価値の共有と文化的差異の尊重に基づき、出自に基づく差別や不平等を解消し、多様性の中から社会統合を図るとともに、経済的活力を引き出そうとする理念や政策を指す。オーストラリアはカナダに続いて1970年代に国是として導入。

（3）シドニーの移民史については、Jupp (1998) を参照。オーストラリア全体の移民流入の歴史については序章で概説されている。なお、最初の入植者数については諸説ある。

（4）ユダヤ系にはイギリスから囚人として移送されてきた人びともいた。

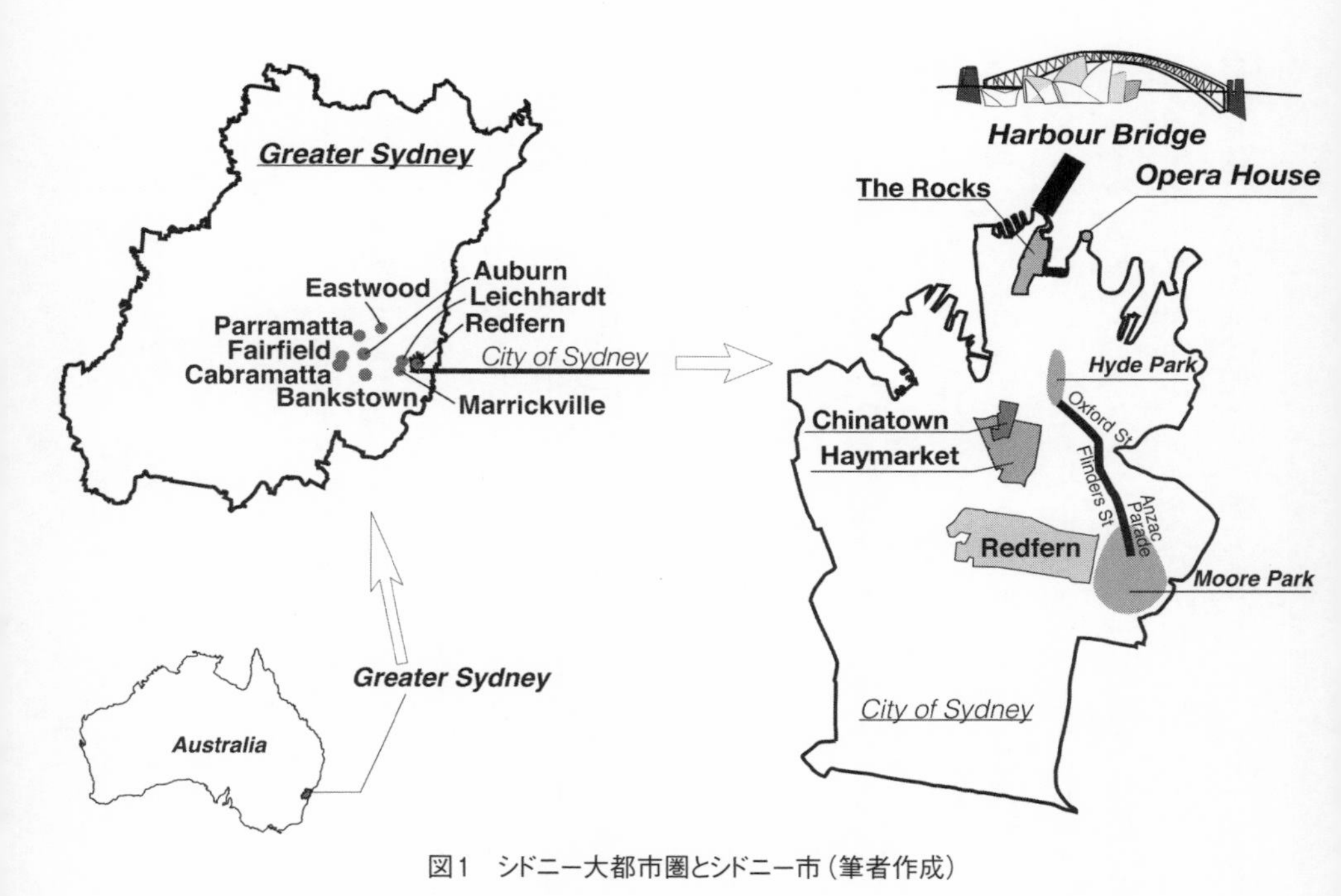

図1　シドニー大都市圏とシドニー市（筆者作成）

特にイングランド系とアイルランド系の間には確執も存在していた。(5) また、キリスト教の宗派については英国国教会やカトリックなどに分かれていた。

第二次世界大戦が終結し、オーストラリア政府が大量移民政策を開始すると、四〇年代末は東欧からの難民が到来し、五〇年代には南欧から、六〇年代に入るとトルコや中近東からも移民を受け入れるようになり、移民の出身国は多様化していった。一九七〇年代初めに白豪主義が撤廃された時には、すでにシドニーはコスモポリタン都市となっていた。以降、アジ

（5）　イギリスの歴史はイングランドによるウェールズ、スコットランド、アイルランド地域の併合の過程であり、とりわけアイルランド系による反イングランド感情は強く、移住先のオーストラリアでも引き継がれた。

アをはじめ世界各地から多様な文化的背景も持つ人びとがやってくるようになり、今日に至っている。夢や希望を抱いて新天地に来た人ばかりではなく、政治的迫害や紛争から命を賭して逃れざるを得なかった人も少なくない。

オーストラリアは白豪主義の撤廃とともに、多文化主義へと大きく舵を切った国として知られる。多文化主義とは、社会を構成するさまざまなエスニック集団の文化を尊重しながら、出自や文化に基づく差別や不平等をなくし、多様性の中から社会統合を図るとともに、経済的活力を引き出そうとする考え方を指す。その理念は一九七〇年代より、移民の定住、福祉、教育、文化、経済などの多岐に渡る政策に反映され、連邦レベルの取り組みとともに、より実質的には各州や自治体による独自の政策やプログラムを通じて実践されてきた。シドニーを擁するニューサウスウェールズ州は特に積極的に多文化政策を推進してきており、二〇〇〇年には多文化主義の理念を州法で規定した初の州となった。[6]

2　「アジアタウン」へと変貌する「チャイナタウン」

シドニー中心部の南に位置するチャイナタウンは、いつ訪れても活気に満ちている。中央を通るディクソン・ストリートは一キロほどが歩行者天国となっており、中国だけでなく、タイやマレーシア、ベトナム、シンガポール、韓国、そして日本を含むアジア圏のグルメや土産物の店が並ぶ。毎週金曜日の夜にはナイトマーケットが開かれ、人気の店の屋台を目的に大勢の人で賑わう。観光客に加えて、シドニー近郊からアジアの留学生もよく

(6)　州法の名称はCommunity Relations Commission and Principles of Multiculturalism Act 2000 No 77。二〇一四年よりMulticultural NSW Act 2000 No 77へ改称された。ニューサウスウェールズ州における多文化政策については以下を参照。https://multicultural.nsw.gov.au/（一〇以上の言語で提供されており日本語でも閲覧できる。二〇二〇年一〇月二五日アクセス）。

図2　チャイナタウンの牌楼（ぱいろう）と人びとの賑わい（写真提供：川口智美）

図3　チャイナタウンの一角にあるショッピングセンター「マーケット・シティ」（写真提供：Shutterstock）

訪れる。

国内でもっとも古く、最大の規模を誇るこのチャイナタウンの起源は、一八五〇年代のゴールドラッシュの時代にさかのぼる。中国からの年季労働者はそれ以前にもいたが、ゴールドラッシュで中国人の数が急増し、金鉱が枯渇した後も留まって、野菜栽培や家具作りなどを糧にシドニーやその近郊に定住した。チャイナタウンは当初、ロックス地区に作られ、一九二〇年代までに現在のヘイマーケット地区に移動した。白豪主義のもとで、中国系の人びとは差別的な扱いを甘受せざるを得なかった。ヨーロッパ系とは異なる制度が適用され、たとえば居住が長年にわたっても、帰化申請する権利は一九五七年まで認められなかった。そうした状況において、チャイナタウンは中国系の人びとのいわば「避難所」的な場所となり、独自の「エンクレーブ」（孤立した居住地）として形成されていった。

ところが、一九七〇年代に白豪主義に終止符が打たれ、多文化主義が導入されると、チャイナタウンは多文化主義のアイコンと見なされるようになる。一九八〇年には、ディクソン・ストリートの両端に見栄えのする「牌楼（ぱいろう）」が建てられ、有望な観光資源として整備されていった。特に近年、チャイナタウン・ヘイマーケット地区はシドニー市内のなかでも企業進出、起業、就業者、住人の増加が目立ち、その著しい経済成長に期待が寄せられている。

特筆すべきは、ヘイマーケット地区の約七四〇〇人の住人のうち九割以上が外国生まれということだ。もっとも多いのはタイ出身者で、住民の五人に一人を占め、中国（香港・マカオ・台湾を除く）が二割弱、インドネシアが一割超、韓国が五％、ベトナムが二％と続く。民族的出自では中国系が最も多く三割以上を占めているが、その他のアジア系住民も着実に増えている。外国生まれが多いのは、シドニー工科大学やシドニー大学、各種のカレッジに近いこの地に、アジアからの留学生が集中しているからであり、留学生は住民のおよそ三分の一を占める。卒業後に定住してチャイナタウンでスモールビジネスを起業する人たちも多い。アジア出身の活力ある若者たちが、チャイナタウンの拡張と新たな発展を支える貴重な推進力となっているのだ。かつて中国系移民の「エンクレーブ」として築かれたチャイナタウンは、開かれた「アジアタウン」へと変貌を遂げつつある。[7]

他方で、古くからいる中国系住民の中には、こうしたチャイナタウンの変貌ぶりに当惑し、これまでの文化的遺産が消えてしまうことに不安を抱く人もいる。シドニーにはメルボルンのチャイニーズ・ミュージアム[8]のような中国系移民が自らの歴史や文化を伝えるミュージアムが存在しないことも問題視され、新たなミュージアムを創設する企画が提案されている。[9]多様なアジアの存在感を表象する新生チャイナタウンが、今後、オーストラリアとアジアを結ぶ経済的、文化的な架け橋としての役割を期待されるなかで、中国系の人びとがこれまで築いてきた文化的遺産をどのように維持し、継承していくのかが問われ

(7) シドニーのチャイナタウンの変化については、Ang et al. (2016) を参照。

(8) 正式名称は中国系オーストラリア人歴史博物館（Museum of Chinese Australian History）。一九八五年にメルボルンのチャイナタウンに設立された。非営利組織として、ヴィクトリア州、メルボルン市、産業界等の支援を受けて運営されている。

(9) 二〇二一年にヘイマーケットの図書館跡のスペースにオーストラリア・チャイニーズ・ミュージアム（Museum of Chinese in Australia（MOCA））を創設する構想が進んでおり、クラウドファンディングが行われている。

ている。

3　カブラマッタ——「リトル・サイゴン」と呼ばれる街

フェアフィールド市にあるカブラマッタは、シドニー中心部から西へ三〇キロあまりに位置し、電車に乗ると一時間弱で到着する。駅前の商店街にはベトナム語や漢字の看板が目立ち、路地に入ると東南アジアの街を歩いてるような錯覚に陥る。ベトナム料理のレストランの多さが目につくのは、「リトル・サイゴン」と呼ばれるように、ベトナム系の人びとが集住しているからだ。

図4　ベトナム語の看板が目に付くカブラマッタの商店街（写真提供：原田容子）

早くからヨーロッパ系の移民が住み着いたカブラマッタにベトナム系の人々が住むようになったのは、オーストラリアが一九七〇年代後半以降、彼（女）らを難民として受け入れたことによる。一九七五年にサイゴン（現ホーチミン）が陥落し、インドシナ（ベトナム、カンボジア、ラオス）の社会主義化が進むなかで大量の難民が発生した。ベトナム難民が圧倒的に多く、その大半は新しい社会主義体制の下で迫害を受ける恐れのある南ベトナム政府や軍の関係者、資産家たち、さらには新

図5　中国系ベトナム人の建てた護国観音廟の門（写真提供：原田容子）

図6　カブラマッタにはオーストラリア最大のアッシリア人の教会もある（写真提供：原田容子）

体制に不信感をもつ人々であった。多くが漁船等の小舟で祖国を逃れ、いわゆる「ボートピープル」として危険な航海を体験した。運が良ければ海上で遭遇した外国の船舶や漁船に救援され、あるいは自力でタイ、マレーシア、インドネシア等の周辺諸国に辿り着き、これらの地の難民キャンプで保護された。そこで難民認定された後に、米国やカナダ、オーストラリア、欧州等に受け入れられていった。驚くべきは、ベトナムから、はるかオーストラリアの海岸までの長い航海を自力で操縦して辿り着いた人が、二千人以上もいたことだ[10]。

　オーストラリアはベトナム戦争に参戦した贖罪意識を持っていたとはいえ、当時はまだ白豪主義を撤廃した直後であり、アジアから大勢の難民を受け入れることは大きな政治的決断であった。当時のシンガポール首相リー・クワンユーは、ベトナム難民を受け入れるか否かが白豪主義撤廃のリトマス試験紙になるとオーストラリア政府に圧力をかけたという。結果的に、オーストラリアは一九九五年までに約一六万人のベトナム難民を受け入れた[11]。このうちシドニーにやってきた人

(10)　飯笹（二〇一六）

(11)　Viviani (1996)

たちの多くが、第二次世界大戦後にヨーロッパからの移民のために設けられたカブラマッタの宿泊施設に入居し、そこを出た後も周辺地域に定住していった。その後、ベトナムから家族を呼び寄せ、新たに難民、移民も到着し、現在のベトナム系コミュニティが形成された。ベトナムからの移住者には中国系（いわゆる華僑）の人びとも少なくなく、中国本土からの移民も加わり、カブラマッタは第二のチャイナタウンとも呼ばれる。中心部にある「牌楼（ぱいろう）」は、街の美化と観光の促進を目的に、フェアフィールド市当局と地元の中国系の団体によって九一年に建てられたものだ。そこから少し歩くと、中国系のベトナム人たちによって建立された中国寺院、護国観音廟がある。ベトナムからボートで逃げる際に航海の無事を祈り、それを叶えてくれた観音様が祀られているという。

　カブラマッタの住民約二万二千人のうち、ベトナム系は三人に一人以上、中国系は四人に一人で、家庭でベトナム語を使う人は五人に一人、宗教を仏教と答えた人は五人に一人以上を占める。カンボジアやタイ、ラオス出身の住民もおり、九月の中秋節を祝う「ムーン・フェスティバル」では様々な民族衣装を着た人びとが街を彩る。

　ベトナム系の集住地区は、カブラマッタ以外にも南西郊外のバンクスタウンやマリックヴィルなどにも作られた。コメディアンとして人気の高いベトナム出身のアン・ドーは、一時期マリックヴィルに住んでいたという。彼の著作『最高に幸せな難民』[12]には、一九八〇年にサイゴンから家族らと一緒に、四〇名がすし詰状態で乗った小舟で脱出し、海賊船に二度も遭遇したことなど、自身の過酷で生々しいボートピープルの体験が綴られている。出航五日目にドイツの船に救助され、マレーシアのビドン島の難民キャンプを経て、アン・ドーの一家はシドニーに定住することになったのである。

（12）Do (2011 (2010))

図7　ベトナム出身のコメディアン、アン・ドー氏の『最高に幸せな難民』の表紙

4 オーバーン——オーストラリア最大のモスクがある街

シドニー中心部から電車で西へ四〇分程、オーバーンの街を歩くと、スカーフを被ったムスリム女性の姿をよくみかける。アラビア語の看板が並ぶ地区もあり、ムスリム・ファッションの商店が目立つ。戦後、この地には旧ソ連や南欧からの移民が到来し、一九六〇年代末以降は政府間協定による移民プログラムのもとで、トルコ人がやって来るようになった。七〇年代に入るとオーバーンとその近郊にレバノンの内戦から逃れてきた人びとが、一九八九年の天安門事件後には中国からの移民が定住した。近年ではアフガニスタンやイラク、シリア、アフリカからの難民も増えている。

オーバーンが立地するカンバーランド市の人口は二二万六千人ほどで、レバノン系と中国系がそれぞれ一割以上、次に多いのはトルコ系の三・四％だ。外国生まれは住民の六割近くを占め、出身国はインド、中国、レバノン、アフガニスタン、ネパールと多様である。住民の約二割がイスラム教の信者で、住民の七人に一人が家庭でアラビア語を話す。

オーバーン・ガリポリ・モスクは、オーバーンの中心から少しはずれた場所にある。(13) 高さ三九メートルの二つのミナレット（尖塔）と中央にドームをたたえた荘厳な古典的オスマン様式の建物だ。一九八六年に着工し、一三年後の一九九九年に完成した。建設計画は現地のトルコ系コミュニティによって進められ、寄付による資金調達に時間を要したという。約六〇〇〇万ドルの建設コストは、大半をトルコ系住民が負担した一方で、トルコ以外

(13) オーバーン・ガリポリ・モスクの公式ホームページを参照 https://www.gallipolimosque.org.au.（二〇二〇年一〇月二五日アクセス）

図8　オーバーン・ガリポリ・モスク（写真提供：Shutterstock）

図9　オーバーン・ボタニック・ガーデンの日本庭園で毎年開かれるシドニー桜祭り（写真提供：Shutterstock）

の出身のムスリムたちの貢献も大きかった。毎週金曜日の礼拝にはおよそ一五〇〇人が集い、トルコ系に加えて多様な出自のムスリムたちも参加する。

ところで、モスクの名称に入っている「ガリポリ」は、第一次世界大戦時にオーストラリアとトルコが敵同士で戦った場所の地名である。敢えてその地名を使ったのはなぜなのだろうか。当モスクの公式ホームページには簡潔に、「オーストラリア社会とオーストラリアのトルコ系ムスリム社会が共有するレガシーを反映」するものと記されている。本書第10章に書かれているように、アンザック軍が勇敢に戦った地としてのガリポリは、後にオーストラリア人意識の醸成を促すことになった「聖地」として見なされていく。その意味をオーストラリア社会の一員として理解し、尊重する姿勢がモスクの命名においてて示されているようにみえる。

このオーバーンで、毎年八月（南半球のオーストラリアでは春先）に、「シドニー桜祭り」が行われている。カンバーランド市が管理するオーバーン・ボタニック・ガーデンの一画に造られた日本庭園が会場となる。庭園内では日本の人気映画の上映会や、盆栽ワークショップなどのイベントも開かれ、日本食の屋台が並ぶ。異国での想定外の「日本」との遭遇はなかなか新鮮である。着物で来場すると入園料が無料になった年は、国籍を問わず様々な着物姿の人たちで賑わっていたという。

5 マルディ・グラ——シドニーの寛容性を世界に発信

シドニーの多様性はエスニックな文化に留まらない。サンフランシスコに次いでシドニーは世界で二番目にLGBTQI（ゲイ・レズビアン・バイセクシュアル・トランスジェンダー・クィア／クエスチョニング・インターセックス）人口が多い都市と言われる。同性婚が合法化されたのは二〇一七年と最近のことだが、世界最大級のLGBTQIのイベント、「シドニー・ゲイ・アンド・レズビアン・マルディ・グラ」（通称マルディ・グラ）がシドニーの夏を彩る一大風物詩となって久しい。[14]

図10　サーキュラーキーからハイド・パークに向かうパレードの参加者たち（写真提供：川口智美）

(14) マルディ・グラについて詳しくは、公式ホームページを参照 https://www.mardigras.org.au（二〇二〇年一〇月二五日アクセス）

マルディ・グラは毎年二月から三月の二週間にわたって開催され、期間中はシドニー中心部のタウンホール（市庁舎）はじめ、まちの随所に性的マイノリティの尊厳を象徴する虹色旗がはためく。多様性、包摂、平等、社会正義を世界に発信することを目的に、映画祭やトークなど種々のイベントが開催され、圧巻は三月の第一土曜日に行われるフィナーレのパレードだ。約二〇〇の団体、計一万人以上の人たちがそれぞれ意表をつく華やかな出で立ちで、飾りを施した山車などとともにハイドパークを出発し、オックスフォード・ストリートを通ってムーア・パークに至る約二キロの道のりを四時間かけて行進する（口絵2頁）。

マルディ・グラの起源は、一九七八年にゲイ・レスビアンの権利を掲げて行われたオックスフォード・ストリートでのデモ行進にさかのぼる。一九六九年にニューヨークで起きたゲイバーへの警察の襲撃事件を記念する世界的な抗議デモの一環として企画され、当時は同性愛が犯罪行為とされていたことから、警察と衝突して多くの逮捕者が出た。しかし近年では、国内外から五〇万人に上る集客力を持つ観光イベントとして、シドニー市やニューサウスウェールズ州が積極的に支援し、企業スポンサーにはオーストラリア・ニュージーランド銀行（ＡＮＺ）やカンタス航空（ＱＡＮＴＡＳ）などの有名企業が名を連ねている。二〇二〇年のパレー

図11　マルディ・グラの期間中、華やかに様変わりするスポンサー企業の銀行のATM（写真提供：杉田弘也）

ドはＳＢＳ放送[15]によって全国にテレビ生中継された。

こうした観光イベントとしてのマルディ・グラの成功に対しては、批判も聞こえてくる。過度な商業主義、あるいは祝祭としての刹那的な享楽主義に陥っており、本来の性的マイノリティをめぐる諸課題を問いかける政治的視点が希薄になっているとの声がある。他方で、かつてに比べて性的マイノリティの権利保障が進んだ今日、イベント自体の意義を疑問視する意見もある。しかしながら、性的嗜好の自由や同性愛を許容しない国は世界にはまだ多い。これらの地から、差別に苦しみ、もしくは誰にも告白できずに暮らしている多くの人たちが、日常からの解放とエンパワーメントの契機を求めてマルディ・グラにやって来る。また、オーストラリア国内でさえ差別が解消されたわけではなく、マルディ・グラの参加者の中には、レスビアンのエスニック・マイノリティあるいはゲイのアボリジニなど、二重の意味でのマイノリティも少なくない。オーストラリア国内外の性的マイノリティの人たちを、出自やエスニックな文化的背景を超えて包摂する場としてマルディ・グラが果たしてきた役割は看過できないだろう。先住民との「和解」[16]への支持を、マルディ・グラがこれまで積極的に打ち出してきたことにも言及しておきたい。

(15) ＳＢＳはSpecial Broadcasting Serviceの略称で、多文化・多言語放送局として一九七八年に創設され、約四〇の言語で番組を提供する。

(16) 同国では、植民者ないしは国家による先住民に対する過去の侵略や差別的行為をめぐって、非先住民と先住民の間での然るべき公的な「和解」が一九九〇年代より模索されてきているが、その具体的なあり方については未だ合意に達していない。

おわりに

ここで紹介した街の他にも、リトル・イタリーと称されたライカート、ハングルの看板が並ぶイーストウッド、さらにはアボリジニのシンボルカラーである赤・黄・黒のウォール・アートが目を引く、先住民の権利運動の発祥の地レッドファーンなど、訪れて欲しい街はまだまだ沢山ある。それぞれの街の文化イベントに加えて、近年、インドからの移民の増加が顕著なパラマッタで毎年三月に開かれるシドニー最大の「多文化フェスティバル」も見応えがある。多様な人びとと文化が共存するシドニーは世界の縮図とも言える。植民地化の功罪や移住者の来歴にも想像を巡らしつつ、多文化主義が日常に息づく街のダイナミズムを体験して欲しい。

〔参考文献〕

飯笹佐代子「希望を求めて海を渡る——〈ボートピープル〉になった人々」村井吉敬・内海愛子・飯笹佐代子編著『海境を越える人びと——真珠とナマコとアラフラ海』コモンズ、二〇一六年

Ang, Ien et al. *Sydney's Chinatown in the Asian Century: From Ethnic Enclave to Global Hub*, Sydney, Institute for Culture and Society, Western Sydney University, 2016.

Do, Anh, *The Happiest Refugee: The Bestselling Memoir*, Sydney, Allen & Unwin, 2011 (2010).

Jupp, James, *Immigration*, Melbourne, Oxford University Press, 1998.

Viviani, Nancy, *The Indochinese in Australia 1975–1995: From Burnt Boats to Barbecues*, Melbourne, Oxford University Press, 1996.

column

現代アートの祭典
――シドニー・ビエンナーレ――

飯笹佐代子

アジア太平洋地域における国際芸術祭として最長の歴史を誇るシドニー・ビエンナーレは、一九七三年にシドニー・オペラハウス開館の祝賀イベントとして開催されたのが始まりである。[1] その創設に大きな役割を果たしたのが、イタリアからオーストラリアに移住後、一九五六年にトランスフィールド・ホールディングスを設立したフランコ・ベルジョルノ＝ネティスだ。祖国のヴェネチア・ビエンナーレをモデルにしたと言われる。その後トランスフィールド・ホールディングスは、建設・エンジニアリングの大企業へと成長し、同社とベルジョルノ＝ネティス家はビエンナーレだけでなく、美術や音楽を中心に手厚い文化芸術支援を行ってきている。[2] オーストラリアの「メディチ家」とも称されるゆえんである。

二〇一八年の三月から六月まで開催された第二一回シドニー・ビエンナーレは、片岡真実氏がアジア出身者として初の芸術監督を務めたことで日本でも大きな話題となった。[3] 掲げられたテーマは「スーパーポジション：均衡とエンゲージメント」。量子力学の用語で「重なり合い」を意味する概念と、古代中国の自然思想である陰陽五行説を踏まえて、多様な価値観が同時に存在し、それぞれが均衡を保ちつつ相互に深く関わっていること、すなわち異なる文化の共存を表わしているという。

会場は、シドニー・オペラハウスやニューサウスウェールズ州立美術館（図1）、オーストラリア現代美術館の他にも四ヶ所に設けられた。既存の美術館展示への抵抗拠点として誕生したアートスペース、チャイナタウンにある4A現代アジア・アートセンターは、ともにこじんまりとした展示場だ。他方、レッドファーンの鉄道車両工場の跡地を活用したアート施設キャリッジワークスは、パフォーミングアーツのための空間として知られる広大な場所で、大型の作品が少数配置された。

もう一つのユニークな会場は、サーキュラーキーからフェリーで約二〇分、シドニー湾に浮かぶ世界文化遺産のコカトゥー島だ。先住民が住んでいた土地に、囚人の収容施設、続いてオーストラリア最大の造船工場が置かれた後、しばらく閉鎖されていた場所である。その工場跡のスペースには、中国出身の現代アーティスト、アイウェイウェイ氏の《Law of the Journey》が展示された。大勢の難民たちが肩を寄せ合って乗る全長六〇メートルのボートを、漆黒のポリ塩化ビニールで制作した巨大な作品である（図2）。

「難民危機は人類の危機である」として世界の難民問題を問いかけるアイ氏は、この年のビエンナーレでもっとも注目を集めたアーティストの一人だ[4]。シドニー・オペラハウスでの開幕イベントでは、二三ヶ国を超える四〇の難民キャンプに自ら足を運んで取材し、制作したドキュメンタリー映画*Human Flow*[5]が上映され、トークの

図1　ニューサウスウェールズ州立美術館（筆者撮影）

図2　コカトゥー島の造船工場跡に展示されたアイウェイウェイ氏の《Law of the Journey》（筆者撮影）

場も設けられた。さらに、アートスペースにはアイ氏の難民をテーマとしたもう一つの作品《Crystal Ball》が展示された。古びた救命胴衣を重ね、その上に難民の未来を占うかのような大きな水晶玉が鎮座したものだ。

　会期を通じて日本を含む三五の国・地域出身のアーティストたちが約七〇の作品を披露し、日本人アーティストとして、流井幸治、井上亜美、大竹富江、高山明、野口里佳、柳幸典の六氏が参加した。来場者は八五万人に上り過去最高となった。

　二年後の第二二回シドニー・ビエンナーレは、二〇二〇年三月、「NIRIN（ナイリン）」をテーマに開幕した。新型コロナウィルス感染拡大の影響により、開幕一〇日で中断となったが、四月に世界初の「バーチャルビエンナーレ」が開始され、その後会期を延長して再開された。

「NIRIN」とは、ニューサウスウェールズ州中部の先住民が話すウィラドゥリ語で「周縁（edge）」を意味する。芸術監督はウィラドゥリ族の母とケルト系の父を持つブルック・アンドリュー氏で、先住民系としては初の抜擢だ。[6]テーマは前年の二〇一九年が国連の「国際先住民族言語の年」であることを受けて着想された。約一〇〇組のアーティストが参加し、国内外からの先住民はじめ、これまで「周縁」と見なされてきた国々や文化圏からの人びとが存在感を示した。様々な芸術作品を通じて、ヨーロッパ中心主義の支配的な眼差しや語りを脱構築しようとする意欲が伝わってくる。

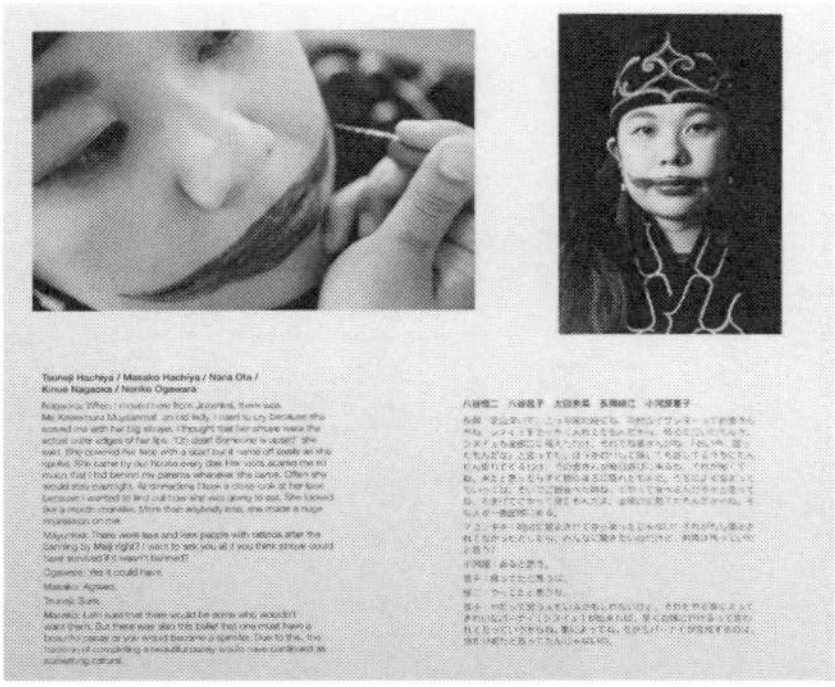

　コカトゥー島の造船工場跡のホールで展示されたガーナ出身のイブラヒム・マハマ氏の《No Friend but the Mountains》は、ガーナのココア豆を運ぶために使われた麻袋の布を継ぎ接いで空間を覆った超巨大なインスタレーションだ。布地には世界各地で営む貿易業

図3　マユンキキ氏の《SINUYE:Tattoos for Ainu Women》の一部（オーストラリア現代美術館）（筆者撮影）

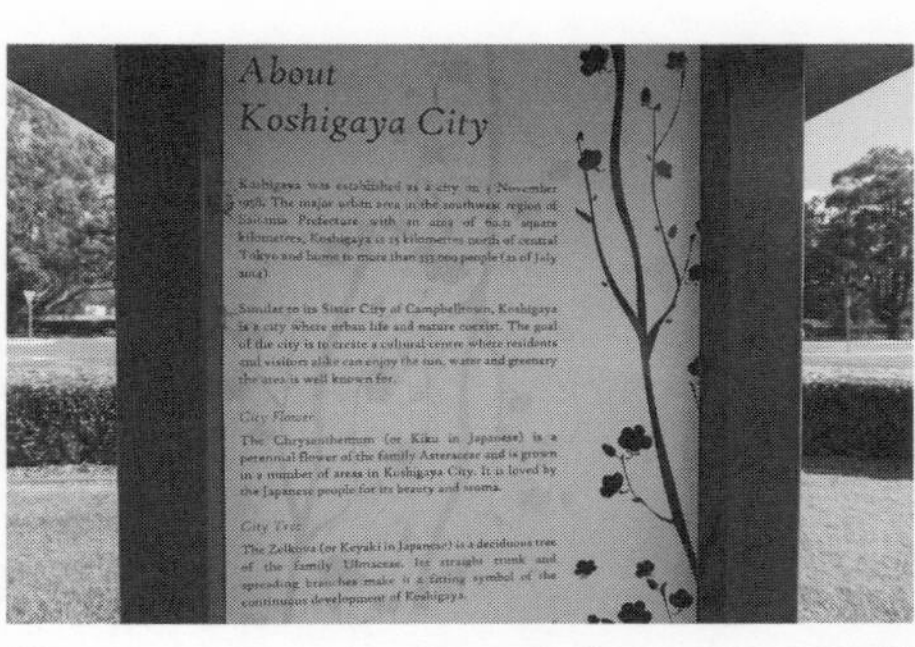

図4　キャンベルタウン市のコシガヤ・パークにある越谷市を紹介する看板（筆者撮影）

者の名称や住所が刻印されており、グローバル資本主義の一端を表象している。同時に麻袋の向こうに、第三世界の搾取された労働を連想させるとともに、この島に眠る囚人たちの重労働をめぐる歴史を思いおこさずにはいられない。

日本からは唯一、アイヌミュージシャンのマユンキキ氏が招待され、オーストラリア現代美術館においてアイヌの女性が口元などに施す入れ墨「シヌイェ」についてのパネル展示を行った（図3）。アーティストとしての日本からの参加は一人のみであったが、筆者は今回初めてシドニー・ビエンナーレの会場となったシドニー郊外のキャンベルタウン・アーツセンターを訪れ、期せずして日豪交流の軌跡を発見することができた。同アーツセンター内には茶室「越谷亭」のある日本庭園が設けられており、これはキャンベルタウン市と一九八四年に姉妹都市関係を締結した越谷市から贈呈されたものである。また、その近くには両市の姉妹都市交流を記念する「コシガヤ・パーク」もある（図4）。帰国後に、越谷市内に「キャンベルタウン公園」と、キャンベルタウン市より贈呈されたオーストラリアの野鳥の住む「キャンベルタウン野鳥の森」があることを知った。なお、日本とオーストラリアの間には一〇〇以上の姉妹（友好）都市があり、学生の相互留学研修事業、市民訪問団の相互派遣、スポーツ交流などの幅広い交流活動が行われている。

さて、二〇二二年のビエンナーレはコロンビア人の芸術監督によって企画されている。多文化の街シドニーから、次はどのようなメッセージが発せられるのだろうか。

〔参考文献〕

飯笹佐代子「シドニー・ビエンナーレ二〇一四と国外難民収容政策――アーティストの抗議活動は何をもたらしたのか」『青山総合文化政策学』第一八号、二〇二〇年
シドニー・ビエンナーレの公式ホームページ：https://www.biennaleofsydney.art（二〇二〇年一〇月二五日アクセス）

〔注〕

（1）ビエンナーレは二年おきに、トリエンナーレは三年おきに開催される芸術祭を指す。いずれもイタリア語で、その起源はヴェネチア・ビエンナーレである。
（2）二〇一四年のシドニー・ビエンナーレ開幕直前に、非人道的として批判の多いオーストラリアの国外難民収容施設の運営をトランスフィールドの子会社が受託したことに対してアーティストたちがボイコット運動を展開し、以降、同社は主要スポンサーを退いた。飯笹（二〇二〇）。
（3）当時は森美術館のチーフキュレーターを務め、二〇二〇年一月に同館長に就任。
（4）日本では二〇一七年のヨコハマトリエンナーレでも、アイウェイウェイ氏の《安全な通行》と《Reframe》が展示された。前者は横浜美術館のエントランスの中央の柱に、実際にボートピープルたちが身につけていた約八〇〇着の救命胴衣をくくりつけ、後者はその左右の外壁に救命ボートを並べた大掛かりなインスタレーションであった。
（5）二〇一七年に制作され、日本では『ヒューマン・フロー　大地漂流』というタイトルで二〇一九年に公開された。
（6）アンドリュー氏はアーティストとしても活躍しており、「大地の芸術祭　越後妻有トリエンナーレ」が開催される新潟県十日町市に建てられたオーストラリア・ハウスには、氏の作品《ディラン・ンラング―山の家》が展示されている。

第6章　教会の街——アデレード——

栗田梨津子

はじめに

日本からオーストラリアを訪れる多くの観光客や留学生にとって、アデレードはあまり知られていないかもしれない。サウスオーストラリア州の州都であるこの都市は、セント・ビンセント湾に面した一〇〇万都市であり（1章コラム参照）、芸術やフェスティバル、ワインで有名である。筆者がこの都市を初めて訪れたのは、大学院生であった二〇〇七年のことだ。この地に居住する先住民についてのフィールドワークを行うことが訪問の目的であったが、先住民の知り合いができるまで、しばらくの間白人夫婦の家に滞在することになった。敬虔なキリスト教徒であるこの夫婦は、日曜の礼拝を欠かさず、筆者も教会に同

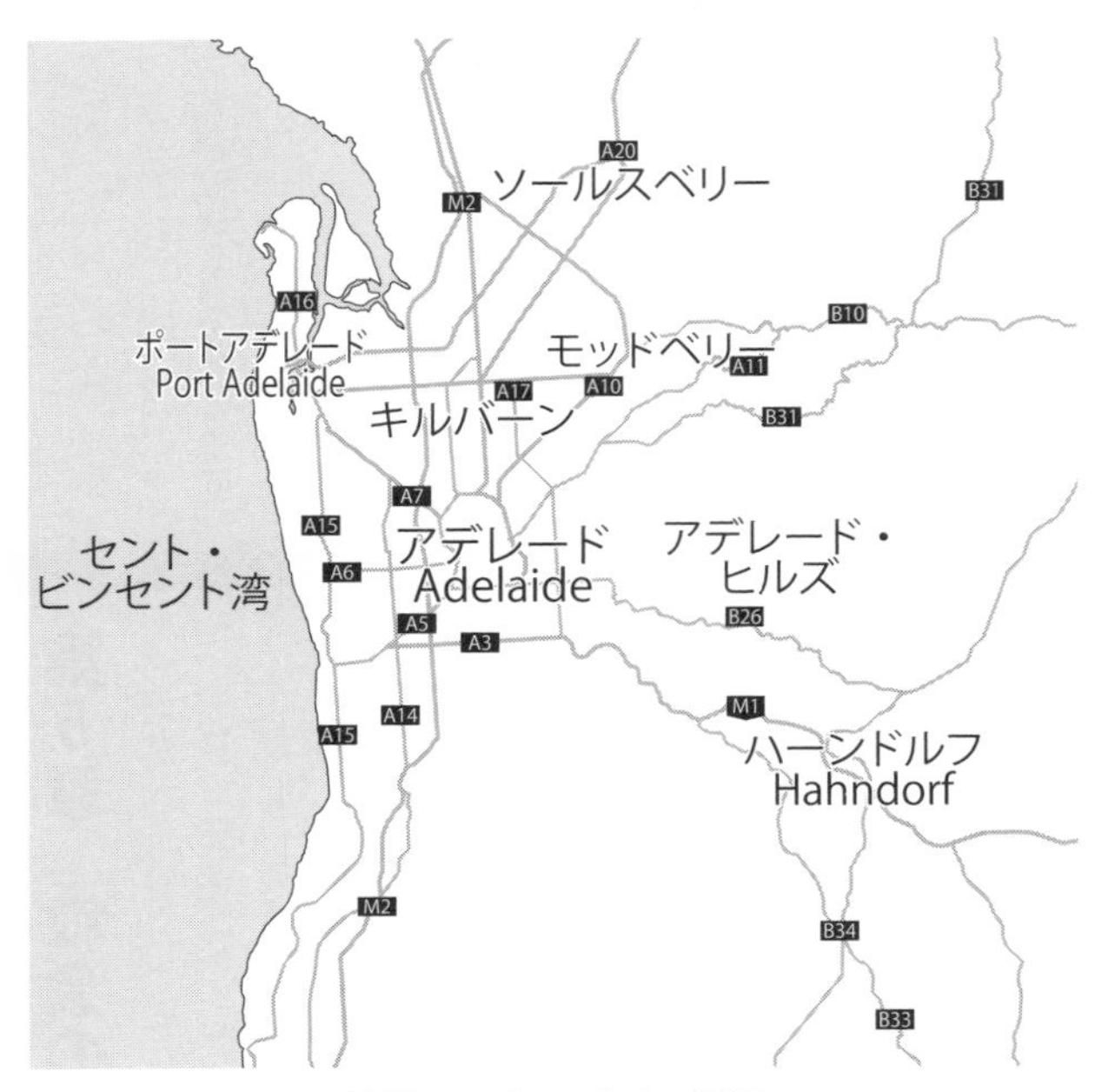

地図　アデレードとその周辺

図2　白人夫婦の家に招かれたスーダン人の家族（筆者撮影）

図1　アデレード中心部——近代的な建物とクラシック様式の建物が見事に調和している（筆者撮影）

行することがあった。教会には白人、アジア系移民、アフリカ人難民など多様な背景をもつ人びとが集まり、それは多文化社会の縮図のようであった。そして夫婦からアデレードが「教会の街」であることを教えられたのだ[1]（地図、図1、2）。

アデレードの街には至るところに教会がある。教会の中には、街の中心部に高くそびえ立つものもあるが、一見して教会であると分からないくらい周囲の景観に溶け込んだものもある。アデレードの人びとにとって馴染みがあるのは後者の方であろう。教会は人びとの生活の中でどのような役割を果たしているのだろうか。教会とは本来、キリスト教徒に礼拝の場を提供すると同時に、社会にとっての「よそ者（異人）」を受け入れ、社会へと組み込む場でもある。アデレードの教会でも、これまで先住民や難民などの「よそ者」を保護し、彼らの社会統合の手助けが行われてきた。一方で、教会は、「よそ者」をキリスト教化する過程で、彼ら独自の文化の破壊にも加担してきたという歴史がある。最近、アデレードの教会では、このような従来の支援のあり方を見直そうとする動きがある。ここではアデレードの教会の歴史および教会と先住民や難民との関係の変化を辿りながら、今日の多文化社会における教会のあり方について考えてみたい（口絵3頁、図3）。

（1）しかし最近では、アデレードの教会の数が、他の主要都市と比べて決して多くはないことなどを理由に、「教会の街」というスローガンはもはや適切ではないとする見方もある（*The Advertiser* 2014）。

《Key Word》
「盗まれた世代（Stolen Generations）」
オーストラリアで先住民に英語や西洋的価値観を身につけさせるために、1900年代前半から1970年代頃まで採られていた親子強制隔離政策の下で親から引き離され、キリスト教施設や白人家庭で育てられた子供たちを指す。

1　教会の歴史

アデレードが「教会の街」として発展するようになった背景には、入植初期におけるサウスオーストラリア独自の位置づけがあった。サウスオーストラリアでは一八三六年にヨーロッパ人による入植が始まったが（1章参照）、入植にあたっては、他の植民地とは異なり、囚人は送らないこととされた。そのため、入植者は主に、投機者、組織的植民者、

図3　スコッツ教会（ノーステラス）ー1850年に建てられた初期の教会の1つ（写真提供：Fernando M. Gonçalves）

清教徒的正義感を持った者、慈善家などから成る自由移民によって構成されたのである。[2]特に、同植民地へ入植したキリスト教徒は、英国国教会への反体制派の教徒（プロテスタント非国教徒）やプロセインからの宗教弾圧から逃れたドイツルター派が多く含まれていた。

入植開始当初、キリスト教徒の間では教会や学校の建設が急務であると考えられていたが、不安定な植民地経済の下で資金不足の状態が続いた。そのため、キリスト教徒の中には、自らの財産で教会を建てようとする者もいた。例えば、トーマス・ストー牧師は、一八三七年に自力でアデレードにサウスオーストラリア初となる簡素な教会を建てた。彼はその後も礼拝所の建設に勤しんだが、多くの負債を抱えることになり、自らの所有地で農業を行って収入を補うほどであった。[3]教会の建設および運営にあたっては、植民地政府からの財政的援助を得ることもできたが、反体制派の教徒らがこれを拒否した。その背景には、自分たちがイギリスにおいてその宗教的立場ゆえに法的に不利な扱いを受けていたため、政教分離を強く望む声があったことが挙げられる。

また、サウスオーストラリアの設立に重要な役割を果たした人物の一人、ジョージ・ファイフ・アンガスもキリスト教徒救済のために尽力した。彼は、同植民地を大英帝国の敬虔なプロテスタント非国教徒にとっての避難の場とするとともに、南半球におけるキリスト教の布教の本拠地にしようと考えていた。当時プロイセンで酷く迫害されたキリスト教徒の苦境にも深い衝撃を受けたアンガスは、彼らのオーストラリアへの航海の費用を自ら工面した。その結果、一八三九年にルター派の一団が同植民地に到着したのである。彼らはとても敬虔なキリスト教徒で、航海中に毎朝、毎晩、賛美歌を歌った。その信仰心の篤さには船長のダーク・メネルツ・ハーン氏も感銘を受けた。一団が無事に定住するのを見届

（2）クラーク（一九七八）

（3）Breward（1993）

ける義務があると痛感したハーン船長は、アデレード・ヒルズの裕福な地主から土地を購入し、契約の作成を援助した。現在、ドイツ系移民の町として知られるハーンドルフもハーン船長にちなんで名づけられたものである[4](図4、5)。

図4　セントポールズ・ルーテル教会（ハーンドルフ）——1890年に建てられた教会（写真提供：Fernando M. Gonçalves）

図5　アデレード・ヒルズに位置するドイツ系移民の町、ハーンドルフ（写真提供：Fernando M. Gonçalves）

（4）Gospel Community Church (2020)

2　宣教師と先住民の「文明化」

入植初期のアデレードにおいて教会が体を成してくると、キリスト教徒たちは先住民の救済にも尽力することとなった。アデレードにおいて、キリスト教宣教師と先住民の出会いは、白人による入植が始まって間もない一九世紀半ばに遡る。入植者によって土地を奪われ、伝統的な生活様式を失ってしまった先住民は、入植者のもたらした伝染病や酒などの影響によって人口が激減したが（序章、7章参照）、植民地政府による先住民保護の取り組みは場当たり的なものでしかなかった。そのような壊滅的な状況にあった先住民の保護にあたったのがキリスト教の宣教師たちであった。当時、宣教師たちは先住民にキリスト教の教えや英語を教授することで、彼らを文明化することが自分たちの使命であると考えていた。

一方で、先住民にとって教会とは、自分たちに水や食糧を与え、自分たちを保護してくれる避難所であると同時に、自分たちの言語や文化を否定し、伝統的な社会体系を破壊する存在として認識された。特に、親子強制隔離政策の下で親から強制的に引き離され、キリスト教の施設で育てられた多くの「盗まれた世代」の人びと（8章参照）にとって、キリスト教とは邪悪な存在でしかなかった。しかし、アデレードの先住民の教会や宣教師に対する態度は必ずしも否定的なものばかりではない。その背景には、先住民と献身的に関わった宣教師の存在があった。サウスオーストラリアでは一八五〇年以降、一五ヶ所のミッション[5]が設立されたが、初期のミッションは、現在のアデレードに設立された。ドレスデン・ルター派宣教協会からのドイツ人宣教師、クリスチャン・タシェルマンとクラモア・シュールマンは、アデレードの先住民と関わった最初の宣教師であったが、彼らの先住民に対する態度は終始良心的であったといわれている。彼らは、先住民のために家の建築や庭作りなどを率先して行う傍ら、アデレード平原の先住民の言語であるガーナ語を積極的に学んだ[6]。そして一八三九年にアデレード学校を設立した後も、ガーナ語による教育を行い、一八四〇年から一八四二年にかけて、同学校には平均して一〇人から一三人のガーナ

（5）アボリジニを白人社会から「保護」する名目でキリスト教諸教派によって設立・運営された保護地を指す。ミッションでは、英語教育や宗教教育などアボリジニをキリスト教化し、文明化するための教育が施された。

（6）Mattingley（1992）

図6　コールブルーク・ホームの子供たち（撮影者不明）

の子供が出席していたという。[7]

　また、親子強制隔離政策が行われた時代においてさえも、アデレードのキリスト教宣教師と先住民の関係は必ずしも険悪なものではなかった。サウスオーストラリアでは、隔離・保護政策時代から同化政策時代への移行期に、統一アボリジニ宣教会によってキリスト教施設、コールブルーク・ホームが設立された。このホームは、一九世紀末から主流社会において「混血」の先住民の増加や彼らの劣悪な生活環境に関する懸念が高まる中で、混血児の「保護」にあたったのである。当時、政府は先住民の子供を白人コミュニティから隔離することで混血児の問題に対処しようとしたが（8章参照）、統一アボリジニ宣教会のシスターたちは、子供たちが将来白人社会へと適応できるように、白人コミュニティからの反発に遭いながらも、子供たちを地元の学校に通わせ、地域で行われる活動に積極的に参加させたといわれている[8]（図6）。

　コールブルーク・ホームで育った先住民の間では、自分たちのために献身的に働いてくれた二人のシスターの話が現在でも語り継がれている[9]。例えば、生後間もなくアボリジニ保護局によってコールブルーク・ホームに連れて行かれた女性、ドラ（二〇一二年に他界）は、コールブルーク・ホームで自身の面倒をみてくれた、シスター・ハイドとシスター・

（7）　Brock and Kartinyeri (1989)

（8）　Hall (1997), Jacobs et al. (1988)

（9）　栗田（二〇一八）

ラターを自分にとってのもう一つの家族であるとみなし、彼女たちについて次のように語ってくれた。

「シスター・ハイドはメルボルン、シスター・ラターはイギリスの出身でした。彼女達は互いに協力して、ミッションで四十年以上働きました。ホームでは私達のために色々なことが行われていました。何もすることがなかったとは言えません。土曜日には、映画を見せてもらいました。それに、月に一度は警察音楽隊が来ていました。（中略）私はミッションで育てられたことに感謝しています。父が亡くなる前に、私は彼をシスター・ハイドのところに連れていきました。彼はその時シスター・ハイドに、彼女が自分の子供たちにしてくれたことと同じことを自分はできなかっただろうと言いました。」

（二〇〇九年三月二一日、ドラの友人宅にて）

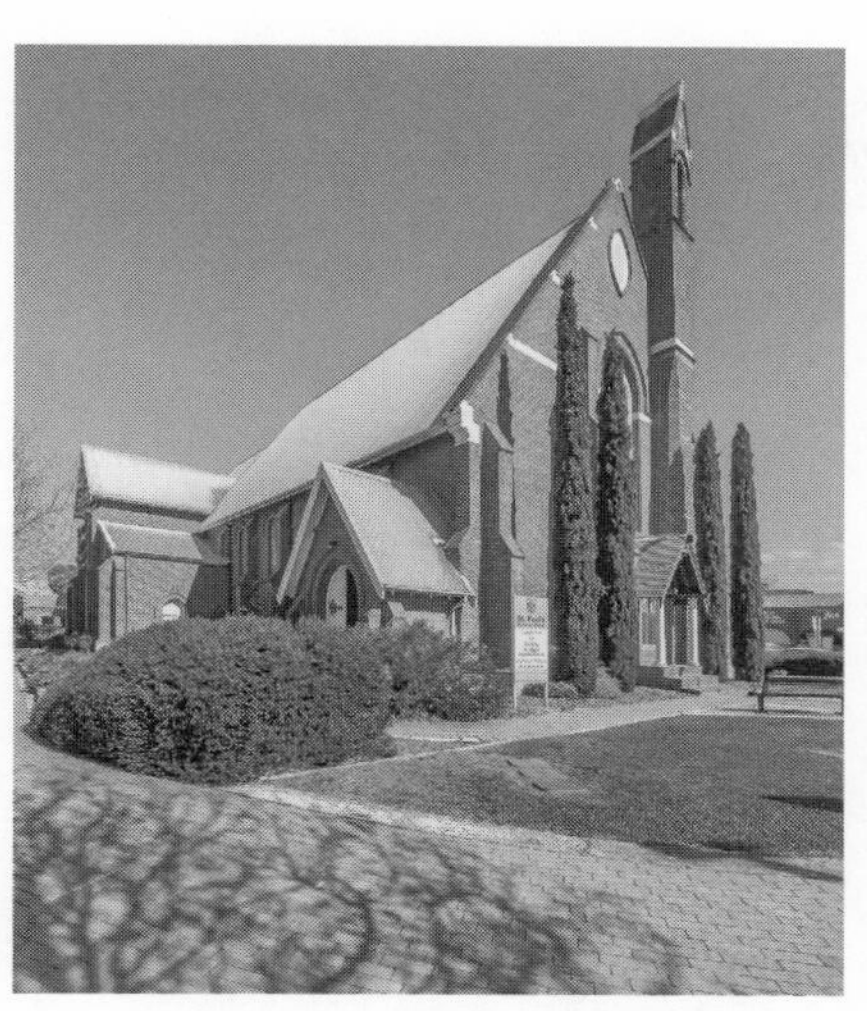

図7　ドラが通っていた教会（セントポールズ教会、ポートアデレード）（写真提供：Fernando M.Gonçalves）

ドラは一四歳でコールブルーク・ホームを出た後は、アデレードのアボリジニ・コミュニティで職員や保育士として約二〇年間勤めた。彼女は晩年も日曜の礼拝を欠かさず、アボリジニ・コミュニティの葬式でオルガンの演奏を頼まれるなど、亡くなる直前まで地元のアボリジニ・コミュニティへの貢献を続けた（図7）。

3　難民への「人道的支援」の提供

アデレードの教会は、ヨーロッパで迫害を受けたキリスト教徒や先住民だけでなく、世界各地からやって来た難民に対しても「避難所」を提供してきた。とりわけ、二〇〇〇年以降、政府の人道プログラムの下で優先的に受け入れられた南スーダンやブルンジ共和国をはじめとするアフリカ諸国からのキリスト教系のアフリカ人難民[10]に対し、彼らのオーストラリアでの生活を容易にするための様々な支援を行ってきた。

例えば、アデレード北東部郊外のモッドベリーに位置するセント・ルーク教会では約一〇年前から地元のスーダン人に礼拝の場を提供することで、人々が集まり、交流する機会を与えてきた。当初、礼拝は白人とスーダン人とで別々に行われ、両者の間に直接の接点はなかった。しかしある時、スーダン人の牧師が白人のメンバーに、内戦で母国に取り残された親族の子供（孤児）をオーストラリアへ連れてくるための支援を求めたのを契機に、白人メンバーによる支援が始まった。白人メンバーらはスーダン人と共に、孤児のビザ申請をめぐって弁護士による法律サービス委員会に同行し、教会全体でDNA検査のための資金集めを行った。そして三年のプロセスを経てようやくビザ申請の許可が下り、無事に孤児の渡豪を実現させたのである。白人メンバーからのこのような支援に対し、スーダン人は謝意を示し、教会における両者の交流はしばらくの間続いた。

（10）　南スーダンからのサブサハラ系キリスト教徒は、アラブ系イスラム教徒から成る北部スーダン人からの宗教的抑圧に端を発する内戦を逃れ、エチオピアやケニアでの難民キャンプでの避難生活を経て渡豪した人々である。

しかし、白人とスーダン人の関係は次第に変化していった。スーダン人はオーストラリアに受け入れられて間もない頃、一般的に、内戦によってトラウマを経験し、白人の支援を必要とする人々として同情的な眼差しを向けられていた。しかし、一定期間を過ぎると、失業率の高さなど彼らの社会「不適合」の問題がメディア等で取りざたされるようになった。そのような「不適合」の背景には、アフリカ人難民に対する主流社会の側の人種差別や偏見があったにもかかわらず、そのような構造的な問題は軽視された。そして二〇〇七年に、ケヴィン・アンドリュース移民大臣（当時）は、アフリカ人難民、とりわけスーダン難民は、他地域からの難民と比較して教育レベルが著しく低いことや、長年にわたる難民キャンプでの生活のため、オーストラリアへの社会統合が困難であるという理由から、人道プログラムにおけるアフリカ人難民の受け入れ人数の削減を発表したのである。(11)

このような状況の中で、一部の教会関係者の間では、それまで支援を行ってきたアフリカ人難民に対する見方が変化した。例えば、セント・ルーク教会の白人牧師は、現在教会に通うスーダン人について、彼らの多くが職を得て、社会に適応していることを評価しながらも、「文化的違い」によって教会の白人とスーダン人のメンバーの間では一定の距離が保たれていることも指摘した。現在、セント・ルーク教会では、日曜の午前中に白人とスーダン人の合同礼拝が、午後にスーダン人のみの礼拝が行われているが、合同礼拝に参加するスーダン人は少数に限られる。合同礼拝は厳粛に行われ、礼拝終了後は一部のメンバーがお茶をのみながら談笑し、定刻に終了した。一方で、午後からバリ語（東ナイル諸語）で行われるスーダン人のみの礼拝には大勢のスーダン人が訪れ、礼拝者はドラムをたたきながら、歌ったり踊ったりしながら賑やかな雰囲気の中で行われ、当初予定されていた時

(11) *The Advertiser* (2007)

図8　セント・ルーク教会（モッドベリー）（筆者撮影）

図9　セント・ルーク教会におけるスーダン人の礼拝の様子（筆者撮影）

間を大幅に超えて夕方近くまで続いた（図8、9）。

現在、スーダン人と白人が別々に礼拝を行う背景について、白人牧師は、白人のメンバーの間では教会は時間通りに行われるのが当然であるが、スーダン人が時間を守らないことや、渡豪して約二〇年が経つにもかかわらず、依然として英語に強い訛りがあり、多くの人々が彼らの言うことを理解できないことを不満に思っていることを挙げた。ここで注目すべき点は、この牧師が考える「社会統合」とは、難民の側が主流社会における文化や価値観や行動様式に従うべきであるという同化主義的なものであるということである。そのため、本来の意味での「社会統合」はまだ達成されていないと考えられていたのである。

4 教会における集団間の交流――同化から自立へ

一方で、アフリカ人難民と白人の共生のあり方を模索する教会もある。アフリカ人難民の割合が相対的に高いアデレード北部郊外、ソールズベリーに位置するセント・ジョーンズ教会では、約一〇年前からこの地域に居住し始めたスーダンやブルンジ共和国出身の難民への支援が行われてきた。アフリカ人難民がやって来て間もない頃、この教会に通う白人は、交通移動手段を持たなかった人々を教会まで車で送迎したり、英語で書かれた聖書の意味を教えたり、また自宅での食事に招くなど、教会の外での支援も積極的に行っていた。現在でも支援は継続されており、その内容は、礼拝の場の提供に加え、英語の読み書きの教授、政府関係の書類作成の補助や、若者の社会への統合を目的としたユースプログラムの実施など多岐にわたっている（図10）。

この教会の牧師によると、アフリカ人は難民として渡豪してきた当初に比べ、自分たちのコミュニティで相互扶助のネットワークを形成するなど、ある程度は自立するようになった。しかし一方で、人々の中には職を得た場合でも、仕事に不満がある場合は容易に辞めて政府からの福祉給付金に依存して生活する人々が多いことや、自分たちのコミュニティに閉じこもり、主流社会で起こっていることに無知であることなどを挙げ、完全には「社会統合」を果たしていないとし、依然として教会の支援が必要であると考えていた。ただし、その支援のあり方をめぐっては再考が必要であることを認識していた。

図10　セント・ジョーンズ教会（ソールズベリー）
（筆者撮影）

　アフリカ人難民はこの教会を訪れるようになってしばらくの間は、白人のメンバーから善意で提供される様々な支援を感謝の気持ちをもって受けていた。しかしその後、彼らの多くが経済的にもある程度自立し、独自のコミュニティが形成されると、白人とアフリカ人難民の関係は徐々に変化していった。牧師をはじめとする白人が提案し、実行していた支援プロジェクトがアフリカ人の間で快く受け止められなくなったのである。その理由について、白人の牧師は、アフリカ人がオーストラリアでの生活をある程度確立したにもかかわらず、白人の側は彼らを依然として子供のように扱い、彼らの親のように振る舞おうとしたと振り返る。

　この牧師は、このようなアフリカ人に対する白人側の態度をめぐる問題について、ブルンジ・コミュニティの人々と交流する中で気づかされたという。そして、自分たちも相手の文化を学ぶ必要があると考えたのである。それ以来、この教会は、アフリカ人に支援を行う場合でも、白人が最善と考える支援を一方的に与えるのではなく、彼らがどのような支援を望んでいるのかを話し合った上で、相手にとって最適なサービスを提供するように努めている。アフリカ人の中でもとりわけブルンジ人が望んでいたのは、ブルンジ人の牧師の育成であった。ブルンジ・コミュニティのリーダーによると、現在、アデレードに居住するブルンジ人の間では離婚による家庭の崩壊とそれに伴う若者の非行が問題となっている。母国では、このような問題には教会関係者が仲介に入ることが一般的であるが、オーストラリアでは、家族関係の問題は全て家庭裁判所で処理され、そこに教会が立ち入ることはない。そのため、政府からの認可を受けたブルンジ人の牧師を育て、コミュニティにおいて教会が果たす役割を少しでも拡大していきたいと考えられていたのである。

白人の牧師はブルンジ人のこうした要望について了解した上で、現在ではブルンジ人の牧師育成の支援を始めた。そして現在この教会では、土曜にブルンジ人のみによるキルンジ語での礼拝が行われる。日曜の合同礼拝では、白人の牧師とブルンジ人の牧師によって会が取り仕切られ、白人の牧師の英語による説教を、英語を十分に理解しない人々のために、ブルンジ人の牧師がキルンジ語で補う。しかし注目すべきことは、ブルンジ人の間では、母語による礼拝が行われるようになった後でも、合同礼拝に参加する人の方が多いという点である。そこには主流社会の人々を信用し、自発的に彼らとの交流を図ろうとする人々の姿勢がみられるのである。

おわりに

反体制派のキリスト教徒の入植地として始まったサウスオーストラリアにおいて、教会は自分たちと同様に宗教迫害を受けたヨーロッパ人や、白人入植者に土地や文化を剥奪された先住民、そして母国での内戦を逃れて渡豪したアフリカ人難民にとっての「避難所」を提供し、彼らを主流社会へ包摂するための様々な試みを行ってきた。その際に、キリスト教の教えに加え、英語や西洋の価値規範の教授を通して彼らの「同化」を促進してきたといえるが、その一方で一部のキリスト教宣教師や牧師の間には自分たちとは異なる文化や価値観を受け入れようとする姿勢も垣間見えた。

多文化社会における「よそ者」の社会統合をめぐっては、「よそ者」の側が一方的に言語や文化の習得を通して主流社会へと適応することが求められることが多いが、先住民やアフリカ人難民への支援を行ってきたアデレードの教会の事例からは、主流社会の側も「よそ者」の文化や考え方について学ぶ必要があり、「社会統合」とは双方の努力によって成し遂げられることを改めて学ぶことができる。多文化社会の中で異質なものへの寛容さを一貫して示してきたアデレードの教会のあり方は、先住民や移民・難民との共生を目指す現在の日本社会にとって重要な示唆を与えてくれるのである。

〔参考文献〕

クラーク、マニング（竹下美保子訳）『オーストラリアの歴史—距離の暴虐を超えて』サイマル出版会、一九七八年
栗田梨津子『多文化国家オーストラリアの都市先住民—アイデンティティの支配に対する交渉と抵抗』明石書店、二〇一八年
Breward. I., *A History of the Australian Churches*, Sydney, Allen & Unwin, 1993.
'Adelaide – City of Churches', Gospel Community Church, https://significancechurch.com.au/articles/adelaide-city-of-churches/（二〇二〇年八月七日アクセス）
Brock, P. and D. Kartinyeri, *Poonindie: the Rise and Destruction of an Aboriginal Agricultural Community*, Adelaide, South Australian Government Printer and Aboriginal Heritage Branch,

Department of Environment and Planning, 1989.
Hall, A., *A Brief History of the Laws, Politics and Practices in South Australia which Led to the Removal of Many Aboriginal Children*, Adelaide, South Australian Government, 1997.
Jacobs, J. M., C. Laurence and F. Thomas, "Peals from the Deep': Re-evaluating the Early History of Colebrook Home for Aboriginal Children.', in T. Swain and D. Bird Rose (eds.), *Aboriginal Australians and Christian Missions: Ethnographic and Historical Studies*, Bedford Park, S.A., Australian Association for the Study of Religions, 1988, pp. 140-155.
Mattingley, C., *Survival in Our Own Land: 'Aboriginal' Experiences in 'South Australia' Since 1836*, Adelaide, Wakefield Press, 1992.
'Andrews Slams Door on African Humanitarian Refugees', *The Advertiser*, 2 October 2007.
'Australiasbestcity.com.au says Adelaide is not the City of Churches After All', *The Advertiser*, 27 February 2014.

column

先住民・アフリカ人難民と「黒人性」

栗田梨津子

アデレード駅からゴーラー行きの電車に乗って二五分のところに位置する郊外、ソールズベリー（1章コラム参照）の中心部は、多様なエスニック集団の食料品店や民族衣装店が建ち並び、エキゾチックな雰囲気が漂っている。ソールズベリーは、一九五〇年代に衛星都市として設立され、当初は新たにやって来たイギリスからの移民を対象とした低価格の公営住宅が集中する地域であった。しかし、一九七〇年代頃から、安価な賃貸住宅を求めて先住民が流入し、先住民の人口が相対的に多い地域となった[1]。そして、二〇〇〇年代半ば頃から新たにアフリカ人難民が居住するようになった（7章コラム参照）。アフリカ人難民は当初、難民支援組織が集中するアデレード都心に居住していたが、ある程度経済的に自立すると、ソールズベリーをはじめとする北部郊外に安価な家を購入し、コミュニティを形成するようになったのである。

ソールズベリーのエスニック食料品店（筆者撮影）

アフリカ人難民が移住してきた当初、ソールズベリーで長年生活してきた先住民の中には、近隣に引っ越してきたアフリカ人に対し複雑な感情を抱く人もいた。彼らは、アフリカ人は「政府から無償で家や車を提供されている」あるいは「アフリカ人によって先住民のための福祉サービスが乗っ取られた」といった誤解から、アフリカ人難民全般に対して否定的な考えをもっていたのである。このような考えの根底には、多文化主義の下で、太古からオーストラリア大陸に居住している先住民の後からやって来たエスニック集団を優遇するのは順序違いではないかという認識があった。一方で、アフリカ人難民の中にも、先住民に対して「仕事ならたくさんあるのに、なぜ仕事を探しに行かないのか」と苛立ちを感じる人が存在する。さらに、地元の学校を中途退学した両集団の一部の若者の間では、酒や薬物などをめぐって喧嘩が起こり、警察が介入することもあった。

地方自治体の職員によると、エスニック集団間での対立や衝突が生じた場合、メルボルンのようなエスニック・コミュニティの規模が大きい都市では、自治体による介入は難しいが、アデレードのエスニック・コミュニティは小規模のため、直ちに行政による対応が可能である。実際に、若者の対立を懸念した北部郊外の地方自治体は、両集団が互いに交流し、異文化理解を促進するための機会を提供してきた。例えば、キルバーンのコミュニティでは、地元のフットボールクラブが両集団の若者をあるプログラムに招待した。そのプログラムでは、すべての若者が共にフットボールの合宿を行う中で、互いの集団に対する否定的な見方を改めると同時に、異なる集団との社会関係の築き方や、相手への敬意の大切さ、そしてコミュニティの一員としての振る舞い方を学ぶことが目的とされた。このフットボールクラブの元会長である先住民男性によると、両集団の若者が、集団間の差異ではなく、共通点に気づくことによって、集団間の関係は改善したという。

ここでこの先住民男性の考える共通点とは、白人が多数派を占めるオーストラリアにおいて「ブラック」であることに端を発する経験であった。白人による入植以来、オーストラリア社会において「ブラック」とは先住民のことを指すカテゴリーであり、そこには「膚の黒さ」に加え、「未開」、「野蛮」、「暴力的」等の否定的な意味づけがなされてきた。[2] それは、「膚の白さ」、「文明」、「自制的」であることが特徴とされるオーストラリアの白人性と相互補完的な関係の中で形成されたものでもあった。その後、「ブラック」というカテゴリーはアフリカ人難民にも拡大された。アフリカ人難民はメディアにおいて、先住民と同様に犯罪や暴力と結び付けられ、白人社会の秩序を脅かす存在として描かれた。両集団は、日常生活でも貧困や差別に晒される中で、互いに共感し、助け合うこともある。そしてそこに、自分たちは社会的排除を経験する「同じブラックである」という共通意識が生まれたのである。

このような「ブラック」としての共通意識が形成される背景には、主流社会に適応していないと考えられる人種集団を排除することにより、西洋的価値観に基づく主流社会の秩序を立て直し、白人であることの意識を再確認しようとする政府やメディアの姿勢があるように思われる。しかし同時に、そのような共通意識は、国民であることが白人であることと同一視されるオーストラリアにおいて、正統な国家の一員としての意識がもてない人々に対し、受苦を経験しながら共に困難を乗り越えてきたという強さや誇りを与えることもある。そしてそのような意識は、最終的に白人であることを前提とする従来のオーストラリア人としての意識とは異なる新たな帰属意識をもたらす可能性がある。

〔参考文献〕

Gale, F. and J. Wundersiz, *Adelaide Aborigines: a Case Study of Urban Life 1966-1981*, Canberra, Development Studies Centre, The Australian National University, 1982.

Perkins, M., 'Australian Mixed Race,' *European Journal of Cultural Studies*, vol.7, no.2, 2004, pp. 177-199.

〔注〕

（1）Gale and Wundersitz（1982）

（2）Perkins（2004）

第7章　大地の中心——ウルル——

飯嶋秀治

はじめに——オーストラリア大陸の中心地

オーストラリアに行くのであれば、そこでしか出会えない場所に行き、自分だけの体験をしたい——そう考えるのが、オーストラリアを訪れる人たちの望むところであろう。それゆえか、『地球の歩き方』ほかの観光旅行ガイドブックでも、オーストラリアを対象にしたものに、標高三三五メートル、周囲九・四キロの、この世界最大級の一枚岩エアーズロック(1)の紹介ページがないものはない。

日本でもオーストラリアが取り上げられる際には、漫画や小説、アニメやクイズ番組などで何度もエアーズロックのイメージが取り上げられてきた。さらにスマートフォンと

(1) 二〇二〇年一〇月現在、Google検索をした結果でAyers Rockのヒット件数は一三五〇万件、Uluruのヒット件数は九一四万件。日本語でもエアーズロックのヒット件数は二〇八万件、ウルルは一〇七万件。それゆえ現段階ではエアーズロック名の方が知名度が高い。本章では意図的に英語名エアーズロックからはじめ、後にピチャンチャチャラ/ヤンクンチャチャラ(Pitjantjatjara/ Yankunytjatjara)語名ウルルへと移行させる。本章全体でその意味を理解してもらえれば幸いである。

ソーシャル・ネットワーク・サーヴィスという個人の体験を世界と共有するメディアが発達した近年、この「見映えする」場所には、人生にその特別な体験を刻むため、さまざまな人たちが訪れてきた。[2]

だがそんなエアーズロックが二〇一九年一〇月二六日をもって、登坂禁止になったというニュースが世界中に報じられたことは記憶に新しい。オーストラリアを訪問する人びとのなかには、せっかくオーストラリアに来て、さらに海岸部のどの主要都市からも遠い場所から来たにもかかわらずエアーズロックに登れないことを残念に思う人たちもいるかもしれない。

本章では、エアーズロックという名称で知られてきたあのオーストラリア大陸の中心がどういった経緯で登坂禁止になり、また徐々にウルルという名称が併記されるようになってきたのか、という意味を考えていきたいと思う。そしてその現象を理解するために、オーストラリア人口の約三パーセントを占めるオーストラリア先住民の歴史を見てゆきたい。

(2) 飯嶋(二〇一四)

1　エアーズロックの現在

現在のエアーズロックは、ノーザンテリトリーの南西部に位置し、辺り一帯はウルル・カタジュタ国立公園として指定されている。そのため、そこに外部から訪問しようとする場合、空路ではオーストラリア主要都市からエアーズロック空港へと空路で訪問することもできるし、陸路では大陸を縦断するスチュアート・ハイウェイから西のラセター・ハイウェイに入り訪問することもできる。いずれの方法をとるにせよ、訪問者がそこに滞在しようとする場合、エアーズロック・リゾートと呼ばれる一帯に六つあるいずれかの宿泊施設に滞在することになっている。

一日約五千人を収容するこの一画は、約三〇分の徒歩でそれぞれの宿泊施設を周回することができる。宿泊施設の名前も興味深く、エアーズロック・キャンピング・グラウンド、アウトバック・パイオニア・ホテル・アンド・ロッジ、デザート・ガーデンズ・ホテル、エミュー・ウォーク・アパートメント、ロスト・キャメル・ホテル、セイル・イン・ザ・デザートと、宿泊施設の名称からして「アウトバック（荒野）」「デザート（砂漠）」「キャメル（駱駝）」「エミュー（駝鳥）」といったエキゾチックな感覚が刺激されるようになっている。

この区画には三軒のアート・ギャラリーがありワークショップやレクチャー、ビデオガイダンスもあるし、四軒の価格帯の異なるレストランもある。エアーズロック周囲一〇キロの車道にも出てゆくのはここからである。

エアーズロックの周囲に行くには三日間有効のパスを購入してゆくのだが、徒歩、セグウェイ、キャメル・ツアー、バス・ツアー、ヘリコプター、いずれも可能である。夕焼けに映えるエアーズロックを見ながら、ツアーで提供されるワインや軽食を愉しみ、七色に変ることがあると言われるエアーズロックと一緒に写真に収まる体験は、エキゾ

《Key Word》

「ドリーミング（dreaming）」

現在の世界がどう創られてきたかを伝えるオーストラリア先住民の創世伝承。物語の多くはかつて各種の動植物が旅して、この大地に潜り込んだ、という形で終わる。先住民の個々人はこの諸存在の生まれ変わりとされ、「私が大地を所有するのではなく、大地が私なのだ」と言われる。

チックな感覚のハイライトと言えようか。その周囲にはそうした訪問者をさらに背後から見るように、先住民の親子が路傍に連なり、アボリジナル・アート（7章コラム参照）を売っている（図1）。

一時の観光から戻ってくれれば、またエアーズロック・リゾートでリラックスして過ごすことが可能である。ただこうした中央砂漠でのすごし方が可能になった背景には何があったのであろうか。ホテルやツアー途中で見かけた先住民たちは誰で、いったいどこから来ていたのか。こうしたことを理解するために、次節ではオーストラリア大陸における先住民の歴史を振り返ってみたい。

図1　サンセットを見る観光客と彼らを待つ先住民たち（筆者撮影）

2　西欧におけるオーストラリア大陸認識

地球は四五億年前から形成されたといわれるが、オーストラリア大陸は約五億年前にゴンドワナ超大陸から分かれて形成された[(3)]。その大陸に約六万年前になりアジアから人類が渡ってきて、これが現在の先住民の祖先となったと考えられている。

彼らの歴史は考古学的な発掘などから推測し得るが、明確に記録に残されるのは一七七

（3）　Sweet, Stewart and Crick (2012)

〇年のジェームズ・クック船長との接触前後になり、大陸の全体像は一八一一年頃に明らかになる。だが海岸線から記録が作成されていった当時、西欧人にとって内陸部は未踏のままに残されており、一八三〇年の地図では中央部付近には巨大な内海が存在すると想像されていた。

西欧人に内陸の実態が明らかになってゆくのは、一八五八〜六〇年にジョン・マクドゥーガル・スチュアートの探検隊が南オーストラリアから北オーストラリアへと縦断して以降になる。こうして先鞭をつけられたのち一八七三〜七四年にウィリアム・アーネスト・ジャイルズの探検隊が現在のカタ・ジュタを記録し、またウィリアム・クリスティ・ゴスが現在のウルルを記録し、サウスオーストラリア植民地総監ヘンリー・エアーズの名前に因みその一枚岩を「エアーズロック」と命名した。それゆえエアーズロックという名前は、英語圏で流通している名前でしかない。

こうして探検隊によるオーストラリア大陸内部の地図が形成されると、そこに各種の移民（牧畜者、採掘者、宣教師など）が徐々に進出し、彼らによって内陸に住んでいた先住民の様々な姿が報告され始めたのである。[4] 西欧人が「探検」し、「発見」し「命名」したと思い込んでいたそこには、その数万年前から先住民が住んでいたのである（序章参照）。

（4） Donovan (1988)

3 ウルル——アナング族の大地

大陸全体に散在する先住民の地図が作成されたのは一九四〇年の人類学者ノーマン・

ティンダールの研究以降になるが、そこでは約二五〇言語があったと推定されている。

現在のウルル・カタジュタ国立公園の一帯は言語的にはピチャンチャチャラ／ヤンクンチャチャラ語話者が住んでいた地域であるが、彼らは自らを「人間」を意味するアナング[5]と自称する。そしてこのアナング族の伝統的土地権利者の一つの家族名がウルルなのだが、この名称にはそれ以上の分析的意味はないとされる。

彼らの世界はジュクルパ[6]という創世伝承によって説明される。それは世界に伝わる諸宗教の聖典に似たところがあり、アナング族の祖先たちがあちこちを旅して生まれた大地や慣習を説明し、アナング族が生きてゆく規範がどうあるのかを伝えている。個々の石や草木や動物、自然の諸形態は聖典の個々の物語に似ているが、特定の動植物やそれにちなむ場所は、親族や出生地や性差の伝承経路によって一定の個人や家族、集団にとって聖なるものとなる。こうした物語に意味づけられた世界に彼らは生まれ、西欧人との接触前にも狩猟採集活動を営み、また獲得された動植物は複雑で洗練された親族関係に沿って再配分され、また一定の婚姻規則内で適切な相手と婚姻し、その子どもは再び適切な親族集団に属することになっていた[7]。

だがこうした数万年にわたる伝統的な生活は、たび重なる旱魃や西欧人との接触からきた疾病の流行、生態系の変化、時には直接的な暴力により大きな変化を被り、人口も激減していった。こうして一九〇一年に西欧の移民たちによるオーストラリア連邦が成立する頃には、彼らは移民たちが設立したコミュニティの周辺で保護や隔離の対象となってゆき、この施策は一九三〇年代後半になり同化政策が導入されるまで続くこととなった[8]。

（5） Anangu

（6） Tjukurupaは英訳される際にはdreamtime/dreamingとされる。キーワード参照

（7） Cowley, Jen with The Urulu Family (2018)

（8） 飯嶋（二〇二〇）

4　二重の中心――世界観光戦略の中心地からアボリジナル・フラッグへ

だが一九三〇年代後半に第二次世界大戦が近づくと、オーストラリアの国家防衛に先住民も参加することになり、この際の従軍体験が先住民と非先住民との間に交流体験をもたらし、同化と統合の政策を推進するようになった。

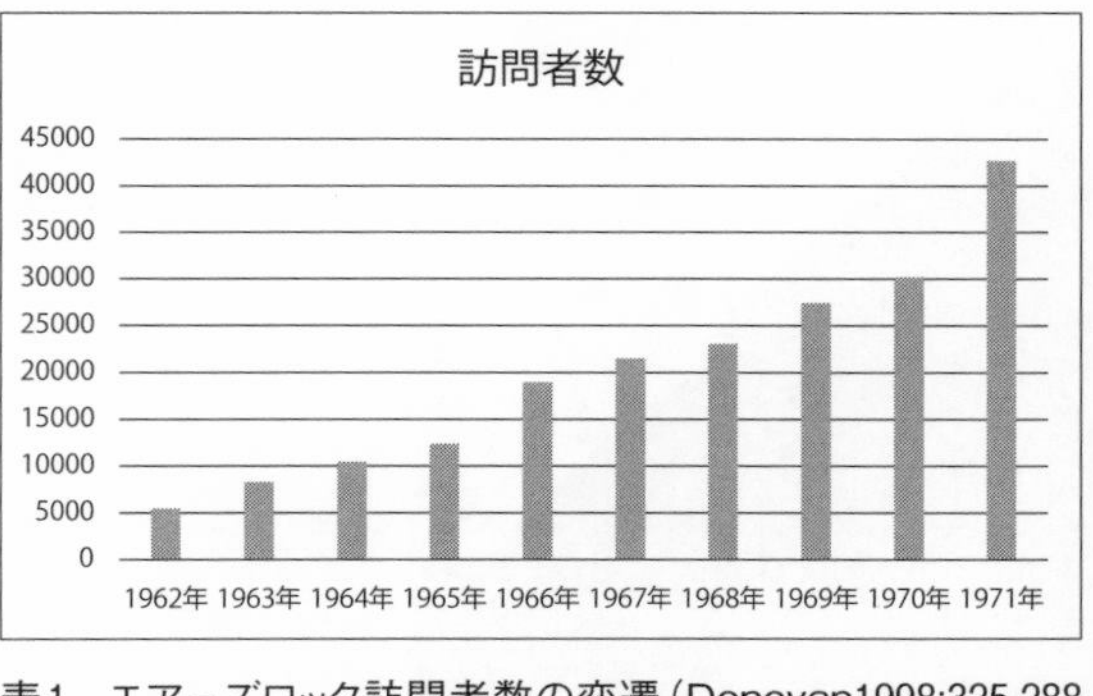

表1　エアーズロック訪問者数の変遷（Donovan1998:325,288より筆者作成）

この第二次世界大戦前後の一九三六年、最初の西欧人登坂者が記録され、戦後の四〇年代後半頃、道路が敷設されるもウルルにやってくる西欧人は五〇人程度で、うち二〇人程が登坂していたとされる[9]。ウルルに最も近い都市アリススプリングスにも一九四〇年には空港ができ、エアーズロックにも一九四二年に空港はできていたが、利用目的は限られており一般には駱駝だけが実用的な交通機関であったことで、訪問者は限られていた。

だが一九五〇年エアーズロック国立公園が、五八年にエアーズロック−マウント・オルガ国立公園になり、アリススプリングス空港が公的に開設されると、六〇年には国立公園に初めての宿泊施設ザ・ア

（9）Shackley (2004)

図2　エアーズロックに取りつけられた登坂用チェーンと登坂者（出典：wikimedia commons）

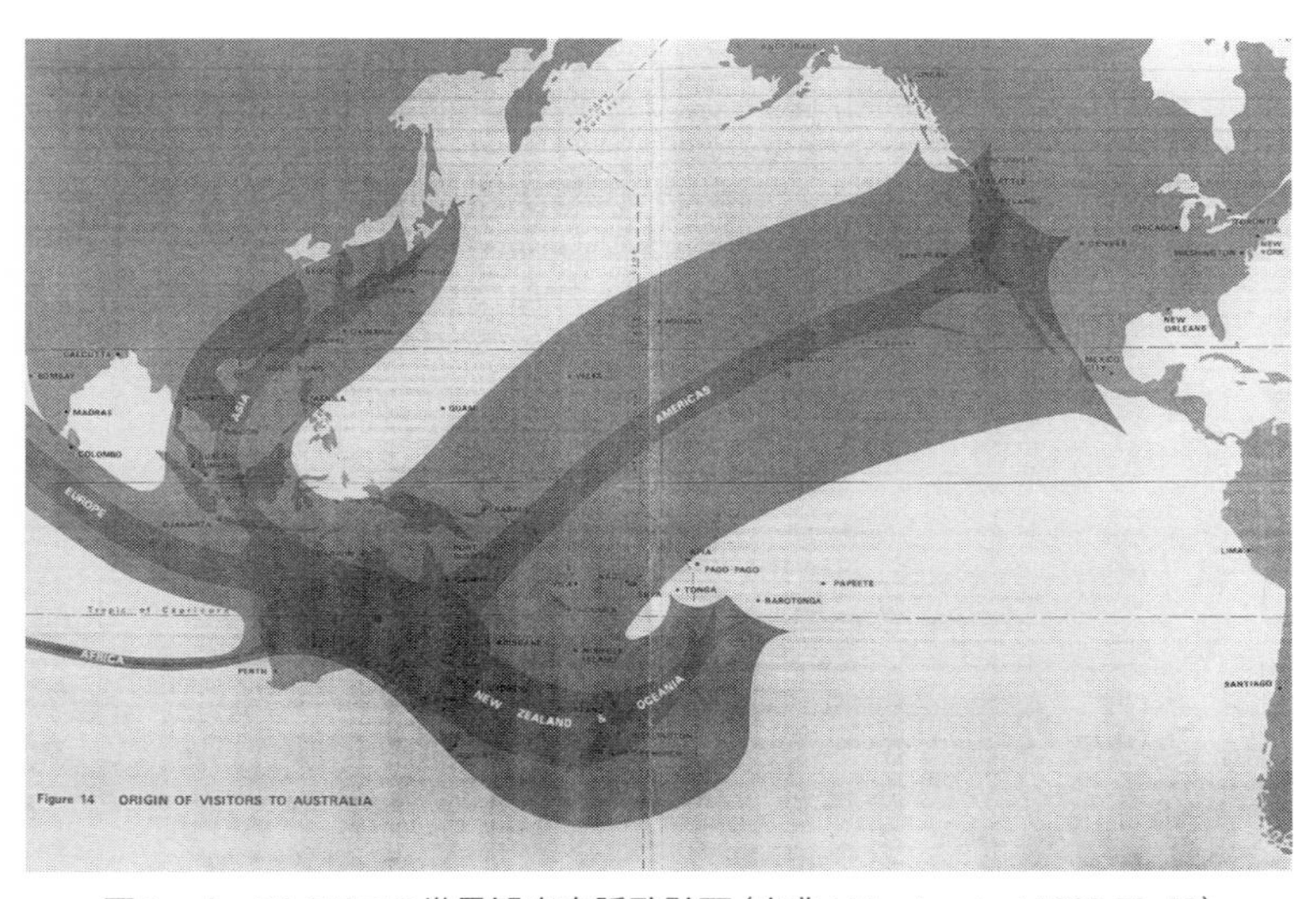

図3　オーストラリアの世界観光客誘致計画（出典：Harris et al.1969:56-58）

ンセット・ロッジが設立された。エアーズロックの訪問者数も一九六二年の五四六二人から年々増加し[10]（表1）、ツーリズムの時代が始まった。こうして登坂用のチェーンが一九六六年に取りつけられた（図2）。オーストラリア政府は当時世界的な観光戦略を計画しており、太平洋諸国や北米を中心にどのように観光客をこのオーストラリア大陸の中心地に招くかを検討していた[11]。エアーズロックはこうしてオーストラリア観光戦略の中心となっていったのであった（図3）。

他方でこの一九六〇年代末は、オーストラリア先住民にとっても重要な転機にさしかかっていた。戦前戦後と移民たちのコミュニティ周辺で無賃労働者状態になっていた先住民たちは、徐々に権利要求運動へと動き出し、一九六六年、ノーザンテリトリー北部ウェーヴヒルの先住民グリンジ族が土地返還要求をはじめると、一九六七年の連邦憲法改正にもつながり、先住民に関する特別法立法権が連邦議会に付与され、人口調査に先住民が入ることになった。続いてノーザンテリトリー北端では一九六八年から先住民ヨルング族が鉱山開発差し止め訴訟に踏み切り、一九七一年には中央砂漠地帯のルリチャ族のハロルド・トーマスがアボリジニナル・フラッグを作成した。横割りに上下に配した黒と赤の地の中央に黄色い丸をあしらった意匠はそれぞれの色がアボリジニ、大地、太陽を意味した。自主決定政策時代の幕開けである。こうした運動は一九七六年にはアボリジニ土地権法の成立へと至り、先住民の伝統的土地権が認められ、土地が先住民に返還されはじめた。こうして七〇年代から八〇年代にかけて、先住民自身の管理するローカル・コミュニティへ回帰する生活運動が生じ、ウルルの周辺にもミューティチュルやユーララ・コミュニティが形成された。こうして現在のアナング族の生活の拠点ができたのである。

(10) Donovan (1988)

(11) Forester & Co (1969)。図3は一九六八年の訪問者を濃く、一九八〇年に推計される訪問者を薄く描いている。

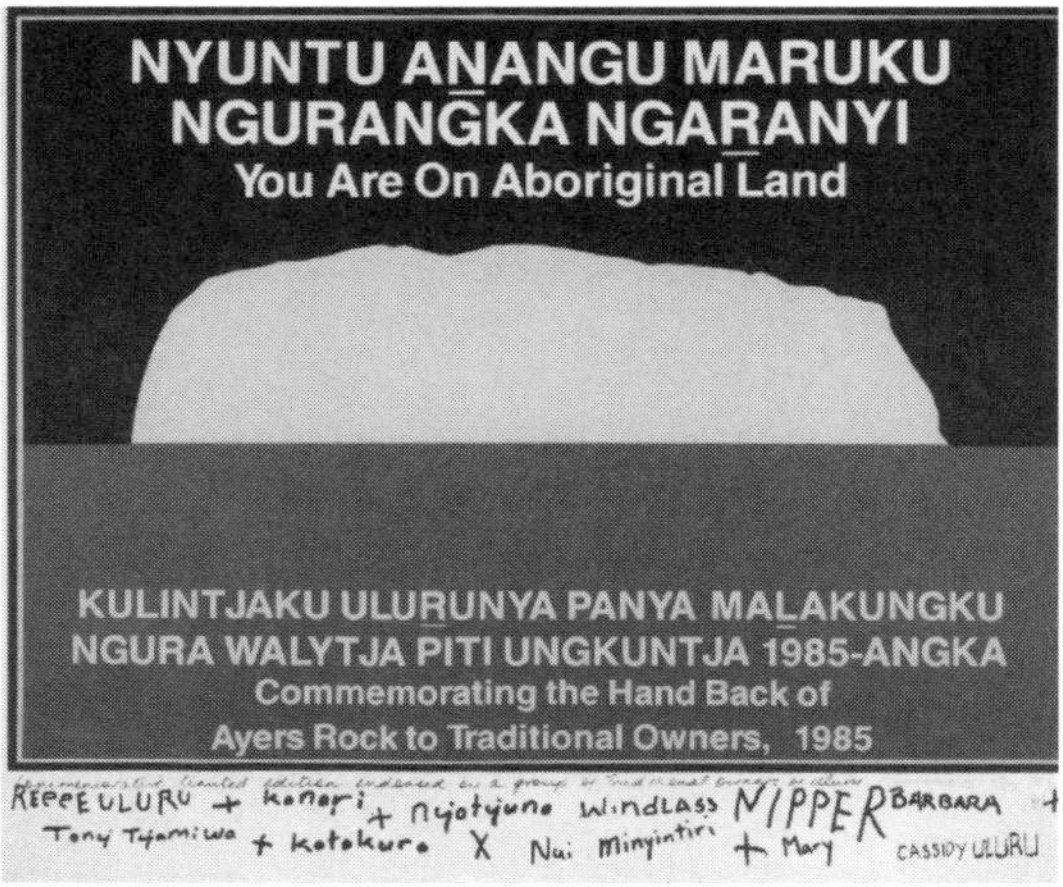

図4　アボリジナル・フラッグと重ねられたウルル（出典：https://www.nma.gov.au/defining-moments/resources/uluru-handback-anangu）

こうした潮流のなかで一九七五年策定されていたエアーズロック空港およびエアーズロック・リゾートが一九八四年開港。翌八五年一〇月二六日、アナング族にも「ウルル」の土地権が返還された[12]。土地は国立公園としてオーストラリア国立公園とワイルドライフ・サーヴィス[13]との間で九九年間の借地契約が締結され、アナング族との共同管理体制に入ると、この時アボリジナル・フラッグの中心がウルルの形になった旗が作成された（図4）。こうしてオーストラリア政府はアナング族に対して年間使用料一五万オーストラリア・ドルおよび国立公園入園料収入の二五パーセントを支払う契約となった[14]。

一九八七年にはウルル・カタジュタ国立公園がユネスコの世界遺産リストに載り、九四年に複合遺産として世界遺産に登録される。この頃一九九八年のウルル・カタジュタ国立公園訪問者数は約三六万人を数えている[15]。同年にはアボリジニ・トレス海峡諸島民委員会[16]が形成され、先住民政策が先住民自身の自主管理下に任されるようになる。

二〇〇〇年のシドニー・オリンピックはオーストラリア連邦の国家アイデンティティを

（12）James (2007) では、この再命名を「自然で」かつ「国家的」なものとして考察している。

（13）オーストラリア国立公園とワイルドライフ・サーヴィス（Australian National Parks and Wildlife Service）は一九九三年にオーストラリア自然保護局（Australian Nature Conservation Agency）へ、さらに一九九八年にパークス・オーストラリア（Parks Australia）へ組織を変えるも政府機関としてアナング族との共同管理は続いている。

（14）松井ら（二〇一五）

（15）Shackley (2004)

（16）Aboriginal and Torres Strait Islander Commission. 鎌田（二〇一四）

共有するメディア・イベントともなったが、オリンピック聖火のオーストラリアでのスタート地点としてウルルが選定され、そこは先住民と連邦国家の二重の中心地となった(9章参照)。

5　登坂の停止

二〇〇〇年一月、アナング族と共同管理者のパークス・オーストラリアが刊行した『ウルル・カタジュタ国立公園訪問者基盤基本計画』によれば、公園内での最も重大な問題として訪問者の混雑が考慮されており、一九六五年以来の登坂死亡者が二七人にも上っていた[17]。アナング族はこうした登坂者のことを蟻と呼んでいたが、彼らにとってそこは何よりも複数のジュクルパが交差する聖地であり、死亡事故が起こるとこの土地の地権者として負担を感じるのであった。

二〇〇六年六月から七月の訪問者の統計を見ると、訪問者二一七五人のうち、絶対数で最も多いのは国内のオーストラリア人(一四五五人)の六七%で、以下、アメリカ、ドイツ、イギリス、日本(七一人で三%)と続く。だが同じ期間のウルル登坂者(八三五人)の内訳を見ると、訪問者全体の三八%が登坂していたなか、最も多いのは絶対数でも多いオーストラリア人(五七四人)で六九%を占めたが、次は日本(五九人で七%)、アメリカ、イギリス、ドイツと続いた。訪問者の世代別で最も多いのは〇~一八歳の五一三人(二四%)だが登坂者でも同世代が最も多く三〇一人(三六%)であった[18]。つまり全体としては若者が

(17) 二〇一九年の禁止時までに三七人にまで上った。

(18) Hueneke & Baker (2009) 推測ではあるが、日本の登坂者がこれだけ多かった背景には日本における登山文化と『世界の中心で、愛を叫ぶ』の小説、ドラマ、映画化の影響があったと思われる。

表2　ウルルにおける訪問者と登坂者の国別割合

	訪問者		登坂者		訪問者に占める登坂者（%）
	人数（人）	割合（%）	人数（人）	割合（%）	
オーストラリア	1,455	67	574	69	39
アメリカ合衆国	150	7	34	4	23
ドイツ	78	4	16	2	21
イギリス	74	3	31	4	42
日本	71	3	59	7	83
その他	347	16	121	14	35
合計	2,175	100	835	100	38

2006年6～7月の2,175人に対する調査結果（Hueneke&Baker, 2009より）
＊訪問者数の順位をもとに筆者が再構成

登坂したがるのだが、絶対数としては少ない日本人訪問者の登坂割合が大きかった（表2）。

現地のアナング族は上述したようにその土地に生まれ育った者として、ウルルでの死亡事故には負担を感じるし、何より聖地への登坂は止めてほしい。そこで二〇一〇年、訪問者のうちの登坂者の割合が一定割合以下（例えば二〇％）になった場合には閉鎖を検討することとしていたところ、二〇一五年の登坂者割合が一六・五％になったことを以って、二〇一七年に委員会で匿名投票を行い、二〇一九年一〇月の登坂停止を決めたのであった。またこの二〇一七年は、オーストラリア全土から二五〇名もの参加者を得て、ファースト・ネイションによる憲法制定会議[19]を催し「心からのウルル声明」を表明した年にもなった。

とはいえこれも一筋縄では進まず、オーストラリアは一九九〇年代後半からは自由

（19）　https://ulurustatement.org（二〇二一年一月四日アクセス）

図5　登坂停止後のウルル（筆者撮影）

党政権下で先住民の自主管理を再び連邦国家下に包摂し介入しようとする政策へ移りつつあった。その背後には先住民の格差是正措置に反対する排他主義的な動きも出て来ていた。ウルルの登坂禁止はこうした政治の争点とパフォーマンスの場にもなり、超保守派のワン・ネイション党の党首は登坂停止前にウルルを訪問し、登坂停止を「ばかげたこと」として介入し、一時は国を二分しかねない騒ぎとなった。登坂したい訪問者から見れば登坂「禁止」にみえるかもしれないが、先住民アナング族からみれば、それこそが彼らの自治回復になる。こうして、ウルルは二〇一九年一〇月二六日にようやくアナング族の自治下に入り登坂停止になったのであった（図5）。

おわりに——アナング族を中心に

インターネット上のウルル・カタジュタ国立公園の公式ページなどを使えば、かなりの事前準備もできる。現在、ウルルではアナング族を中心としたカルチュラル・ツアーも準備されており、インターネットからでもアクセスできる。前述したような経緯を理解した読者はまず何よりも、時間を確保して準備の上でウルルに出かけてほしいと思う。こうしたサイトは写真も充実しているので英語の勉強をかねて活用すると良いだろう。以下、それぞれのサイトの項目に対応させた言葉は「　」をつけてカタカナ表記している。

例えばウルル・カタジュタ国立公園の「ディスカヴァー」体験の提供[20]では、ハイライト、ネイチャー、カルチャー、ヒストリーなどのカテゴリーがあり、「ヒストリー」からは事前に歴史を学べる。特に「カルチャー」ではアナング文化の諸側面が英語のコラムで書かれているので、現地の予習には良いであろう。また冒頭で述べたエアーズロック・リゾート[21]でもその場所を一歩踏み出したところで体験する各種の文化体験が準備されており、「インディジェノス」の向う側には現地のアナング族の人たちとの「ブッシュ・フード・エクスペリエンス」、「ブッシュ・ヤーン」、「ブッシュ・ガーデン・ウォーク」、「デジャリデゥ・ワークショップ」などのプログラムも提供されている。以上に述べたのは全て無料で提供されているものである。[22]

こうした事前の準備をして、現地で一定の金銭的な余裕も以て臨めば、例えば現地のマルク・アーツ[23]は、一九八〇年代から運営されているが現在は「アート」、「カルチャー」、「ツーリズム」を三本柱にして、「プライベート&グループ・エクスペリエンス」も用意している。こうしたプログラムで一緒に作成したアート作品では、参加者も関わるため一点一点がオリジナルな作品になるだろう。

何よりウルルはこうした準備を以て臨めば、この場所を見た目だけで素通りすることなく先住民であろうとなかろうと人びとを惹きつけてきた場所であることが分かるだろう。

(20) https://parksaustralia.gov.au/uluru/（二〇二〇年一二月五日アクセス）

(21) https://www.ayersrockresort.com.au/（二〇二〇年一二月五日アクセス）

(22) https://parksaustralia.gov.au/uluru/do/tours/にはその先にある各種の有料プログラムが提案されている（二〇二〇年一二月五日アクセス）。

(23) マルク（Maruku）は字義通りには「黒に属する」という意味。https://maruku.com.au/（二〇二〇年一二月五日アクセス）

今や岩肌の複雑な襞は、先住民アナング族の歩んできた歴史と生活に重ねて体験することができるであろう。こうして私たちはようやく、オーストラリアの内面に入って行けるのかもしれない。

〔参考文献〕
飯嶋秀治「日本におけるオーストラリア先住民表象史」山内由理子編『オーストラリア先住民と日本』御茶の水書房、二〇一四年
飯嶋秀治「先住民政策」関根雅美・塩原良和・栗田梨津子・藤田智子編著『オーストラリア多文化社会論—移民・難民・先住民族との共生をめざして』法律文化社、二〇二〇年
鎌田真弓「国家と先住民—権利回復のプロセス」山内由理子編『オーストラリア先住民と日本』御茶の水書房、二〇一四年
松井圭介ら「聖地ウルルをめぐる場所のポリティクスとアウトバックツーリズム」『地理空間』八、二〇一五年
Cowley, J. with The Urulu Family, *I am Urulu: A Familys History*. Sydney, Omne Publishing, 2018.
Donovan, P., *Alice Springs: Its History & The People Who Made It*, Alice Springs, Alice Springs Town Council, 1988.
Harris, Kerr, Forester & Co., *Tourism Plan for Central Australia*. Honolulu, Harris, Kerr, Forester & Co., 1969.
Hueneke, H. & R. Baker, 'Tourist Behaviour, Local Values, and Interpretation at Uluru: 'The sacred deed at Australia's mighty heart', *GeoJournal*, 74, 2009.
James, S., 'Constructing the Climb: Visitor Decision-making at Uluru', *Geographical Research*, vol.45, no.4, 2007.
Mayor, T., *Findinge the Heart of the Nation: The Journey of the Uluru Statement towards Voice, Treaty and Truth*. Richmond, Hardie Grant Travel, 2019.
Shackley, M., 'Tourist Consumption of Sacred Landscapes: Space, Time and Vision', *Tourism Recreation Research*, vol.29, no.1, pp.67-73.
Sweet, I. P., A. J. Stewart and I. H. Crick, *Uluru and Kata Tjuta: a Geological Guide*, Canberra, Geoscience Australia, 2012.

column

アボリジナル・アート

飯嶋秀治

アート誕生

人類が文字を書き、聖典を編み、民族の枠組みを超えて仏教やキリスト教やイスラム教として世界に広がる前から、人類は神話と儀礼を通じて世界と自己との関係を把握していた。オーストラリア先住民の場合も同様に、のちにアボリジナル・アートとして発揮されるアートやデザインの能力は、日常会話をする際に、生き物の足跡などの記号を描く行為に基づいて、儀礼の際の道具や身体装飾に集中的に現れていた。だがそれは儀礼が終わると同時に記憶になり、ロック・ペインティングなどの壁画、石や木の聖物などを別とすれば形として残されることは稀であった。

図1　路傍販売される作品の制作現場はストリートであることもある

こうした儀礼やその痕跡たる聖地や聖物が、大陸にやってきた西欧系移民とのコンタクト・ゾーンで、その表現の場や主題を移し替えて生じたのがアボリジナル・アートである。それはオーストラリア先住民の六万年の歴史を考慮すれば一〇〇年程度の歴史ではある。だが、現在、こうしたアボリジナル・アートは、一方で観光地のストリートでの手売り販売で山積みになっている作品群から、世界規模のアート・マーケットでモダン・アートとして流通する作品群まで、その展開には眼を見張るものがある。ここではその中でも独特な様式で著名なハーマンスバーグ派、アーネムランドの線描、中央砂漠のドット・ペインティング、キンバリーのカントリー画について取り上げよう。

地域ごとの様式

オーストラリア中央砂漠地帯のアランタ族、アルバート・ナマジラ[1]は、一九三六年、中央オーストラリアの景観を描いていたレックス・バタビー[2]から水彩画を学び、彼の生まれ旅した大地の景観を紙上に写実的で鮮明な水彩で描き、そののちに続くハーマンスバーグ派の水彩画や彩色壺などのアーティストたちの先駆けとなった。

他方、オーストラリア北端アーネムランドでは、ゴワン・アームストロング牧師が一九六三年に樹皮画の制作を奨励し、それ以前から交易品となっていた樹皮に細かな線描を交差させてゆく樹皮画が発達してゆくことになった。こうしたアボリジナル・アートは、一九七一年にオーストラリア政府によるアボリジナル・アート局の設立と、各地へのアート・アドバイザーの派遣によりアート・マーケットへと接続する契機にもなった。

また中央砂漠に派遣されていた教員のジェフリー・バードン[3]は、一九七一年にルリチャ族やピントゥビ族の若者たちに学校の壁に絵を描くようにと奨励した。この壁絵はコミュニティの若者たちに関心を呼び起こし、翌年にはアーティストたちの会社の設立に成功し、会社はそのコミュニティから名前を取ってパプニャ・トゥラ・アーティスト[4]と名乗ることになった。彼らの絵画の特徴は元来砂漠の上に描く砂絵をキャンバスに移したものとなり、地に点描を用いることがあることからドット・ペインティングと呼称されるようになった。

オーストラリア北西部に当たるキンバリー地域でのドットで縁取られたのとは対照的に、カラフルなカントリーの絵画が描かれるようになる。こうした様式は中央砂漠地帯での運動に続いて生じてきた。

図2　アリススプリングス空港のディスプレイ

主題の変容と評価の高まり

このような作品に描かれる主題は元来こうした表現の出自である儀礼装飾やドリーミングについての描写が多く、また女性は小品を制作し、男性は大作を制作する行為のなかに、かつての狩猟採集生活の反復を見出す側面があった。

だが近年ではその色彩や記号が自由に展開した作品も増え、彼らのこうしたアートやデザインの力をペイント以外に振り向ける展開も出て、ろうけつ染めは一九七〇年代から行われていたし、草木染めも二〇〇〇年代からはじめられてきた。ブーメランなどへの彫刻もアート化以前からあったが、それを応用した木彫や鉄彫、鉄の廃材などをリサイクルして制作したブッシュ・トーイや、キャンバス地に綿を詰めたクッションなどの家具も登場している。

他方で、一九八〇年代からはオーストラリア国立美術館をはじめ各地の博物館・美術館が作品購入と収蔵を行うようにもなった。こうして一九九〇年代になると、国際市場での評価も高まり、オークション会社での落札価格が二億円に達するような作品まで出てきた。

評価の高まりと権利問題

だがこうしてアートの知名度が高まると、そのデザインがパブリックな場で価値を認められる資源としても着目されることになり、何がアボリジナル・アートであり、誰がその知的財産を持つのか、オーストラリア連邦国家の根幹としての位置を承認されたがゆえの問題も生じてきている。

例えば二〇一〇年冬期オリンピックのアイスダンスで、ロシアのカップルがオーストラリア先住民の儀礼装飾を身にまといパフォーマンスを行ったが、先住民リーダーからは攻撃的な文化盗用であるとして論争になった。あるいはある先住民アーティストのデザインが、グーグル・サーチを介してポーランドのホテルのカーペットなどに用いられていたと分かった事例などもある。

こうした先住民文化の知的財産の侵害を防ぐため、国連では二〇〇七年に先住民族の権利に関する国際連合宣言を採択しており、オーストラリアでも先住民文化及び知的財産（Indigenous Cultural and Intellectual Property:ICIP）として議論されている。

〔参考文献〕
窪田幸子「先住民アーティストの誕生─アボリジニ芸術の誕生─」『北海道民族学』第七号、二〇一一年
小山修三・上橋菜穂子・南本有紀・前田礼編『アボリジニ現代美術展』現代企画室、二〇〇三年
モーフィ、ハワード（松山利夫訳）『アボリジニ美術』岩波書店、二〇〇三年
McCulloch, S. *Contemporary Aboriginal Art: A Guide to the Rebirth of an Ancient Culture* (Revised Edition), St.Leonards, N.S.W, Allen & Unwin, 2001
Perkins, H. *Art+Soul: a Journey into the World of Aboriginal Art*, Melbourne, Miegnnyah Press, 2010.

〔注〕
（1）Albert Namatjira 1902—1959
（2）Rex Batabee 1893—1973
（3）Geoffrey Bardon 1940—2003
（4）Papnya Tula Artist

column

OZヒップホップとマイノリティ

湊　圭史

OZヒップホップとマイノリティ

　ヒップホップ文化がアメリカ合衆国はNYのサウス・ブロンクスで誕生してすでに半世紀近くになる。九〇年代以降のヒップホップ主流化、グローバルな伝播の中で、オーストラリアは英語圏の一地域としてアメリカ産ヒップホップを直接的に体験するとともに、独自のヒップホップ文化を発展させてきた。[1]ここでは、オーストラリアのマイノリティ集団（先住民や二〇世紀後半からのヨーロッパ以外からの移民たち）に属するアーティストの表現を四例紹介し、また、彼／彼女たちの表現の一環として、楽曲のみではなくミュージック・ビデオ（以下、MV）の表現にも注目する（MVについては楽曲名をネット検索すればすぐに見つかるのでURLは省略する）。

A.B. Original, "January 26"

　A．B．オリジナルは、俳優やテレビのパーソナリティとしても活躍するブリッグズと、人気グループ、ザ・ファンコールズのメンバーのトライアルズの二人のアボリジナル系MCが組んだユニットで、オーストラリアの様々な音楽関連の賞を獲得するなど高い評価を受けている。「アボリジナル」をもじった名前が示す通り、先住民をめぐるテーマを直接的にとりあげている。アルバム『オーストラリアを取り戻せ』（*Reclaim Australia* 二〇一六年）は、二〇一五年に登場した反イスラム・反移民運動の名称をそのまま借用し、自らも外来者の白人がオーストラリアは自分たちのものだと叫ぶ滑稽さを先住民の視点から抉りだす。「一月二六日」では、この日付で長く国家的に祝われてきた「オーストラリア・デー」を、「俺にとっちゃ何の意味もない」と切り捨てる。MVで

図1　A.B.Original, *Reclaim Australia* アルバム・ジャケット
https://themusic.com.au/reviews/ab-original-reclaim-australia-carley-hall/4Cfz8vX09_Y/22-11-16/

は楽曲のパフォーマンスと合わせて、白人の若者がBBQパーティに向かう場面が描かれる。面白い仕掛けが施されているので、ネタバレを避けるため説明はここまで。映像をよく観察しながら、最後のどんでん返しまでを体験してもらいたい。

"Treaty 2015 feat. Jimblah + Nooky + Ellie Lovegrove + Zachariiah Fielding X Yothu Yindi"

ララキア族（ノーザンテリトリーの先住民グループ）出身で、独特のフロウをもつジンブラーを中心に作られた楽曲。「条約、二〇一五年」というタイトルは、サンプリングされた先住民系人気ロックバンド、ヨッスー・インディのヒットソング「条約」（"Treaty"、一九九一年）から来ている。このようにヒップホップという枠を越えて先住民による大衆音楽の系譜を浮かび上がらせる試みには、カントリー系歌手アーチー・ローチの「子供たちを奪っていった」（"Took The Children Away"、一九九〇年）を下敷きにしたブリッグズの「子供たちが戻ってきた」（"The Children Came Back ft. Gurrumul & Dewayne Everettsmith"）や、トレス海峡諸島民のMCマウ・パワーがローチ本人をフィーチャーした「自由」（"Freedom Feat. Archie Roach"）などがある。ヨッスー・インディ「条約」と「条約、二〇一五年」を聴き比べて、九〇年代と現在で何が変わり、何が変わらなかったのかを考え、世界的な広がりを見せるブラック・ライヴズ・マター運動との共振も聞きとってもらいたい。

図2　L-Fresh the Lion, *Become* アルバム・ジャケット
https://lfreshthelion.bandcamp.com/album/become

L-Fresh the Lion, "1 in 100,000"

エル＝フレッシュ・ザ・ライオンは、インド系で、シドニー西の郊外地域リヴァプール出身のシク教徒MC。分厚くターバンを巻いて髭をたっぷりと蓄えた出で立ちは、ヒップホップ・アーティストに私たちが抱きがちなステレオタイプを快く裏切ってくれる。ファースト・アルバム『ワン』（*One* 二〇一四年）からの「生き抜く」（"Survive featuring MK-1"）の、オーストラリアのシク教徒コミュニティの人々を映しだしていくMVも印象的だが、インパクトという意味では、セカンド・アルバム『ビカム』（*Become* 二〇一六年）からの「十万人のうちの一人」が必見。インド音楽調のリズムに乗せ、オーストラリアの自然風景の中で、鮮やかな青の衣装をまとった若者が剣を振るって謎の影と戦う。一五世紀にインド・パンジャーブ地方で創始され、英国による植民地支配との関係から独自のグローバルな位置に身をおくこととなったシク教とその信徒。彼らの現在におけるアイデンティティを求める闘争が、オーストラリア、シク教、ヒップホップの三者の交錯の中で繰り広げられる、と解釈してみたい。

Okenyo, "Woman's World"

オケニョはアフリカ、ケニア出身の父をもつシドニー生まれの女性アーティスト。俳優としてシェイクスピア演劇をこなし、一九六〇年代から続く老舗子ども向け教育番組『プレイ・スクール』（*Play School*）の司会も務

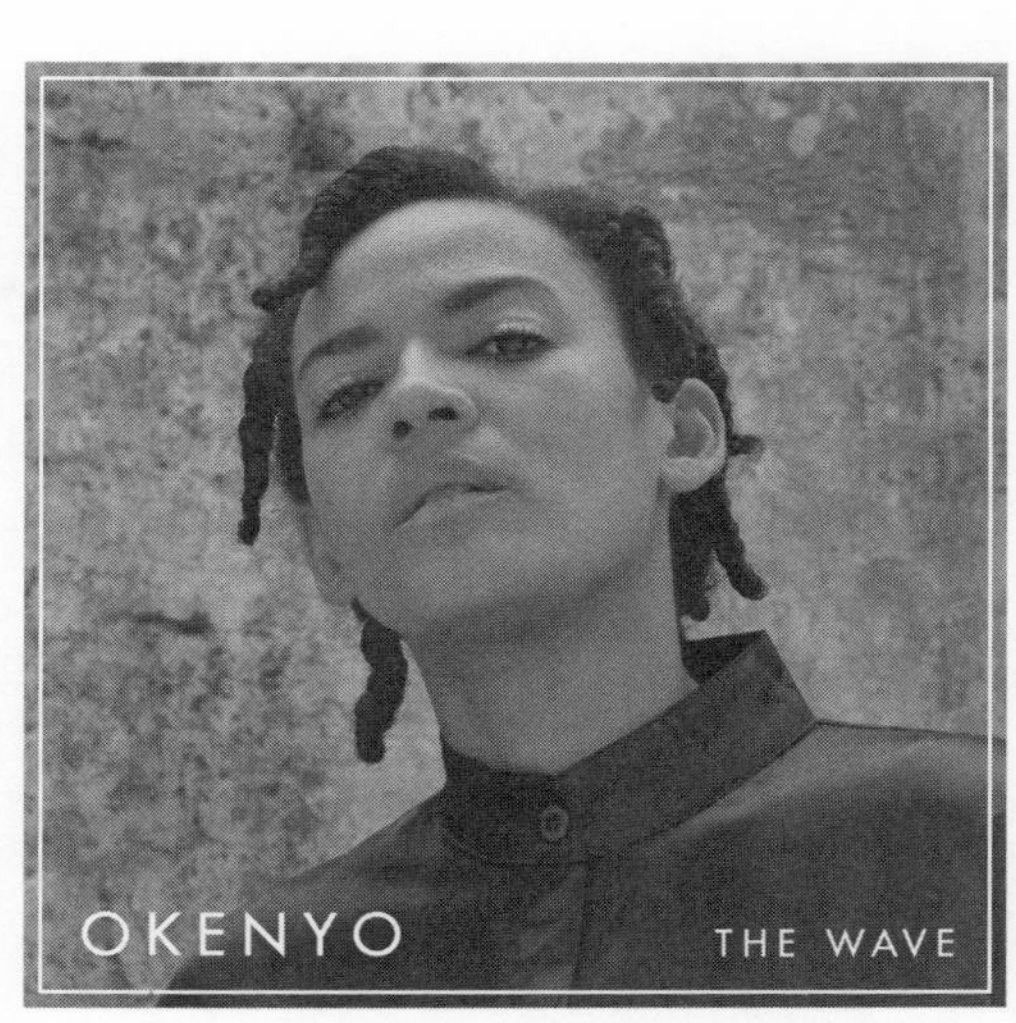

図3　Okenyo, *The Wave* アルバム・ジャケット
https://www.elefanttracks.com/store/the wave/

める。「女の世界」はデビューEPアルバム『波』(The Wave 二〇一八年)に収められた楽曲で、「見下してんじゃないわよ!」という威勢のよいサンプリング音声から始まり、多才な「やることがやまほどある忙しい女性」("a very busy woman with a lot on my plate")の力強い宣言を貫いていく。MVでは、様々な世代、バックグラウンドの女性たちが白と黒を基調としたスタイリッシュなファッションと切れのあるダンスを披露する(男性はまったく登場しない)。「エンパワメント」という言葉にこれほどぴったりの映像は、世界中を見渡してもなかなか見つからないだろう。

オケニョがインタビューで述べているように、オーストラリアン・ヒップホップは「オーストラリア人であることに由来する様々の異なった物語」をダイレクトに伝えてくれる。[2] 自己のスタイルを帰属する集団のアイデンティティとともに打ちだすヒップホップは、オーストラリアの現在を知るためのメディアとして、これからさらに必聴・必見になっていくだろう。

〔注〕
(1) オーストラリアン・ヒップホップの独特のフロウと雰囲気を知るためには、オーストラリアのヒップホップを長らく引っ張ってきたヒルトップ・フッズの二〇一四年のヒットソング「コズビー・セーター」のパフォーマンスに、人気ヒップホップ・アーティストたちがマイク・リレーで参加する次の動画を視聴していただきたい("Cosby Sweater - Hilltop Hoods, Illy,

Horrorshow, Drapht, Seth Sentry, Tkay Maidza, Thundamentals" https://www.youtube.com/watch?v=UvAszEQlpTs 二〇二〇年九月二八日アクセス）。また、この記事で紹介したアーティストたちも所属するオーストラリアを代表するヒップホップ系音楽レーベルとして、ゴールデン・エラ・レコーズ（Golden Era Records）とエレファント・トラックス（Elefant Traks）の二つをあげておく。

（2） Wehner, Cyclone. "INTERVIEW: OKENYO Talks Touring With Urthboy, Life As A Play School Presenter And What's To Come" *musicfeeds*. June 28, 2016. https://musicfeeds.com.au/features/interview-okenyo-talks-touring-urthboy-life-play-school-presenter-whats-come/ （二〇二〇年九月二八日アクセス）

第8章　文学の森を歩く
――オーストラリアの多様な作家たち――

加藤めぐみ

1　オーストラリア文学とは――その多様性

「オーストラリア文学」ということばから、どのようなイメージまたは作家や作品が想起されるだろうか。すぐには具体的に湧いてこないかも知れない。だがオーストラリア人作家エミリー・ロッダの「リンの谷のローワン」（一九九三―二〇〇三）や「デルトラクエスト」シリーズ（二〇〇〇―二〇〇五）を読んだことがある人は結構多いのではないだろうか。他にもパトリシア・ライトソンの「ウィラン・サーガ」シリーズ（一九七七―一九八一）など、オーストラリア人作家によるファンタジー小説や若年向きの小説が日本でも多く翻訳出版されてきた。「ローワン」や「デルトラ」から、ことさらオーストラリア的なところを見つけようとする必要はないのかも知れない。一方、ライトソンの作品はオーストラリア先住民の少年を主人公にしている。また日本の作家の上橋菜穂子はオーストラリア先住民の研究をしてきた文化人類学者で、その知識も活かしながら『精霊の守り人』シリーズを書いたといわれている。

絵本作家ショーン・タンは日本でも人気があり多くの作品が翻訳出版されている。その『アライバル』（二〇〇六）や『遠い町から来た話』（二〇〇八）は、幻想的な設定の中にオーストラリアという移民の国の歴史背景や社会を感じさせる。中国系マレーシア人一世とアイルランド系イギリス人三世の両親をもつタンの作品には、人の移動、複合社会、他者との出会い、帰属意識といったことが色濃く反映されているようだ。このように知らないうちに私たちはオーストラリア文学の一部に接している。

「オーストラリア文学」といっても決して一絡げにはできない。文学にはもともと多様性があり、あらゆる状況を背景にさまざまな人が登場して、知らない世界を垣間見せ、人間について社会について問いかけ考えさせてくれる。「他者は己れを映す鏡であり、自分をより理解し、批判的に見るための手段」などといわれる。その「他者」に触れ、共感し（あるいは批判し）新しい視野や考え方を育むことができるのが文学だ。オーストラリアでは先住民の伝統的神話から、紙とペンが贅沢品だった入植者のあいだで生まれた口承詩や唱歌、帰属場所を意識し始めた初期の詩や小説、英語により新たに言語化された先住民の文学、移民による多文化文学、そしてデジタル機器でインターネット発信されるような現代のコスモポリタン的文学まで、時代とともにさまざまな文学が生まれてきた。本章ではオーストラリアに生まれた文学を時代に沿って概観し、その多様な社会と人びとに触れる機会としたい。

2 入植期から二〇世紀前半までの文学

一八世紀末から一九世紀中盤まで、イギリス系の植民地が開拓された当初に書かれたのは観察記録や報告書、日誌、定期刊行物といった実際的なものがほとんどであり、読み物としての文学は希少だった。オーストラリアで最初に発行された新聞は一八〇三年刊行開始の『シドニー・ガゼット』で、その後も各植民地で定期刊行物が出回るようになり、そこに次第に短編や連載の小説が掲載された。だがこの植民地の自然と気候は「英文学」にはそぐわなかった。季節も逆で動植物も祖国のものとは異質な場所であり、初期の入植者たちは本国から二万五千キロ以上という「距離の暴虐[1]」に苦しめられ、いかにその相容れない環境を克服し、イギリスらしさヨーロッパらしさを持ち込むかがその課題となっていた（図1）。

一九世紀半ばに大陸南東部に金鉱が発見され、人口が増えて牧羊業などの産業も発達し植民地社会が潤ってくると、定期刊行物や書籍の印刷出版と流通が増え、それを支える読者も増加する。次第に、奥地の広大な土地と厳しい

《Key Word》

「多文化文学（multicultural writing）」

18世紀から19世紀後半までイギリス系文学が中心だったオーストラリアでは、1970年代以降の社会の多文化化と政策の変化により、文字を持たなかった先住民の物語も含め、多様な作家が輩出した。オーストラリアの文学をひとことで表すならば多文化文学と呼べるだろう。

（1）オーストラリア人歴史家ジェフリー・ブレイニーによる一九六六年刊行の歴史書のタイトル。邦訳一九八〇年

図1　奥地の風景（Tree_outback_Australia　wiki public domain）

図2　ヘンリー・ローソン（Henry_Lawson_photograph_1902 wiki public domain）

自然への最初の入植者である流刑囚人の冒険談や開拓者の物語が書かれるようになっていった。植民地の「オーストラリアらしさ」を文学に育んだ代表的な作家にバンジョー・パタスンとヘンリー・ローソンがいる。(2) 両者ともに一八九〇年代から一九二〇年代にかけて、奥地で働く入植者の現実や苦労、メイトシップと呼ばれる仲間意識を詩や短編小説に描いた。オーストラリア人を主人公に据えたこのような読み物は、植民地から連邦として独立しようとする機運と相まって入植者の意識を高めナショナリズムを高揚するのに役立ったともいわれる（図2）。

またオーストラリアはニュージーランドに次いで女性に参政権を付与した国として知られているように、女性が早くから社会の構成要員とみなされていた。マイルズ・フランクリンは自伝的作品『わが青春の輝き』（一九〇一）で豊かな牧場経営者と結婚するより文筆で身を立てる決意を弱冠二一歳で高らかに宣言した。フランクリンはその後女性の権利擁護者としても活躍している。

(2)　ローソン、パタスンともに、その肖像がオーストラリアの一〇ドル紙幣に描かれている（パタスンは一九九三年に紙幣がポリマー製になって以降）。

図3　マイルズ・フランクリン（Miles_Franklin　wiki public domain）

オーストラリアで最も権威ある文学賞の一つマイルズ・フランクリン賞はその遺産により設立された。これは「オーストラリアの生活をさまざまな位相から描いている最良の質を備えた小説」に授与されるもので、一九五七年に始まり現在に至っている（図3）。

Ａ・Ａ・フィリップスという批評家は一九五〇年に「文化的劣等感」ということばを用いて、「オーストラリアの作家たちが自国文化を蔑視し、イギリスをはじめとするヨーロッパ文化圏への憧れと劣等感に囚われている」と批判した。だが二〇世紀前半は、オーストラリアという舞台とその人びとの生活に文学的テーマの価値を認め、時に批判的にそれを描いたローカルな物語から普遍性を導き出そうとする作家が登場する時代でもあった。

3　二〇世紀中盤から後半までの文学

一九〇一年に連邦国家としてイギリスから独立したオーストラリアが、二〇世紀に国や国民としての意識を高めた大きな機会は戦争だった（10章参照）。多くの犠牲者を出した第一次・第二次世界大戦への参戦は大きな経験となり、これに関わる文学作品も数多く書かれた。この戦争文学は建国物語の一部として今でも文学の主要なテーマの一つとなってい

る。ことに第二次大戦中のアジア太平洋戦争ではオーストラリアは日本を敵に苦しい戦闘を続けた。二万二千人を超える兵士が日本軍の戦争捕虜となり、そのうち約八千人は生きて帰ることがなかったという（序章、11章参照）。東南アジアでの日本軍捕虜生活を描いた軍医E・E・ダンロップの『ウェアリー・ダンロップの戦争日記　ジャワおよびビルマ―タイ鉄道一九四二―一九四五』（一九八六）など、戦後に多くの回想記やフィクションが書かれている。その影響は二〇世紀後半になってからも続き、近年でもリチャード・フラナガンがダンロップを思わせる退役軍医を主人公に『奥のほそ道』（二〇一四）を書いた。戦中の豪兵士の経験と戦後のオーストラリア社会への影響が描かれ続けるのは、戦争体験がオーストラリアの記憶の中で大きな位置を占めてきたことをうかがわせている（図4、11章コラム参照）。

図4　戦争捕虜の帰還（Returned_Australian_POWs_Oct45（1）　wiki public domain）

二〇世紀中盤は、オーストラリアを文化的後進地とみなし植民地主義的な偏狭性をもつ社会として切り捨てるヨーロッパ中心主義者もいた一方で、オーストラリア的な要素を取り入れつつそこにいる人びとの内面性を深く掘り下げた作家も登場した。その一人がオーストラリア初のノーベル文学賞受賞者パトリック・ホワイトである。ホワイトは「オーストラリア文学の伝統とヨーロッパ文学の流れとの融合を図った」[3]作品を多く書いた。その小説の一つ『ヴォス』（一九五七）はドイツ人探検家が実際に一九世紀に行（おこな）った奥地横断探

（3）有満（二〇〇三）

検を下敷きにしている。オーストラリアという新大陸を征服しようとするヨーロッパ人ヴォスが、その厳しい自然環境や先住民からの拒絶により敗退するさまを描いているこの小説は、探検そのものをリアルに描くことが目的ではなかった。「ヨーロッパ的価値観と新大陸の価値観を対峙[4]」させ、植民者たちがヨーロッパ的文化、文明を上辺だけ持ち込んでも、完全にこの大陸の住人にはなれないことを示していた。

(4) 前掲 八一頁

　ヨーロッパ人の植民地主義の欺瞞や先住民との負の関係性を小説にした作家にザヴィア・ハーバートがいる。その壮大な長編『かわいそうな私の国』（一九七五）には、太平洋戦争中に日本軍から空爆を受けるダーウィン（11章参照）を舞台にヨーロッパ人が危機感と孤立感を高めるなか、それまでの暴力的入植と先住民支配を振り返り贖罪が必要であるとの主張が見られる。この小説の出版は、オーストラリアがそれまでのいわゆる「白豪主義」から「多文化主義」へと政策を転換させ社会に大きな変化が起こった時期だった。ハーバートの小説はまさに当時の人びとの意識の変化をすくい取っているといえよう（図5）。

図5　ダーウィン日本人墓地（写真提供：鎌田真弓）

　ピーター・ケアリーは二〇世紀後半に、オーストラリアの初期の入植者たちを現代的手法で描いた。ブッカー賞をはじめ数々の賞を受賞し映画化もされた『オスカーとルシンダ』（一九八八）は、ギャンブラーの牧師とその愛人を主人公に、ガラスの教会を奥地に運ぼうとする企ての顛末を物語る。ここでは一九世紀の入植地の暴力性

図6　ケリー・ギャング映画（Story-of-the-kelly-gang-capture2-1906　wiki public domain）

や、精神性の欠如がコミカルに描かれている。

反権威主義もオーストラリア植民地の気風の一つで、ケアリーは『ケリー・ギャングの真実の歴史』（二〇〇〇）に、実在したアンチヒーローの代表格ネッド・ケリーの生涯を描いた。アイルランドからの流刑囚の息子ケリーは盗みや強盗を働くアウトローだが、反権威的な人柄が貧しい移民たちから支持された。警官殺しで追われる身となり、やがて捕われ極刑の裁きが下る。ケリーが民衆の英雄なのか犯罪者に過ぎないのかは議論が分かれるが、植民地の伝説的人物だったことは間違いない。ケアリーは二一世紀を迎える直前にこの作品を世に出したことで、オーストラリアの来し方を再認識させている（図6）。

このようにヨーロッパ系入植者がオーストラリア人としていかに自己規定をするか、というアイデンティティの模索が、二〇世紀以降ずっと文学に表れてきたといえよう。

4　多文化社会の文学

第二次大戦後のオーストラリアでは、イギリスやアイルランド系だけでなく他のヨーロッパ地域、さらに中東やアジア、アフリカからの難民や移民の受け入れが拡大し、社会が多様化していった。一九七二年に多文化主義が公的な政策とされて「多文化」が肯定的なイメージをもって語られるようになり、文学でも「多文化文学―マルチカルチュラル・ライティング」が一つのジャンルになった。先に述べたタンのように、もともと英語を母語としない移民やその子孫が、英語圏以外の歴史的・伝統的背景や移民体験、オーストラリアでの新たな生活や社会の受容について語り始めた。

ジュダ・ワテンは、ポグロム（ユダヤ人迫害）を逃れてロシアから移ってきたユダヤ系両親のもと三歳よりオーストラリアに暮らし、その体験をもとに『異邦の息子』（一九五二）を書いた。移民先に溶け込めず心身ともに孤立していく母親の姿、そこで繰り返されるユダヤ人差別など、少数派の問題を描きつつ「文化の衝突、同化、調和」[5]という普遍的な問いに取り組んだ作品だ。迫害を逃れて世界中に散らばったユダヤ人難民・移民の物語は、オーストラリアでも脈々と受け継がれて語られてきた。メルボルンには大きなユダヤ人コミュニティがある。アーノルド・ゼイブルは『カフェ・シェヘラザード』（二〇〇一）で、ここに暮らすポーランド系ユダヤ人の難民・移民としての過去とこれまでの暮らしを物語り、ユダヤ系オーストラリア人の経験の記憶を継承している（図7）。

二〇世紀後半には、その他にもギリシャ系、イタリア系、レバノン系、ウクライナ系など、いわゆるハイフンつきオーストラリア人作家たちが活躍し始めた。

図7　オーストラリアユダヤ博物館（Image provided by the Jewish Museum of Australia）

（5）『異邦の息子』（江沢即心訳）iv頁

図8　アデレード移民博物館前の像（筆者撮影）

さらに少し遅れてインドシナ難民やインドネシア、中国などアジア系の作家たちも登場するようになる。こういった移民は同じ民族コミュニティがあって住居や仕事が得やすい都市に住むことが多かった。シドニーやメルボルンを始め各州の州都とその近郊は他の中小都市に比べてますます多民族化していき、都市を描く文学にもそれが反映されていくようになる。

また二〇世紀後半には、オーストラリアはヨーロッパの周縁でなくアジア・太平洋地域に位置しているという自覚が生まれ、アジアへの関心が高まった。マレーシアに流れ着くインドシナのボート難民を題材にした『タートル・ビーチ』（一九八一　邦題「抱きしめたいから」）を書いたブランシュ・ダルピュジェや、『危険に生きる年』（一九七八）で一九六五年のインドネシアの政変を取り上げたクリストファー・コッシュなど、ジャーナリストをはじめとする作家たちがアジアを訪れ、その変化を観察した。そしてアジアに位置するオーストラリアへの影響や、欧米のアジアへのスタンスを批判する作品を書くようになった。文学に表れた多様性はいわゆる主流の文学にも影響し、オーストラリアがアジア・太平洋地域にある複合民族による多文化社会であることが顕著になっていった（図8）。

5　先住民アボリジナル・ピープルによる文学

フランスの植民地だったアルジェリアが独立したとき、アルジェリア人作家カテブ・ヤシンは「フランス語は我々の戦利品だ、私はフランス人でないとフランス人に言うためにフランス語で書くのだ」[6]と語ったといわれる。オーストラリア先住民も、まさに英語という征服者のことばを手にしたときからそれを駆使して、植民地の侵略行為とその後の苦難の歴史、そして自分たちの文化について語り始めた。

オーストラリア先住民には英語で「ドリーミング」と呼ばれる法・掟・知識体系・神話・歴史にまたがり生活全般を支配する物語がある（7章参照）。先住民として最初にその物語を世に出した作家にデヴィッド・ユナイポンがいる。キリスト教伝道ミッションに生まれたユナイポンは一九二九年に小冊子『先住民の伝説』を出版した。だがその後、これをウィリアム・ラムゼイ＝スミスという文化人類学者が編集し、自分の名のもとロンドンで出版してしまうという経緯があった。現在流通している五〇ドル札にはユナイポンの肖像が描かれているが、評価されたのは著書が出てずっと後のことだった（図9）。

一九六七年に先住民が国勢調査の対象となり市民としての立場を得た前後から、土地の先住権や人権をめぐって、文学で自分たちの窮状や主張を訴える詩人や作家が輩出するようになる。キャス・ウォーカー（のちにウージャルー・ヌーナカルに改称）やコリン・ジョンソン（のちにマドルールーに改称）[7]らはその先駆だろう。また特に先住民女性による自分史

（6）　小松祐子「フランコフォニーへようこそ」『NHKまいにちフランス語』二〇一九年六月

（7）　このマドルールーについては、その後先住民を詐称しているとされ先住民の定義が問題になった。加藤めぐみ「マイノリティの文学」『オーストラリアのマイノリティ研究』八六頁参照。

図9　デヴィッド・ユナイポン（David_Unaipon wiki public domain）

ーライフストーリーで多く語られたのが「盗まれた世代」（6章参照）の体験だった。政府の「同化主義政策」のもと二〇世紀初頭から一九七〇年代まで先住民の子どもが親から引き離されてミッションや施設に送られ、やがて主流社会の労働力にされた。子を失った親や祖父母、または自分自身が親族から引き離されルーツを失うという、それまで主流社会で知られなかった先住民の体験が語られ始めたのである。この中にはサリー・モーガンの『マイ・プレイス』（一九八七）や映画にもなったドリス・ピルキングトンの『裸足の一五〇〇マイル』（一九九六）がある。これらはオーストラリアの歴史の裏側を明らかにするとともに、失われた先住民としてのアイデンティティを取り戻す物語となっている。

6　二一世紀のオーストラリア文学

先住民の物語は二一世紀になってからもますます盛んに書かれ、作品がマイルズ・フランクリン賞を続けて受賞するなど、すでにオーストラリアの文壇で主流の一部を占めているといってもよい。キム・スコットは受賞作『ほら、死人が、死人が踊る』(二〇〇一)で「規範化された白人性の虚構性と同化政策の問題を暴き出し」ている。[8] 教育者でもあるスコットは、ウェスタンオーストラリアで先住民言語と物語プロジェクトの中心的存在として、先住民文化の保存と復活に力を注いでいる。

現在オーストラリアも気候変動により干ばつや洪水、山火事などの影響を受けているといわれる。自然を克服しようとした植民地主義に対して、自然との伝統的な共存をテーマに掲げる先住民作家が増えている。その一人アレクシス・ライトは『カーペンタリア』(二〇〇六)でクインズランド北西部の町を舞台に、先住民、白人居住者、政府機関、鉱山開発業者のあいだに繰り広げられる軋轢と人間模様を描きつつ、土地に根差した先住民の文化を継承する者としての姿勢を示している。本書は深刻な現実を描きながら「ドリーミング」を想起させ、その土地と文化へのオマージュとなり、さらに自分たちの主権を取り戻す決意ともなっている。[9]

多くのヨーロッパ系の作家も、先住民との負の過去について真摯に向き合い和解を模索する小説を書いている。ケイト・グレンヴィルは『闇の河』(二〇〇五)で一九世紀のイギリス人入植者を主人公に、開拓者の建国神話に陥ることを避け先住民との暴力的な接触を赤裸々に描きながら、オーストラリアの歴史を再考している。

二一世紀にますます多様化するオーストラリア社会を、さまざまな背景の作家が作品に反映させている。クリストス・チョルカスはメルボルンを舞台にした『スラップ』(二〇〇八)に、ギリシャ系の従兄弟とそれぞれのインド系、セルビア系の妻、ユダヤ系の友人、イスラム教に改宗した先住民男性と白人女性のカップル、レバノン系の同僚、ベトナム系

(8) 一谷智子「多文化社会オーストラリアの文学」関根・塩原・栗田・藤田編著(二〇二〇)一九八頁

(9) いわゆる主流派の中にも環境問題について活動する作家がいる。ティム・ウィントンは出身地ウェスタンオーストラリアの海岸をはじめ、海洋の環境保全に積極的に関わっている。参考『ブレス』(二〇〇八年、邦訳二〇一三年)

図10 文化的・民族的に多様な食材が並ぶアデレードの中央市場（筆者撮影）

の友人、ゲイとストレートの若者などあらゆる出自と背景をもつ人物を登場させる。現代オーストラリアの多文化社会の縮図のようなこの物語には、一人が他人の子どもを平手打ち（スラップ）にした事件から、それぞれに秘められていた偏見や疑い、嫉妬や怒りが表面化していく様子が描かれている。ボート難民を両親にもつベトナム系作家のナム・リーは『ボート』（二〇〇八）で、第二世代として当事者の記憶を継承しつつ、二一世紀を生きる者としてその記憶の新たな解釈を試みている（図10）。

日本人作家もこの多様性に貢献し始めた。岩城けいの『さようなら、オレンジ』には、オーストラリアの田舎町を舞台に、在豪日本人女性とアフリカからの難民女性の触れ合いを軸に、ともに非母語の社会で暮らす異邦人同士が繋がり、やがて自立していくさまが描かれている。本書は二〇一三年にまず日本で出版され、その後英訳が二〇一八年に刊行された。日本人も多様なオーストラリア文学の担い手として活躍する時代になったといえよう。

これまで見てきたように、オーストラリア文学はその時代を映し出し、社会や人びとの変化をとらえてきた。今や地球規模でグローバル化が進み、格差や社会の分断、パンデミック、気候変動などが共通の問題となっている。その中でオーストラリアの歴史や現在の状況を背景にした物語は、ローカルな特徴を備えながら、オーストラリアという国や英語圏文学という枠を超えて世界の読者に届いている。今後もますますその多様性とコスモポリタン的な性格を強め、他の国や人びとにも示唆や共感を与えることだろう。

〔本章で取り上げた作品（掲載順）〕

エミリー・ロッダ「リンの谷のローワン」シリーズ（Emily Rodda　Rowan of Rin Series 1993–2003.　さくまゆみこ訳　二〇〇〇―二〇〇三年、あすなろ書房）

エミリー・ロッダ「デルトラクエスト」シリーズ（Deltora Quest Series 2000–2005.　岡田好惠訳　二〇〇二―二〇〇五年、岩崎書店）

パトリシア・ライトソン「ウィラン・サーガ」シリーズ（Patricia Wrightson *The Ice Is Coming* 1977. *The Dark Bright Water* 1978 *Behind the Wind* aka *Journey Behind the Wind* 1981.　渡辺南都子訳　一九八四年、早川書房）

上橋菜穂子『聖霊の守り人』シリーズ（一九九六―二〇一八年、偕成社　新潮社）

ショーン・タン『アライバル』（Shaun Tan *Arrival* 2006.　日本版二〇一一年、河出書房新社）

ショーン・タン『遠い町から来た話』（*Tales from Outer Suburbia* 2008.　岸本佐知子訳　二〇一一年、河出書房新社）

マイルズ・フランクリン『わが青春の輝き』（Miles Franklin *My Brilliant Career* 1901.　井上章子訳　一九八二年、岩波書店）

E・E・ダンロップ『ウェアリー・ダンロップの戦争日記　ジャワおよびビルマ―タイ鉄道一九四二―一九四五』（E. E. Dunlop *The War Diaries of Weary Dunlop: Java and the Burma-Thailand Railway* 1986.　河内賢隆・山口晃訳　一九九七年、而立書房）

リチャード・フラナガン『奥のほそ道』（Richard Flanagan *The Narrow Road to the Deep North* 2014.　渡辺佐智江訳　二〇一八年、白水社）

パトリック・ホワイト『ヴォス』（Patrick White *Voss* 1957.　越智道雄訳　一九七五年、サイマル出版会）

ザヴィア・ハーバート『かわいそうな私の国』（Xavier Herbert *Poor Fellow My Country* 1975.　越智道雄訳　一九七八―一九八三年、サイマル出版会）

ピーター・ケアリー『オスカーとルシンダ』（Peter Carey *Oscar and Lucinda* 1988.　宮木陽子訳　一九九

九年、DHC）
ピーター・ケアリー『ケリー・ギャングの真実の歴史』（*True History of the Kelly Gang* 2000. 宮木陽子訳　二〇〇三年、早川書房）
ジュダ・ワテン『異邦の息子』（Judah Waten *Alien Son* 1952. 江沢即心訳　一九九一年、勁草書房）
アーノルド・ゼイブル『カフェ・シェヘラザード』（Arnold Zable *Cafe Scheherazade* 2001. 菅野賢治訳　二〇二〇年、共和国）
ブランシュ・ダルピュジェ『タートル・ビーチ』（Blanche d'Alpuget *Turtle Beach* 1981. 邦題「抱きしめたいから」井上健訳　一九九二年、世界文化社）
クリストファー・コッシュ『危険に生きる年』（Christopher Koch *The Year of Living Dangerously* 1978）
デヴィッド・ユナイポン『先住民の伝説』（David Unaipon *Legendary Tales of the Australian Aborigines* 1929）
サリー・モーガン『マイ・プレイス』（Sally Morgan *My Place* 1987. 加藤めぐみ訳　一九九二年、サイマル出版会）
ドリス・ピルキングトン『裸足の一五〇〇マイル』原題「うさぎ除けフェンスを辿って」（Doris Pilkington *Follow the Rabbit Proof Fence* 1996. 中江昌彦訳　二〇〇三年、メディアファクトリー）
キム・スコット『ほら、死人が、死人が踊る』（Kim Scott *That Deadman Dance* 2010. 下楠昌哉訳　二〇一七年、現代企画室）
アレクシス・ライト『カーペンタリア』（Alexis Wright *Carpentaria* 2006 未邦訳）
ケイト・グレンヴィル『闇の河』（Kate Grenville *The Secret River* 2005. 一谷智子訳　二〇一五年、現代企画室）
クリストス・チョルカス『スラップ』（Christos Tsiolkas *The Slap* 2008. 湊圭史訳　二〇一四年、現代企画室）
ナム・リー『ボート』（Nam Le *The Boat* 2008. 小川高義訳　二〇一〇年、新潮社）
岩城けい『さようなら、オレンジ』（筑摩書房　二〇一三年　Meredith McKinney 英訳 *Farewell, My Orange* 2018 Europa Editions）

〔その他の参考文献〕

有満保江『オーストラリアのアイデンティティ——文学にみるその模索と変容』東京大学出版会、二〇〇三年

伊藤詔子・一谷智子・松永京子編著『トランスパシフィック　エコクリティシズム―物語る海、響き合う言葉』彩流社、二〇一九年
加藤めぐみ『オーストラリア文学にみる日本人像』東京大学出版会、二〇一三年
鎌田真弓編『日本とオーストラリアの太平洋戦争―記憶の国境線を問う』御茶の水書房、二〇一二年
関根政美・塩原良和・栗田梨津子・藤田智子編著『オーストラリア多文化社会論』法律文化社、二〇二〇年
ダットン、ジェフリー（越智道雄監訳）『ペンギン版オーストラリア文学史』研究社出版、一九八五年
ダリアン＝スミス、ケイト・有満保江編『ダイヤモンド・ドッグ―《多文化を映す》現代オーストラリア短編小説集』現代企画室、二〇〇八年
村井吉敬・内海愛子・飯笹佐代子編著『海境を越える人びと―真珠とナマコとアラフラ海』コモンズ、二〇一六年
三神和子編著『オーストラリア・ニュージーランド文学論集』彩流社、二〇一七年
早稲田大学オーストラリア研究所編『オーストラリアのマイノリティ研究』オセアニア出版、二〇〇五年
早稲田大学オーストラリア研究所編『オーストラリア研究―多文化社会日本への提言』オセアニア出版、二〇〇九年
オーストラリア研究のためのリファレンスサイト「芸術・文学」https://library.otemon.ac.jp/australia/reference_site/list.php?c=L（二〇二〇年九月三〇日アクセス）

column

オーストラリア文学の中の日本

加藤めぐみ

現在日本とオーストラリアの間では、旅行、留学、ワーキングホリデー、ビジネスとさまざまな場面で人の往来があり、両国関係はきわめて良好といってよい。けれども太平洋戦争以前は、オーストラリアにとって日本や日本人は、実は顔が見えず得体の知れない存在だった。戦争では実際に敵として戦った。そしてその歴史は文学にも反映されてきた。

オーストラリアでは初期の頃から長い間アジア人の到来は限定的で、一九〇一年以降は入国も制限されていたので、日本人の存在も北部を除いては非常に希薄だった。けれども明治政府以降の両国間の貿易の開始や一九〇二年の日英同盟により、オーストラリアにとって日本は徐々に無視できない存在となった。だが国内では出会うことがない日本人は二〇世紀初頭から太平洋戦争までは、文学の中で従順な女性像と脅威的な男性像という極端な形をとっていった。

図1　マダム・バタフライ(Maria Farneti - Madama Butterfly.wiki public domain)

ヨーロッパで高評だったオペレッタ「ミカド」(一八八五年にロンドン初演)やオペラ「マダム・バタフライ」(一九〇四年にミラノ初演)の影響もあり、女性については運命に翻弄される手弱女像が強調された(図1)。二〇世紀初頭の流行作家カールトン・ドーや、訪日中に夏目漱石も教えた外国人教師のジェームズ・マードックらが、[1] このステレオタイプ化された日本人女性を描きオーストラリアをはじめ英語圏の読者に届けていた。また本書第8章にあるようにオーストラリア国内にナショナリズムが生まれてくると、外国人への偏見、排他意識が高まっていった。一八五〇年代に始まったゴールドラッシュ以降すでにオーストラリア社会に存在していた中国人を典型的悪者として描く短編も多く書かれていた。地図で見るとオーストラリアの真上にある日本は、人口過多のイメージもあり、「上から雪崩のように降ってくる」かのような印象を与えていた。オーストラリアには、太平洋における日本の軍備増強による不安もあり、侵略小説の仮想敵という脅威的男性像が日本人のステレオタイプの一つとして描かれた。そのような侵略小説の例として「連邦の危機」(一九〇八—一九〇九年)がある。『ブレティン』誌に掲載されたこの連載小説は、一九一二年に起こった日本侵略を一九二二年に振り返る形で書かれている。人口過密と飢饉に苦しんだ日本が六千人も兵を送り、人口希薄なオーストラリア大陸北部を侵略し占領するというものだった。当時のオーストラリアの地理的位置や国力への危機感が表現された物語になっている(図2)。

図2 『ローン・ハンド』掲載「連邦の危機」の挿絵

　白豪主義が続いていた太平洋戦争前までは、オーストラリア文学の中では実際の日本人は北部にいた契約労働者(2章、3章参照)が端役で出てくるくらいだった。だがブルームやダーウィンを舞台にしたそういった小説では、日本人が名前や顔がある人間として登場し、真珠貝採取業やプランテーションを生業とするコミュニティの一部であったことを伺わせていた。(図3、4)ただ主流社会では、日本人とはおおかたが顔の見えない敵のような想像上の産物でしかなかった。

図3　ブルーム日本人墓地（筆者撮影）

図4　ダーウィンのノーザンテリトリー議会（筆者撮影）

ところが、太平洋戦争がはじまるとその仮想敵と実際に相まみえることになる。ここで初めてオーストラリア文学に実体を伴う日本人が登場することになった。本書第8章で述べたように戦争文学はオーストラリアの建国物語、国民的な物語であり、そこに敵として描かれる日本人はまさに悪役だ。だが興味深いことに、近くで対峙して初めて、その人間としての姿が観察され描写されるようになる。捕虜収容体験記でも、日本兵全員が極悪非道なのではなく、情けをかけ味方になってくれる日本兵も出てくる。そしてそのような気づきが、やがて自分たちの軍や戦争そのものに批判的な目を向けるきっかけも生んだ。

戦時中の日本への敵意、不信感は戦後すぐには消えなかったが、一九四六―一九五二年の呉・広島を中心にした進駐軍体験[2]やその後のビジネスの再開により新たな人的交流が生まれ、文学にもそれを反映した日本人像が描かれるようになる。ビジネスマンや教育者、外交官として日本に滞在したオーストラリア人が、政治的・経済的パートナーとしての日本との接触を描き始めた。中には日本というアウェイの状況になったとたんに二重基準をあてはめ、オーストラリアではできないことを言ったりやったりする「マダム・バタフライ」物語の現代版のような小説もあった。ただ戦前と違うのは、男性・女性作家ともに語られる日本での異文化体験が、オーストラリアの欧米中心主義を見直し、問い直すきっかけになったことだ。日本に在住する作家ダイアン・ハイブリッジは「サヨナラ・ステレオタイプ」という記事を書き、日本女性をいつまでも従順な芸者のようなイメージで描こうとするオーストラリア側を戒めている[3]。

戦争による日本との敵対と衝突の経験、そこから他者への理解を見出そうとする姿勢は、リチャード・フラナガンの『奥のほそ道』(二〇一四、8章参照)のほかにも、現代の作家たちの大きなテーマとなっている。コリー・テイラー『僕の美しき敵』(二〇一三)とアニータ・ハイス『鉄条網と桜花』(二〇一六)は豪国内で捕虜になった日本人によるカウラ捕虜脱走事件(11章参照)を背景に、異文化間の同性愛、先住民と日本兵の関わりをそれぞれテーマにしている(図5)。クリスティン・パイパーは『アフター・ダークネス[4]』(二〇一四)で太平洋戦争を背景に、戦争により両国民が受けた被害、日本軍による人体実験、オーストラリア北部での日本人への差別と強制収容を描いた。双方の加害と被害に目を向けたバランスの取れた作品であり、日本人の母をもち両国に通じるパイパーならではの小説だ。

図5　カウラ日本人戦争墓地(筆者撮影)

日本と日本人はオーストラリア文学に、少なからずインスピレーションやテーマを与えてきたといえよう。また岩城けいのようにオーストラリア文壇で活躍する日本人も出てきた(8章参照)。両国の人的往来と交流がますます増えるなか、これからオーストラリア文学に日本や日本人がどのように描かれるのか、興味は尽きない。

〔参考文献〕
加藤めぐみ『オーストラリア文学にみる日本人像』東京大学出版会、二〇一三年
鎌田真弓編『日本とオーストラリアの太平洋戦争─記憶の国境線を問う』御茶の水書房、二〇一二年
関根政美・塩原良和・栗田梨津子・藤田智子編著『オーストラリア多文化社会論』法律文化社、二〇二〇年

〔注〕

（1）マードックはスコットランドに生まれ、アバディーン大学やオックスフォード大学で学んだのちオーストラリアに渡って教職に就き、一八八八年に訪日した。東京の第一高等学校や金沢の第四高等学校などで教鞭を執っている。一九一八年にはシドニー大学東洋学部の教授に就任した。

（2）進駐任務は一九五二年まで。朝鮮戦争への派兵により連邦軍は一九五六年一月まで駐留した。このときオーストラリア人兵士の妻となった日本人女性はやがてオーストラリアに渡り白豪主義に風穴をあけた最初のアジア人になった。

（3）『ブレティン』二〇〇〇年五月九日。ハイブリッジの作品のうち日本に関連するものに『夢の帝国で』（*In the Empire of Dreams* 一九九九年、未邦訳）がある。

（4）コリー・テイラー『僕の美しき敵』（Cory Taylor *My Beautiful Enemy* 2013）、アニータ・ハイス『鉄条網と桜花』（Anita Heiss Barbed *Wire and Blossoms* 2016）、クリスティン・パイパー『アフター・ダークネス』（Christine Piper *After Darkness* 2014）全て未邦訳。

第9章　社会の縮図としてのスポーツ

――杉田弘也

はじめに

「オーストラリアのスポーツ」と聞くと、みなさんは何を想像するだろうか。シドニー・オリンピック（二〇〇〇年九月）の記憶がある年代ならば、聖火最終ランナーを務め陸上四〇〇メートルで優勝し、アボリジナルの旗とオーストラリア国旗を掲げてビクトリー・ラップを行ったキャシー・フリーマンや、水泳のスーパースター、イアン・ソープかもしれない。ワールドカップが二〇一九年に日本で開催されたラグビーに関心があれば、オーストラリア代表ワラビーズを想像するであろうし、年配の人ならばかつてオーストラリアのテニスが男女とも世界を制覇していた時代があったことを記憶しているかもしれない。

あるいは、二〇〇六年以来アジア連盟に所属し、ワールドカップやアジアカップでしのぎを削っているサッカー。ところがそのサッカーは、ワールドカップでは盛り上がるものの、第四のフットボールとしてマイナー競技的な存在である。

1　四つのフットボール

フットボール、あるいはその愛称であるフッティ（Footy）と聞くと、日本ではほとんどの人がサッカーを思い浮かべるであろう。ところが、オーストラリアの辞書を引くと、四つの定義が現れる。

①　ボールを蹴ることが主要な部分を占めるゲームの総称

②　ヴィクトリア、サウスオーストラリア、ウェスタンオーストラリア、タスマニアではオーストラリアンルールズ・フットボール

③　ニューサウスウェールズ、クインズランドでは

a　ラグビーリーグ

b　ラグビーリーグあるいはラグビーユニオン

表1　4つのフットボール概要

競技名	1チーム	グラウンド	ボール	試合時間	攻撃権の交代
オーストラリアンルールズ	18	楕円形	楕円形	20分×4	なし
ラグビーリーグ	13	長方形	楕円形	40分×2	あり
ラグビーユニオン	15	長方形	楕円形	40分×2	なし
サッカー	11	長方形	球形	45分×2	なし

④　主に英国で、サッカー[1]

これを整理すると表1のようになる。

（一）　オーストラリアンルールズ

一九世紀半ば、ヨーロッパ各地で行われていた各種のフットボールは、イングランドの名門パブリックスクールでルール化されていった[2]。そのような名門校のひとつであるラグビー校からメルボルンに帰国したトム・ウィルズが、仲間たちとともに当時ラグビー校で行われていたフットボールを、クリケットのシーズンオフに行う競技としてメルボルンの風土に合わせて開発したものが、オーストラリアンルールズ・フットボールといわれている[3]。

したがってオーストラリアンルールズは、クリケット・グラウンドで行われる。オーストラリアの主要なクリケット・グラウンドは、長径一六〇―一七〇メートル、短径一二〇―一五〇メートルあり、野球場の二倍以上の大きさがある。このグラウンドで一チーム一八人の選手が、一クオーター二〇分、合計八〇分間ほぼ休みなくボールを追って走り回る。ボールを持って走ることもできるが、一五メートルごとにバウンドさせなければならない。パスは、拳でボールを弾き飛ばす

《Key Word》

「ワルツィング・マティルダ（Waltzing Matilda）」

日本の『ふるさと』のような国民的愛唱歌。歌詞は1890年初めの羊の毛刈り職人たちのストライキを下敷きにしているとされ、ラグビーユニオンのテストマッチの際、オールブラックスのハカに対抗して大合唱することもある。

（1）Macquarie Dictionary

（2）コリンズ（二〇一九）

（3）アボリジナルの人々が類似の競技を行っていたという説もある(de Moore 2011, p.87)。

図1　ブリズベン・ライオンズ対アデレード・クロウズ
The Gabba（筆者撮影）

（ハンドボール）かキックによる。一五メートル以上キックされたボールを直接キャッチすれば、フリーキックが与えられる。ゴール前に上げられたキックを場合によっては他選手の背中を駆け上がるようにしてジャンプしボールを奪い合うことが醍醐味ともいえるが、スキルとスピードとスタミナが要求されるスポーツである（図1）。

トップの大会であるＡＦＬは、大陸の五州に少なくとも二チームがあり全国展開に成功しているが、中心は一〇チームを擁するヴィクトリアであり、そのうち九チームがメルボルンにある。各二二試合のリーグ戦の後、九月に入ると上位八チームによる変則決勝トーナメントが行われ、通常は九月最終土曜日にチャンピオンを決めるグランドファイナルがメルボルン・クリケット・グラウンド（ＭＣＧ）で開かれる。グランドファイナル当日はもちろん九月は選挙を避ける。[4] 一〇万人の収容人員を誇るＭＣＧがグランドファイナルでは満員になるのはもちろん、通常のリーグ戦でも例えるならば渋谷対新宿、あるいは梅田対難波のような試合で毎週五万人以上の観客が詰めかける。ひいきのチームはどこかを尋ねることがあいさつ代わりにもなる。

（二）ラグビーリーグ

オーストラリアの東海岸二州では、フッティといえばラグビーリーグであり、特に労働

（4）二〇一三年の総選挙は九月に行われたが、第一土曜日の七日に行われた。

者階級の間で圧倒的な支持を得ている。ラグビーリーグは、一九世紀終わりごろ、スポーツで一切の報酬を受け取らないアマチュアリズムを厳格に守っていたラグビーユニオンに対し、イングランド北部工業地帯の労働者階級の選手が休業補償を求めて袂を分かったのが起源であった。オーストラリアでのラグビーリーグは、一九〇七年にラグビーユニオンのスター選手を引き抜いて発足し、第一次世界大戦中ユニオンが試合を長期にわたって中断する一方、リーグは継続したため多くの選手がリーグに転向した。[5]

ラグビーリーグは、一五人制のユニオンからフォワードを二人減らして一三人で構成される。六回までであれば、タックルをされてもボールを落とさなければ攻撃を継続できる攻撃権ルールを取り入れており、ラインアウト、ラック、モールがなくスクラムも形式的で密集戦が不在である。防御側の人数が少ないため攻撃のオプションが増え、密集戦の多いユニオンよりもスピード感があるとみられている。得点はトライ四点、トライ後のコンバージョンとペナルティゴール二点、ドロップゴール一点である。

ナショナル・ラグビーリーグ（NRL）は、一六チーム（ニューサウスウェールズ一〇、クインズランド三、ACT一、ヴィクトリア一、ニュージーランド一）で構成される。一九九〇年代半ば、オーストラリア出身のメディア王ルパート・マードックがTV放映権の奪取を試み分裂を引き起こしたこともあった。AFLと同様リーグ戦のあと上位八チームによる変則決勝トーナメントが行われ、AFLグランドファイナルの翌日である九月最終日曜日にグランドファイナルが行われる。また、シーズン半ばに行われるニューサウスウェールズ対クインズランドの州対抗オールスター戦は、両州間のライバル関係もあって大いに盛り上がる（図2、3）。

（5） コリンズ（二〇一九）一九七頁

とすれば、一五人制のラグビーユニオンは中流階級のスポーツとみられてきた。「紳士が行う荒っぽいスポーツ」ともいわれる。ラグビーユニオンの魅力は国際性にあり、その人気はワラビーズ[6]の成績と直結している。長くニュージーランド（オールブラックス）の後塵を拝していたが、ワールドカップでは、優勝二回（一九九一、一九九九）、準優勝二回（二〇〇三、二〇一五）を誇る。一九九八年から二〇〇二年までニュージーランドとの対抗戦ブレディズローカップを連続獲得し、オーストラリア、ニュージーランド、南アフリカの間で競われたトライネイションを連覇（二〇〇〇―〇一）、二〇〇一年には、英国・アイルランド連合チームであるブリティッシュ・ライオンズに勝ち越すなど、すべてのトロフィー

（6）カンガルーはラグビーリーグがナショナル・チームの愛称に使用

図2　ブリズベンのサンコープ・スタジアム外観（筆者撮影）

図3　サンコープ・スタジアム、グラウンド内（筆者撮影）

を手にするといわれた。近年は低迷しており、ブレディズローカップは二〇〇三年以来ニュージーランドに渡ったままで、苦しい状況が続く（図4、5）。

ワラビーズのメンバーをみると、一九九〇年代には一名程度であった南太平洋系選手が、二〇一九年には半数を占めるようになった。ワラビーズのかつてのメンバーには、日本生まれの父を持つウィンストン・イデや、オーストラリア史上最も尊敬される人物に挙げられるエドワード・ウェアリー・ダンロップ（11章コラム参照）がいる。ともに第二次世界大戦に志願して日本軍の捕虜となり、泰緬鉄道での強制労働に従事させられた。イデは日本へ移送される途中で輸送船楽洋丸が米海軍の攻撃を受け死亡した。また、ワラビーズ、日本、イングランドでヘッドコーチを歴任しているエディ・ジョーンズは、日系アメリカ人の母を持つオーストラリア人で、日本人女性を配偶者としている。

図4　アデレード・オーバル内、2003年ワールドカップワラビーズ対ナミビアの写真（筆者撮影）

図5　小田原でトレーニング・キャンプを張ったワラビーズを小田急が支援（筆者撮影）

(四) サッカー

これまでで明らかなことは、オーストラリアは英国の植民地であったにもかかわらず、フットボールとして根付いていたのは楕円形のボールを用いた競技であったことである。オーストラリアにおけるサッカーは、第二次世界大戦後に南欧や東欧の移民やその子どもたちが発展させてきた。サッカルーズと呼ばれる代表メンバーをみると、二〇〇六年のワールドカップ時にはエスニック・コミュニティ出身の選手が六〇％近くを占めており、[7] 現在でも四〇％近い。オーストラリアのクラブチームは、エスニック・コミュニティを核としていたため、例えばクロアチア系クラブとセルビア系クラブが対戦すると、それぞれの国旗を燃やしたり乱闘騒ぎが起きるなどしていた。サッカーをエスニック・スポーツから解放し、底辺を広げる目的で日本のＪリーグをモデルに設立されたのがＡリーグである。Ａリーグには日本から小野伸二や本田圭佑らが加わり、また陸上のスーパースター、ユーセイン・ボルトがトライアルを受けたこともあるが、ＡＦＬやＮＲＬに比べると注目度は低い。一つの理由は、代表メンバーを中心に有力な選手が、より高い報酬を求めて国外のクラブに流失してしまい、国内リーグの盛り上がりを欠くことである。現在の代表メンバーをみても、二三人中一九人はヨーロッパや中東のクラブに所属している。

明るい話題が多いのは女子サッカーである。国代表のマティルダズは世界ランキング七位、キャプテンのサム・カーは、世界最高水準の選手との呼び声も高い。二〇二三年には女子のワールドカップがオーストラリア・ニュージーランドで共同開催される。

(7) 竹田・森・永野編著(二〇〇七)八七―八八頁

2　クリケット

各種フットボールは冬のスポーツであるが、夏のスポーツといえばクリケット。オーストラリアの国技といえる存在である。一一人一チームで得点を競うクリケットは、投手、捕手、打者[8]などのポジションがあり、投手が投げたボールを打者が打ち返すなど野球と共通したところもあるが、四つのベースを一周することで得点を挙げる野球とは異なり、クリケットでは二つのウィケットの間を走ることで得点となる。国代表が対戦するテストマッチの地位を与えられた国は現在一二ケ国であり[9]、これはかつての大英帝国の勢力範囲を示す。南アジアの人々と何かコミュニケーションを取りたければ、クリケットの話題であればまず外すことはない（図6）。

図6　アデレード・オーバルは世界有数の美しいクリケット・グラウンド（筆者撮影）

クリケットの国際試合には、テスト、ワンデイ[10]（ODI）、それにトウェンティ・トウェンティ（T20I）の三種類があり、オーストラリアはテストとT20Iで世界ランキングトップを誇る。一八七七年のオーストラリア対イングランドにさかのぼるテスト[11]は、最も伝統と権威のあるフォーマッ

（8）野球とは異なり投手はbowler、捕手はwicket keeper、打者はbatsmanと呼ばれる。

（9）イングランド、オーストラリア、南アフリカ、ウェスト・インディーズ、ニュージーランド、インド、パキスタン、スリランカ、ジンバブウェ、バングラデシュ、アイルランド、アフガニスタン

（10）One Day International

（11）オーストラリアが四五点差で勝利。これ以来、他競技でも国代表戦をテストマッチと呼ぶようになった。

トであり、現在のルールでは各チームが二イニング（一一人中一〇人がアウトになるとイニング終了）プレイし、試合時間はランチやティー休憩をはさんで一日六時間、これを最長五日間行う。選手は白いユニフォームをまとい、国代表としての誇りと威信がかかっていることもあって、ある種厳粛な雰囲気も漂う。ＯＤＩは、攻守それぞれ五〇オーバー（一オーバー＝六球であるから一イニング三〇〇球）に短縮したもので、試合時間は攻守交代の中休みを含めて八時間ほどになる。ワールドカップはこのフォーマットで行われており、オーストラリアの世界ランキングは五位であるが、一二回行われたワールドカップのうち最多である五回優勝している。ＯＤＩは、一九七〇年代半ば、オーストラリアの民間ＴＶ局チャンネル・ナインを所有していたケリー・パッカーが、クリケットの放映権を公共放送ＡＢＣから奪取するために選手を引き抜いたことから始まった。最も新しいフォーマットであるＴ20Ｉは、一イニング二〇オーバー（一二〇球）で戦われ、試合時間は野球と同様三時間程度となる。一二〇球であればアウトになるのを恐れず派手な打ち合いが期待できる。このフォーマットはインドで爆発的な広がりを見せており、クリケット界のパワー・バランスがインドに移っていることを示している。

オーストラリアは、すべてのフォーマットで優れた成績を残し、クリケットのスーパースターを輩出してきた。特に一九二八年から四八年まで活躍したドン・ブラドマンは、不世出の打者であり、テストマッチ七〇イニングで六九九六得点、平均得点九九・九四点は、公共放送局ＡＢＣの各州都における中央郵便局の私書箱番号となった。ブラドマンは、生前から切手に描かれ没後は記念硬貨が発行されるなど、神格化されている。イングランドがオーストラリアに遠征した一九三二―三三年のシリーズでは、ブラドマンを中心とした

図7　アデレード・オーバル内のブラドマン博物館（筆者撮影）

オーストラリアの強力打線を封じるため、イングランドは速球投手に打者めがけて投球するボディライン戦術を採用した。特にアデレード・オーバルで行われた試合ではオーストラリアの打者数人が速球の直撃を受けて負傷し、対英感情が悪化した（図7）[12]。

オーストラリアは、強いが試合中相手へのヤジ（sledging）が目に余る「悪しき勝者」として国外での評判は芳しくない[13]。また、オーストラリアのクリケットは多様性に問題がある。一八六八年には、ナショナル・チームより一〇年早くアボリジナル選抜チームがイングランドに遠征している。一九三〇年代には、ブラドマンを速球でねじ伏せたエディ・ギルバートが活躍した。しかし、アボリジナル・プレイヤーとしてテストマッチでプレイしたのは、一九九六年から二〇〇六年まで速球派投手として活躍したジェイソン・ガレスピーのみであり、中流階級のフットボールと見られているラグビーユニオンでさえ一四人のワラビーズ[14]を生み出していることを考えると、その差は大きい。

3　女性のスポーツ

最近まで、オーストラリアの女子スポーツといえばネットボールであった。バスケット

（12）　この後、ボディライン投法は違法（ノー・ボール）となった。一九八一年のニュージーランドとのODIでのアンダーアーム事件や、二〇一八年南アフリカ遠征中のテストマッチで起きた紙やすり事件など、いくつかのクリケット史に残る事件がある。

（13）　*Sydney Morning Herald* 2014/03/06

（14）　最初のアボリジナル選手は、イデと同じ試合でワラビーズ・デビューを果たしたセシル・ラマリであった。

ボールに似た、主に英連邦で人気のネットボールは、最大の競技人口を誇ってきた。近年、従来は男性のスポーツと考えられてきた種目でも、女性選手・チームが人気と注目を集めており、ガーディアン・オーストラリア紙によると、オーストラリアで最も好まれている代表チームは、女子クリケットを筆頭に、女子サッカー（マティルダズ）、女子ラグビーユニオン・セブンズ、ネットボール（ダイアモンズ）と上位四位を女子チームが占めた[15]。ラグビーセブンズでは、二〇一六年のリオデジャネイロ・オリンピックで宿敵ニュージーランドを下して優勝した。またAFLは、近年シーズン開幕前から開幕後にかけて女子リーグを開催し、高い人気を集めている。二〇二〇年三月八日、オーストラリアが優勝した女子クリケットT20Iのワールドカップ決勝は、メルボルン・クリケット・グラウンドに八万六千を超える観衆を集めた。オーストラリアの女子クリケット代表は、ODIとT20Iの両者で世界ランキング一位である（女子クリケットにはテストのランキングはない）。

個人としても、サッカーのサム・カー、クリケットのエリーズ・ペリー、オーストラリアンルールズのテイラー・ハリスなどのスター選手が生まれている。その大きなきっかけとなったのはシドニー・オリンピックであり、特にフリーマンの活躍が多くの女性スポーツ選手を大きく触発したようである。長年低迷していたテニスでは、アシュリー・バーティーが二〇一九年の全仏大会を制し、一九七六年のイーヴォン・グーラゴング・コーリー以来四三年ぶりに世界ランキング一位の座に就いた。

また、日本でも公開されたオーストラリア映画、『ライド・ライク・ア・ガール』で描写されているように、南半球最大の競馬レースであるメルボルンカップ[16]では、二〇一五年、プリンスオブペンザンスに騎乗したミッシェル・ペインが、一〇〇倍のオッズにもかかわ

(15) *Guardian Australia* 2020/06/16

(16) 一一月第一火曜日にフレミントン競馬場で行われるメルボルンカップは、メルボルンでは休日となり、馬が三二〇〇メートルを駆け抜ける三時二〇分（メルボルン時間）からの数分はオーストラリアが止まるといわれている。これは多くの職場などで、くじ引きで馬を割り当て、少額の金額をかけるスウィープが行われるからでもある。

らず女性騎手として初の優勝を飾った。ペインが優勝後のインタビューで述べた「女は弱い、勝てないと思っていたみんな、ざまあみろ!」は名言として残るであろう。

4 先住民とスポーツ

オーストラリアの先住民が活躍してきた分野のひとつがスポーツである。一九六八年にファイティング原田を破ってバンタム級チャンピオンとなったボクサーのライオネル・ローズ、一九七〇年代女子テニスのトップ選手としてグランドスラム大会優勝七回を誇るイーヴォン・グーラゴング・コーリーなどを先駆とし、ラグビーユニオンのエラ三兄弟など多くのアボリジナル選手が道を開いてきた。近年では、女子ホッケーの主力選手として一九九六年のアトランタ・オリンピックでの優勝に貢献し、のちに陸上競技に転向してシドニー大会に出場し、上院議員を一期務めた後には先住民族の政治的な地位向上に力を注いでいるノヴァ・ペリス、それにフリーマンの活躍もオーストラリアの人々の記憶に焼き付いているであろう。シドニー大会のオーストラリア国内の聖火リレーは、本書第7章にあるようにウルルから始まったが、最初の走者がペリスであり、最終走者がフリーマンであった。

先住民族の活躍がとりわけ顕著なのは、NRLとAFLである。特にAFLは、二〇二〇年度に登録している選手のうち一一%にあたる八七人が先住民族出身である。[17] その一方、先住民族出身の選手は、激しい人種差別に苦しんできた。[18]「特定の選手が、相手のア

(17) これは全人口に占める先住民族の割合三%よりかなり多い(ABC 2020/08/20)。
(18) *Jackson* 2020/08/23

ボリジナル選手に対し、人種的な罵詈雑言を浴びせる役を割り当てられていた」あるいは「そのおかげで（相手を動揺させ）試合に勝てるなら、毎週、毎試合人種差別的罵声を浴びせ続ける」といった証言もある。[19] こういった人種差別問題は、一九九四年四月、相手ファンから試合中ずっと人種差別的な暴言を浴びせかけられたニッキー・ウィンマーが、試合終了後相手ファンのいるスタンド前でユニフォームを持ち上げ、自らの皮膚を指して「私はブラックだ、そしてブラックであることが誇りだ」と主張した事件で表面化した。その後もアボリジナル選手が相手選手から試合中に暴言を浴びせられる事件が起き、ＡＦＬは一九九五年人種差別的中傷を禁じる規則を導入した。しかし、二〇一三年にはアダム・グーズが、相手方ファンから「サル（Ape）」とヤジを飛ばされたと告発し、それが一三歳の少女であったことが明らかになり衝撃を与えた。グーズはこのときの冷静な対応・態度が評価され、二〇一四年の「最も活躍したオーストラリア人」に選ばれたが、先住民族の権利向上を求める発言を行うにつれて観客からのブーイングがひどくなり、引退に追い込まれてしまった。アボリジナルやアフリカ出身の選手に対する差別は、二〇二〇年の現在でも存在している。同時に、そういった問題がすぐ明らかになり、差別される側への共感の声が起こるのは、オーストラリア社会が前進している証拠でもある（図8、9、10）。

(19) Klugman and Osmond (2013) p.94.

おわりに

スポーツは、単なる余暇や娯楽ではなく、その社会や国の性格を如実に表すものではな

図9　アダム・グーズはオーストラリア人権委員会のキャンペーンにもかかわっている

図8　ニッキー・ウィンマーらの人種差別解消を求める運動は本に

図10　ワラビーズの先住民仕様のユニフォームは人気が高い（左2018年、右2019年）（筆者撮影）

いだろうか。移民の出身国が多様化していることに伴い、近年では陸上やＡＦＬそれにサッカーで南スーダン難民（6章参照）として入国した選手の活躍が目立つ。また、オーストラリアで州ごと、あるいは階級やエスニック集団によって異なったフットボールが楽しまれていることは、州間の対抗意識の強さ、それとは無縁であることが建国エートスとされてきた階級制度が存在していることを示唆している。先住民やアフリカ出身者に対するグラウンド内外での差別は、オーストラリア社会に熾火のように残るレイシズムを示している。と同時に、こんにちではそういった行為がすぐさま非難されていることも記しておきたい。女子スポーツへの関心の高まりは、ジェンダーに関して大きく前進する現在のオーストラリアを示している。

オーストラリアの主要都市にあるスタジアムの多くが、スタジアム・ツアーを行っている。ロッカールームやピッチなどを見学できるほか、クリケットやＡＦＬ、ラグビーリーグ等なじみの少ないスポーツを知る機会にもなろう。日程が許せば参加することをお勧めしたい。

〔参考文献〕

コリンズ、トニー（北代美和子訳）『ラグビーの歴史：楕円球をめぐる二〇〇年』白水社、二〇一九年

蟹谷勉『死に至るノーサイド』朝日文芸文庫、一九九六年

竹田いさみ・森健・永野隆行編著『オーストラリア入門第2版』東京大学出版会、二〇〇七年

de Moore, Greg, *Tom Wills: First wild man of Australian sport*, Crows Nest, Allen and Unwin, 2011.

Jackson, Russell, 'The persecution of Robert Muir is the story football doesn't want to hear', in *Australian Broadcasting Corporation* 23 August, 2020.

Klugman, Matthew and Gary Osmond, *Black and Proud: The story of an iconic AFL photo*, Sydney,

NewSouth Publishing, 2013.
Sygall, David, 'Australian cricket team winning matches but losing fans with poor behaviour', in *The Sydney Moring Herald*, 2014.

column

オリンピックの表彰台とオーストラリア

杉田弘也

国歌

現在のオーストラリア国歌アドバンス・オーストラリア・フェア（Advance Australia Fair）は、一九七四年にゴフ・ウィットラム労働党政権によって国歌とされ、マルカム・フレイザー自由党・国民党政権によっていったん白紙に戻されたあと、任意の国民投票（plebiscite）でやはり一位となり、ボブ・ホーク労働党政権によって正式に国歌として布告された。それ以前のオーストラリア国歌は、英国国歌ゴッド・セイヴ・ザ・クィーン（God Save the Queen）であり、少なくとも一九七二年のミュンヘン・オリンピックまで、英国国歌がオーストラリア選手の表彰式の時にもオーストラリア国歌として演奏されていたはずである。

一九七七年に行われた国民投票では、アドバンス・オーストラリア・フェアが四三・三％の支持を集め一位となった。しかしフレイザー首相は、二位となったワルツィング・マティルダ（Waltzing Matilda）（二八・三％）を支持していた。フレイザーは、この曲が全世界で最もよく知られているオーストラリアの楽曲であることに加え、職を求めて地方を放浪しヒツジ泥棒を働いて、捕まりそうになって池に投身自殺した失業者をうたったというバンジョー・パタソン（現一〇ドル紙幣の片面を飾る）の詩は、流刑地として発足したオーストラリアの国歌にふさわしいと主張した。この曲が国歌に適していることを示すため、フレイザーは一九七六年のモントリオール・オリンピックの表彰式でゴッド・セイヴ・ザ・クィーンではなくワルツィング・マティルダを流す手はずを整えた。ところがモントリオール大会で、オーストラリアは優勝ゼロに終わってしまった。衝撃を受けたオーストラリア政府は、国立のエリートスポーツ選手養成機関をキャンベラに設立し、ワルツィング・マティルダが国歌となる機会は失われた。

ピーター・ノーマンとブラックパワー・サリュート

オリンピックの表彰台をめぐる最も劇的なドラマのひとつは、二〇二〇年になって#BLMとのかかわりで注目を集めている一九六八年メキシコシティ大会のブラックパワー・サリュート事件であろう。陸上男子二〇〇メートルの表彰式で、優勝したトミー・スミスと三位のジョン・カーロスが、靴を脱いで表彰台に上がり、国旗掲揚中にうつむきながら黒皮の手袋をはめた片手を揚げて、米国での人種状況への抗議を示したこのとき、スミスとカーロスに割って入り二位となったのが、オーストラリアのピーター・ノーマンであった。当時の写真をみると、スミス、カーロスが左胸につけている「人権のためのオリンピック・プロジェクト」のバッジをノーマンも着用していることがわかる。スミスとカーロスが何らかの行動に出ると察したノーマンは、自分も参加したいとしてこのバッジをアメリカのボートチームのメンバーから借用した。さらにノーマンは、黒手袋を宿舎に置き忘れたと当惑するカーロスに対し、片手ずつはめればよいのではと助言したといわれている。

図1　世界を動かした写真のひとつ。ピーター・ノーマンの左胸に人権プロジェクトのバッジ

この行為に対し、一九三六年のベルリン大会でアメリカ選手団長を務め、ヒトラーに何かと忖度していたといわれるアイヴリー・ブランディジIOC会長は、米選手団に対しスミスとカーロスの追放を要求

し、そうしなければ米選手団全てを追放すると脅したといわれている。オーストラリアの陸連はこのあとノーマンを排除していく。次回のミュンヘン大会には、ノーマンを外すため陸上男子短距離は選手を派遣しなかった。ノーマンはすっかり忘れ去られ、二〇〇〇年のシドニー大会で過去のメダリストの脚光が浴びるなかでも忘れられたままだった。ノーマンがシドニー大会に招待されていないことを知ったアメリカの陸上選手団は、（メルボルンに住んでいた）ノーマンを選手村に招待し、ノーマンはアメリカ陸上界のスーパースターたちからヒーローとして歓迎された。ノーマンは二〇〇六年一〇月に亡くなったが、メルボルンで行われた葬儀にはスミスとカーロスが米国から駆け付け、棺の担ぎ役を務めた。二〇一二年、オーストラリアの連邦下院は、自らもマラソン・ランナーであるアンドルー・リー議員の動議により、ノーマンの名誉回復を行った。ノーマンがメキシコで記録した二〇秒〇六は、いまだにオーストラリア記録であり続ける[1]。

図2　ノヴァ・ペリスのサイン、1996Goldは、アトランタ・オリンピックでの女子ホッケー、1998Goldは、クアアラルンプールでの英連邦大会陸上200メートルと4×100メートルリレー（筆者撮影）

表彰台から連邦議会へ

これまで三人のオリンピック・メダリストが、連邦議員への転向を果たしている。リック・チャールズワースは、男子ホッケー（クカバラズ）のメンバーとして一九七二年から一九八八年まで五回連続選考され、一九七六年には二位となっている。現役選手を続けながら一九八三年には労働党選出の連邦議員となり、一九九三年に引退するまで四期一〇年務めた。その後は女子ナショナル・チーム（ホッキールーズ）のコーチとして、一九九六年、二〇〇〇年の連続優勝を果たした。一九九六年の優勝メンバーの一人が、ノヴァ・ペリスであり、彼女はその後陸上に転向し二つの競技で二大会に出場する快挙を上げた。ザーリ・ステガルは、アルペン・スキーの選手として一九九八年長野大会のアルペン・スキー女子回転で三位に入った。ステガルは、気候変動対策を主に掲げて二〇一九年の総選挙で無所属として立候補し、トニー・アボット元首相を落選させて下院議員となった。ペリスは議員引退後先住民族の地位向上のために発言を続け、ステガルは気候変動や政府の倫理規範（integrity）の問題で積極的に行動するなど、スポーツを超えた活躍を示している。

「最後の生き残り」ありえない金メダル

オーストラリアのオリンピック史上、というよりもオリンピックの歴史を通じて最もありえない金メダルは、二〇〇二年ソルトレイク・シティ冬季大会におけるスピードスケート・ショートトラック男子一〇〇〇メートルではないだろうか。このレースで優勝したスティーヴン・ブラッドバリーは、オーストラリア初の冬季五輪金メダルを勝ち取ったのであるが、五人で争われた決勝では終始最後尾を滑っていた。しかし先行する四選手が最終コーナーですべて接触・転倒したため、ブラッドバリーはまさに漁夫の利を得た。

図3　ブラッドバリーの自伝はタイトルも『最後の生き残り』

この大会は、ブラッドバリーにとって四回目の大会で、すでに一九九四年のリリハンメル大会のリレーで銅メダルを獲得していた。このレースでは、準々決勝で三位敗退するところを上位選手の失格で準決勝に進み、準決勝でも先行する三人が接触・転倒したため二位に入って決勝に残っていた。決勝では他選手よりスピードに劣るため、最後尾について転倒を避け、あわよくば三位に入る作戦だったと報じられている。準々決勝、準決勝も含めユーチューブで視聴できる[2]。

〔参考文献〕

Webster, Andrew and Matt Norman : *The Peter Norman Story*, Sydney, Macmillan, 2018.

〔注〕

（1）Webster and Norman 2018

（2）https://www.youtube.com/watch?v=vN7ih576VYM

第3部

戦争とオーストラリア

第10章　戦争を語り継ぐ
――戦争記念碑とアンザック・デー――

鎌田真弓

はじめに

オーストラリアの地方都市を訪れる機会があれば、観察をしてみて欲しい。たいがいどの街にも、公園のような場所に戦争記念碑があることに気づくだろう。形はさまざまで、尖塔のような形をしたものもあれば、アーチ型のもの、兵士像が建てられているもの、石碑、あるいは建物の場合もある（図1、2、3、7）。それらには、その地の出身の戦死者の名前が刻まれている。オーストラリアの自治体の数は五三〇余りで、それに比して全国の戦争記念碑は、戦死者名を刻んだプレートも含めれば八四〇〇近くある。国立戦争記念館のウェブサイト[1]を検索すると、人口が千人に満たない町にも、戦争記念碑があることがわかる。

（1）'Places of Pride' AWMウェブサイト

州都となれば、大規模な戦争記念館や記念碑が街の中心にあり、観光ガイドにも紹介されている。シドニーはハイドパークにアンザック・メモリアルが、ブランドショップが並ぶマーティンプレイスには二人の兵士像が両端に立つ記念碑がある（図2）。同じ通りの郵便局やコモンウェルス銀行の中にも、石板に刻まれた戦死者リストが掲げられている。

メルボルンのシンボル的存在でもある戦没者祈念館（シュライン・オブ・リメンブランス）は、その名の通り聖堂のような荘厳な佇まいで、館内には展示室があり、建物のバルコニーからはメルボルンの街が一望できる。アデレードは大学・図書館・博物館・総督邸などが立ち並ぶ一画にある。「犠牲の精神[2]」と名付けられたそのモニュメントは石造りのアーチ型で、剣を持つ天使を三人の青年男女が見上げている。

ブリズベンの祈念館も中心街にあるアンザック・スクウェアに、パースのオベリスク型

（2） Spirit of Sacrifice

図1　アリススプリングス、アンザックヒルの戦争記念碑（写真提供：飯嶋秀治）

図2　シドニー、マーティンプレイスの戦争記念碑（筆者撮影）

図3　ダーウィンの戦争記念碑（筆者撮影）

の記念碑は街とスワン川を望むキングス・パークに、ホバートも二〇メートル近くあるオベリスクがクイーンズ・ドメインに建つ。ダーウィンの記念碑は、一九二一年に建立されてから何度か場所を変えたのだが、現在は州立図書館近くの湾を望む場所に据えられている。そこは、一九四二年二月、日本軍によってダーウィンが空襲された時、対空砲台が据えられていた場所である（図3）。

　こうした石造りのモニュメントや像は、ヨーロッパの街角には良く見かけるもので、特に注意も払わずに通り過ぎることが多い。オーストラリアでも街や公園の風景に溶け込んでいて、そこに刻まれたたくさんの名前に目を止める観光客は少ない。しかし、これらの記念碑はアンザック・デー（四月二五日）や、その他の記念日に地元の戦没者追悼式が執り行われる場所である。第一次大戦後に建てられた記念碑が大半だが、その周りは常に清掃されていて、リースが置かれている場合もある。オーストラリア人にとっては「神聖な場」[3]なのである。

　それにしても、なぜこんなにも多くの戦争記念碑があるのか。しかもその記念碑前で、第一次大戦から一〇〇年以上にもわたって、連綿と追悼式が続けられているのはなぜか。日本にも護国神社があるが、もはや多くの日本人にとっては馴染みの薄い場所である。また、八月一五日の終戦記念日の戦没者追悼式は、戦死した兵士のみを対象としたものではない。

　本章では、オーストラリアで、なぜ、どのように、戦争が

《Key Word》

「メイトシップ（mateship）」

　オーストラリア男性の気質の中核に位置づけられる平等・仲間意識で、この絆が戦場での苦難を乗り越える力となったといわれる。エスニシティやジェンダー観の変化に伴い、こんにちでは広い助け合いの精神を象徴する言葉になっている。

（3）Inglis (1998)

語り継がれているのか、国立戦争記念館とアンザック・デーに注目して紹介したい。

1　国立戦争記念館

キャンベラの観光名所

オーストラリアに数ある戦没者追悼施設の中で、キャンベラの戦争記念館は別格である。国立の記念館で連邦政府の退役軍人省の管轄下にあるというだけでなく、戦死者の追悼施設と、オーストラリアが派兵した戦争に関する展示館と、研究所の三つの機能を持つ。[4]

アール・デコ建築の威風堂々とした建物で、正面入口から振り返ると、真っ直ぐに伸びるアンザック・パレードとバーリー・グリフィン湖の先に、国会議事堂がある。国会議事堂からも同様に、入口やバルコニーから戦争記念館を正面に望むことになる（図4）。手入れの行き届いた芝生には、大小さまざまな戦争記念碑が並ぶ。キャンベラの観光名所で、年間一〇〇万人を超える来館者がある。

正面入口を入ると中庭の向こうに「追悼の堂」があり、ひんやりとした堂内に「無名兵士の墓」[5]が安置されている（図5、6）。ワシントンのアーリントン墓地のように、各国の要人がキャンベラを訪問の折に献花に訪れる場所である。中庭の池には「永遠の灯火」が灯り、中庭を囲む両翼の建物の二階の回廊は「名誉の戦死者リスト」で、過去の戦争で戦死した一〇万二千人の名前が刻まれている。ポピーが名前の横に挿されていて、壁一面が赤く染まっている。閉館時には、ラスト・ポストやラメント[6]の演奏とともに、厳粛な雰囲

（4）McKernan (1991)、鎌田（二〇一二）

（5）第一次大戦休戦七五周年の一九九三年に、フランスのヴィレ＝ブルトヌーにあるアデレード豪軍戦死者墓地から持ち帰られた。旧国会議事堂のキングス・ホールに安置された後、同年一一月一一日に戦争記念館に再葬された。

（6）どちらもイギリス軍で伝統的に用いられている楽曲で、現在では永遠の別れの際に演奏される追悼の曲になっている。

図5　戦争記念館中庭（筆者撮影）

図4　国会議事堂から戦争記念館を望む（筆者撮影）

図6　無名兵士の墓に献花する生徒たち（筆者撮影）

気の中で堂の扉が閉じられる。

展示館は、兵士の軍服や装備や所持品、ジオラマ、絵画や写真や映像などを通じて、オーストラリア軍が派兵された全ての戦争の詳細が説明されている。第一次・第二次大戦だけでなく、植民地時代の戦争や、朝鮮戦争からベトナム戦争、湾岸戦争、国連平和維持軍など、イラクやアフガニスタン紛争に至る戦争が含まれる。館内ツアーを担当するボランティアガイドは話し上手で、常に多くの観光客に囲まれている。ガイドによって立ち止まる展示物が異なるのだが、第一次大戦の展示が人気のようだ。航空機の展示場には日本軍の「零戦」も展示され、一番奥のアンザック・ホールには、第一次大戦時の戦闘機や、第二次大戦時にドイツ空襲で活躍したランカスター爆撃機と、シドニー湾から引き上げられた日本軍特殊潜航艇が据えられ、音響と映像を使ってその攻撃の様子が再現されている（11章参照）。

国立戦争記念館は靖国神社のようである。大きく異なるのは、そこに「霊」は祀られていないことだ。戦争博物館として、遺品も含めて交戦相手の所持品も展示され、写真撮影も自由である。また、当記念館の所蔵品は膨大で、展示品以外にも戦線の記録や報告書類、部隊の名簿、写真やフィルム、個人の日記などがカタログ化されていて閲覧が可能である。閲覧室には、史料に没頭している研究者もあれば、豪軍部隊に所属していた親族のことを知りたいという市民がつぎつぎと訪れて、専門の調査員が丁寧に対応をしている。

第一次世界大戦「私たちは忘れない」

英語で「先の大戦（The Great War）」といえば、第一次世界大戦のことを指す。人類最初の世界規模の戦争で、総力戦となったヨーロッパでは甚大な被害と犠牲者を出した。オーストラリアは、志願兵からなるオーストラリア帝国軍[7]を結成、三三万四千人を派兵し、そのうちの七割近くが死傷、六万人が戦死した[8]。当時の人口は五〇〇万人程度で、男性人口の一三％が従軍した。男性の二四％が従軍したイギリスと比べると小さいのだが、死傷者の比率はイギリス軍の五二％を大きく超える。オーストラリア軍は常に最前線に投入されたからだといわれている。

第一次大戦に参戦した国ぐにでは、戦争直後からさまざまな記念碑が建てられ、戦没者

（7）　ＡＩＦ（Australian Imperial Force）と命名され、この名称は第二次世界大戦の海外派遣軍にも使われた。

（8）　第二次大戦と比べても、その犠牲者の大きさがわかる。第二次大戦では約五五万人が従軍、戦死傷者は七万三千人（戦死者は三万四千人）である。第二次大戦開戦時のオーストラリアの人口は約七〇〇万人。

の追悼が行われた。本章の冒頭で紹介したオーストラリアの戦争記念碑の大半は、第一次大戦後に建立されたものである。イギリス軍の伝統で、遺体は戦没地に埋葬されて国内には墓所が無いので、記念碑に戦死者の名前を刻み、花を手向けて追悼式を行う。

ここで重要なのは、こうした戦没者追悼碑は、祖国に戻れなかった兵士を偲ぶ場であることだ。戦死者に想いを馳せ、敬意を持って記憶し続ける。「私たちは忘れない（Lest We Forget）[9]」という意思を共有する場なのだ[10]（図7）。

図7　ボロワの街の戦争記念館　正面に'LEST WE FORGET'と刻まれたアーチがかかっている（筆者撮影）。

国立戦争記念館も、当初は、第一次大戦の戦死者の追悼施設として計画された。戦時中の一九一七年には建設が承認され、一九年に起工式が行われたのだが、その後の財政難などで建設は遅れ、開館は一九四一年にまでずれ込んだ。第二次大戦開戦後のことである。一九三九年の開戦直後からオーストラリアでも募兵が開始されて、一九四〇年から四一年にかけて、北アフリカや中東、ギリシャ等の戦線で展開していた。したがって開館した戦争記念館は、第二次大戦の戦死者の追悼と記録収集を続けることになった。

ヨーロッパ各国では、第一次大戦の休戦記念日（一一月一一日）を追悼の日（リメンブランス・デー）として、国家規模の追悼式が行われる。この時期、戦死者の追悼のために人びとは赤いポピーを胸に飾る。[11]イギリスで

（9）　戦争記念館を訪れれば必ず目にする。イギリス人詩人ラドヤード・キプリングがヴィクトリア女王在位六〇周年の祝賀に寄せた詩「退場の歌」の一節で、第一次大戦後にイギリス帝国での追悼式で広く使われるようになった。

（10）　日本での「慰霊」とは異なり、戦死者の「霊」に語りかける場ではない。追悼の言葉は、参列者と共有するために語られる。

（11）　ヨーロッパの野山に咲く赤いポピーは、西部戦線で倒れた兵士の血を想起させ、戦死者の追悼のシンボルとなった。フランスで戦病死したカナダの軍医ジョン・マクレーの詩「フランダースの野に」は広く知られている。

は、第二次大戦後に一一月の第二日曜日を追悼の日と定め、両大戦の戦死者を追悼することになった。ロイヤル・ファミリーも参列し、一一時に二分間の黙祷が捧げられる。

ところがオーストラリアでは、この一一月一一日ではなく、四月二五日のアンザック・デーに全国規模の追悼式が行われる。

2 アンザック・デー

アンザック軍とガリポリ上陸作戦

「アンザック」とは何なのか。アンザックがつく場所はオーストラリア各地にある。店の商品棚にはアンザック・ビスケット[12]なるものも並んでいる。

アンザック(ANZAC)はオーストラリア・ニュージーランド合同軍(Australian and New Zealand Army Corps)の頭文字で、こんにちでは、両国の兵士たちの総称としても用いられている。最初の合同軍は、一九一五年のガリポリ上陸作戦直前にエジプトで編成された。その後再編成されて、一九一七年一一月までフランスの西部戦線で、また軽騎兵部隊はシナイ半島やパレスチナで戦った。第二次大戦でもギリシャで合同部隊を展開している。こうした作戦の中でもガリポリ上陸作戦は、オーストラリア人にとってはとても重要な意味を持つ。

エジプトを出発したアンザック軍は、一九一五年四月二五日夜明けに、トルコのダーダネルス海峡にあるガリポリ半島に上陸した。ドイツ側についたオスマン帝国の首都イスタ

(12) 卵は使わず、押し麦、砂糖、小麦粉、ココナッツ、バターなどを混ぜて焼いた硬いビスケット。日持ちがするので、パンの代わりに軍隊で食べられていた。戦地の兵士に慰問品としても送られたという。

ンプールを攻略するためで、黒海に繋がるボスポラス海峡をおさえる要所でもあった。イギリス軍とフランス軍も上陸するが、オスマン軍の頑強な抵抗にあって戦線は膠着、連合軍は同年一二月に撤退した。オーストラリア兵は、上陸作戦の初日だけで二千人が死傷、八ヶ月にわたる戦闘で兵士の半数以上にあたる二万六千人以上の死傷者（八千人戦死）を出した。ニュージーランド兵も一万四千人が投入され二五〇〇人が、英仏軍は四万六千人、オスマン軍も八万七千人が戦死した。

図8　シドニーでのアンザック・デーの行進（写真提供：金森マユ）

ガリポリ作戦後の西部戦線での損耗も激しく、一九一六年から一八年までに派兵された豪兵二九万五千人のうち四万六千人が戦死、一三万二千人が負傷した。フランスのヴィレ＝ブルトヌーにも立派なオーストラリアの戦争記念館があり、戦争墓地には一万人以上の豪兵が眠る。

ローズマリーの小枝を胸に

多大な戦死者を出したガリポリ上陸作戦の追悼式は、作戦の翌年にはオーストラリア各地やロンドンで行われた。四月二五日はアンザック・デーと名付けられ、一九二七年には国民の休日に指定されて、オーストラリア各地にある戦争記念碑前で追悼式が行われてきた。当日の

図9　アンザック・デーの横浜英連邦軍戦死者墓地オーストラリア区画（筆者撮影）

午前中は半旗掲揚で、上陸作戦が行われた夜明けに追悼式が始まり、午前中は退役軍人連盟（RSL）[13]主催による部隊毎のパレードが行われる（図8）。こんにちでは、第一次大戦に限らず、その後の戦争での戦死者に対する追悼の日となっていて、パレードには、退役軍人やその遺族のみならず、現役の軍人、警察官、消防官なども参加する。

アンザック・デーの追悼式は、国内だけでなく、世界各地のオーストラリア軍の駐屯地や（12章コラム参照）、オーストラリア兵が眠る国外の墓地でも行われている。例えば日本でも、横浜市保土ヶ谷にある英連邦戦死者墓地[14]で、駐日オーストラリア大使館とニュージーランド大使館が隔年で主催して、追悼式が毎年行われている。ニュージーランドでもアンザック・デーは休日で、追悼式を行う日だ。保土ヶ谷墓地には、約一八四〇名の英連邦兵が埋葬されており、大半は太平洋戦争中に日本国内の捕虜収容所で亡くなった人たちである。オーストラリア軍の区画には二八一名が眠る（図9）。

リメンブランス・デーを象徴する赤いポピーの花は、オーストラリアでもアンザック・デーや戦争記念碑での献花に使われる。しかしアンザック・デーの参列者の胸に飾られるのは、ローズマリーの小枝である。地中海地域原産のローズマリーは、古代から記憶を強

（13）一九一六年創設。いわゆる戦友会・遺族会で、全国に支部を持ち、保守勢力として政治的にも大きな発言力を持ってきた。現在はReturned and Services Leagueと名称を変更し、現役の軍人も会員として含まれる。

（14）英連邦戦死者墓地の埋葬者に関しては笹本（二〇〇四）が詳しい。

めるという言い伝えがあり、また、ガリポリには野生のローズマリーが繁っていたという。

興味深いのは、一九九〇年代頃からアンザック・デーへの関心が高まってきたことだ。ベトナム戦争の時代は、若者を中心に「戦争を美化する」として反対運動が起こり廃止も議論された。ところが近年、アンザック・デーの夜明けの追悼式の参加者は増え続けている。また、パレードに参加する退役軍人は高齢化して減少しているのだが、その中に右胸に勲章をつけて[15]遺影を掲げた子供や若い人の姿を見かける。ガリポリでの[16]アンザック・デーには、毎年大勢のバックパッカーが押し寄せている。まさにオーストラリア人にとっての「聖地巡礼」だ。

オーストラリア人としての誇り

なぜ「ガリポリ」が「聖地」なのか。先述したように、戦死者の名前が刻まれた国内の追悼碑は、かれらを偲び、敬意を表する場だ。他方ガリポリは、実際に兵士が戦い斃れた戦場で、かれらの体験に想いを馳せて共有する場なのである。しかもガリポリは、第一次大戦で志願兵から編成されたオーストラリア軍が、最初に上陸した場所だ[17]。

第一次大戦時は、オーストラリアは国家建設が緒についたばかりで、イギリスへの忠誠心を維持しながらも[18]、新たな関係性を模索していた。国立戦争記念館の創設者の二人、チャールズ・ビーンは従軍記者として、ジョン・トレローは軍曹として、ガリポリ上陸作戦に加わっていた。特にビーンは、最初の上陸の様子に始まって、ガリポリで戦うオーストラリア兵の勇姿を、美しい散文で本国に伝えた。その後ビーンは西部戦線の惨状を目の当たりにして、戦死者を追悼する場の整備を強く訴えた。他方トレローは、一九一七年か

(15) 本人の勲章は左胸、代理の人は右胸につける。

(16) アンザック軍が上陸した場所は後に「アンザック湾(Anzac Cove)」と命名された。ローンパイン英連邦軍墓地には、五千人近くのアンザック兵が眠る。

(17) 第一次大戦でのオーストラリア軍の最初の作戦は、海軍による一九一四年九月のドイツ領ニューギニアのラバウル上陸だが、ＡＩＦの最初の作戦はガリポリ上陸作戦だった。

(18) 津田(二〇一二)

らロンドンの軍事記録部門で豪軍の記録や遺物の収集に当たった[19]。

ビーンが戦場から伝えたアンザック兵の姿は、本国で戦況報告を待つ人たちの「オーストラリア人意識」を高揚させ、「アンザック伝説」を創り出していった。「アンザック精神[20]」という言葉があるように、アンザックは豪軍兵士だけでなく、オーストラリア人男性の理想像になっていった。勇気があって、仲間を大切にし（メイトシップ）、自己犠牲を厭わず、ユーモアと機知に富む。このような「アンザック」をオーストラリア人が語るときは、ニュージーランドは抜け落ちてしまっているようだ。アンザックを貶める言動は、オーストラリア人に対する侮辱と受け取られかねない。

そもそもなぜオーストラリアは、自国が攻撃もされていないのに、それほどまで多くの国民が志願し、中東やヨーロッパで戦ったのだろうか。一つには、連邦結成後もイギリス帝国にとどまっていて外交自主権がなく、イギリスの対ドイツ宣戦布告は自動的にオーストラリアの開戦を意味したからである。当時は、現在のパプアニューギニアの北側のニューギニアはドイツ領、パプアはイギリスからオーストラリア領に移管されていて、パプアの防衛はオーストラリアの防衛でもあった[21]（12章参照）。

けれども国民一般の意識は、国防にあったわけではない。それよりも、イギリス帝国の若い一員として、イギリス兵以上の働きをみせたいという、強い国民意識があった。しかも当時のオーストラリアの若者たちは、勇ましい「海外体験」に憧れた。戦場はその憧れを打ち砕くものであったが、ビーンがそうしたように、勇敢なオーストラリア兵の活躍が本国に伝えられた。本国の人びとはその勇姿に、イギリス人にはない、「開拓者」の歴史から生まれた独自の資質を認め、称賛した。さらに戦後は、帰還兵を通して、また小説や

(19)　戦後ビーンは、オーストラリアの公刊戦史を編纂、トレローは一九二〇年から五二年まで館長を務め、国立戦争記念館の拡充に注力した。

(20)　あるいは「アンザック魂（Anzac spirit）」

(21)　ブレイニー（二〇〇〇）

映画[22]を通じて、その資質が繰り返し表現されることによって、理想化されたオーストラリア人の兵士や男性像が創り出されてきたといえる[23]。

オーストラリアのアンザック・デーは、こうした「オーストラリア人らしさ」を共有し、国民の一人として誇りを感じる日なのだ。

先住民の戦争体験

戦死者の追悼行事には先住民も含まれる。かつて国民として認識されていなかった先住民は、志願すらできなかった。それでも、制約を潜り抜けて正規軍で戦死した先住民がある[24]。もちろん「名誉の戦死者リスト」にも名前は刻まれているし、国立戦争記念館内の展示もある。二〇一九年には、先住民の戦死者を追悼する新たな記念碑[25]の除幕式が行われた。戦争記念館の専門職員にも、またオーストラリア国防軍（12章参照）にも先住民の人たちはいるし、各地に先住民の追悼碑も建てられている[26]。国民の一人として、軍隊経験を誇りに思う先住民があって不思議はない（図10）。

ANZAC Day 2020

About this event

Date: Saturday, April 25, 2020
Time: 6:00am

図10　トレス海峡地域評議会による2020年アンザック・デーの案内（Torres Strait Regional Councilウェブサイト）

それでは、一九世紀のオーストラリア大陸でのイギリスの植民に対する抵抗や、植民者との衝突はどうか。先住民にとっては、侵略者から土地や家族や伝統を守

(22)　ガリポリ上陸作戦を描いた人気映画に、ピーター・ウィア監督、メル・ギブソンとマーク・リー主演の *Gallipoli*（邦題『誓い』、一九八一年）がある。オーストラリア映画トップ二五に入る（NFSAウェブサイト）。

(23)　Gerster (1987)

(24)　Hall (1997)、鎌田（二〇一四）

(25)　「祖国のために（For Country）」と題されたモニュメントで、「カントリー」は「祖国」と訳すこともできるが、それぞれの先住民集団の「故地」の意味を含む。

(26)　キャンベラでは、戦争記念館の裏手のエインズリー山の麓に、一九九三年に建てられたアボリジニの人たちの戦争記念碑がある。

る戦いだったはずである。それは「オーストラリアの戦争体験」ではないのだろうか。戦没者の追悼をめぐって幾度となく議論されてきたのだが、植民をめぐる抗争は国民が誇れる歴史ではないために、「国民の戦争体験」としての認知は得られていない。

3　戦争をどう語り継ぐべきなのか

日本と比較すれば、その違いは明らかだ。まず学校教育での取り上げ方が異なる。[27]キャンベラの戦争記念館には、年間一五万人近くの児童・生徒たちが社会見学の一環として訪れている。生徒の代表による「無名兵士の墓」への献花も珍しいことではない（図6）。

他方、日本での戦没者追悼式は、戦禍で命を落とした人びとに捧げられる。先の戦争は、アジア太平洋での侵略を伴った戦争であり、日本は国土が焦土と化した敗戦国であった。加えて、日本軍の無謀な作戦によって兵士や民間人が犠牲になったことを考えれば、軍人を顕彰することは難しい。日本は徴兵制だったが、オーストラリアの海外派遣部隊は志願兵であったことも、違いを生む要因である。

こんにちのオーストラリア社会は多様性を是とし、ジェンダーギャップも小さくなりつつある。豪軍の一五％は女性で、全職種が女性に開放されている。[28]戦争記念館でも女性の貢献を意識した展示がされているし、「追悼の堂」のモザイクにも、アンザック・デーの式典の現役兵士の代表にも必ず女性が含まれる。にもかかわらず「アンザック」は男性のイメージが強いままだ。

（27）飯笹（二〇一二）

（28）海軍一九％、陸軍一二％、空軍一八％である（豪国防省ウェブサイト）。

図11　アフガニスタン派遣軍帰還パレードの準備をする兵士たち、ダーウィン（筆者撮影）

かつてその保守性を批判されてきたＲＳＬでも、[29]性別やエスニシティによる差別はない。会員制のＲＳＬクラブは、手ごろな値段で食事ができるレストランや、バーや、ポーカーマシンやビリヤード台があって、時折ライブも催され、地方都市では社交場として人気が高い。観光客でも身分証明があれば入れるところが多い。重要なルールは、毎夕六時に追悼の句と黙祷を戦死者に捧げることである。もしクラブを利用することがあれば、その意味を考えて欲しい。

筆者はオーストラリア人ではないので、戦死者を顕彰するアンザック・デーに共感できずにいる。オーストラリアは、侵略された歴史を持つ人びとであったり、戦禍を逃れたり、より良い生活を求めて移住をしてきた多様な人びとが社会を構成しているのだから、願わくは、戦没者の追悼が、戦争という理不尽な暴力の犠牲となった人びとを悼む場になれば思う。

（29）例えば、正規兵であったとしても、先住民は帰還後ＲＳＬの会員にはなれなかった。

〔参考文献〕

飯笹佐代子「戦争の歴史に学ぶ―教材にどう描かれているか」鎌田真弓編『日本とオーストラリアの太平洋戦争』御茶の水書房、二〇一二年
鎌田真弓「戦争体験を語り継ぐ―豪国立戦争記念館」鎌田真弓編『日本とオーストラリアの太平洋戦争―記憶の国境線を問う』御茶の水書房、二〇一二年
鎌田真弓「戦争とオーストラリア先住民」山内由理子編『オーストラリア先住民と日本―先住民学・交流・表象』御茶の水書房、二〇一四年

笹本妙子『連合軍捕虜の墓碑』草の根出版会、二〇〇四年
津田博司『戦争の記憶とイギリス帝国―オーストラリア、カナダにおける植民地ナショナリズム』刀水書房、二〇一二年
ブレイニー、ジェフリー（加藤めぐみ・鎌田真弓訳）『オーストラリア歴史物語』明石書店、二〇〇〇年
Gerster, Robin, *Big-Noting: The Heroic Theme in Australian War Writing*, Carlton, Vic., Melbourne University Press, 1987.
Hall, Robert A., *The Black Diggers*, Canberra, Aboriginal Studies Press, 1997.
Inglis, K.S., *Sacred Places: War Memorials in the Australian Landscape*, Carlton, Vic., Melbourne University Press, 1998.
McKernan, Michael, *Here is Their Spirit: A History of the Australian War Memorial 1917–1990*, St. Lucia, Qld, University of Queensland Press, 1991.

〔参考ウェブサイト〕

Australian Department of Defence（豪国防省）, https://www.defence.gov.au/women/index.htm（二〇二〇年八月一五日アクセス）
'Filming Gallipoli', National Film and Sound Archive of Australia（NFSA）, https://www.nfsa.gov.au/latest/mel-gibson-and-peter-weir（二〇二〇年九月三日アクセス）
'Places of Pride', Australian War Memorial（AWM）, http://placesofpride.awm.gov.au（二〇二〇年八月一二日アクセス）
'Anzac Day 2020', Tprres Strait Regional Council, http://www.tsirc.qld.gov.au/news-events/events/anzac-day-2020（二〇二〇年九月二五日アクセス）

横浜市保土ヶ谷にある英連邦戦死者墓地。
イギリス区、オーストラリア区、カナダ・ニュージーランド区、インド区、戦後区などに分けられ、約1840名が眠る。その大半は太平洋戦争中に捕虜として日本で亡くなった人びとである。英連邦戦死者墓地委員会の管理下にあって、常に美しく整備され、イギリスの政府要人、エリザベス女王や皇太子夫妻も訪れている。毎年、アンザック・デーとリメンブランス・デーに追悼式が行われる（筆者撮影）。

column

オーストラリア連邦のシンボル――キャンベラ――

鎌田真弓

首都キャンベラ

キャンベラは、オーストラリア連邦のさまざまな象徴が観察できる街だ。オーストラリアへの旅行で、観光ルートに組み込まれていることはあまりないのだが、シドニーからは列車や長距離バスもあって、日帰りも不可能ではない。

現在のキャンベラの人口は四五万人程度で、オーストラリアの都市では八番目の人口規模である。シドニーやメルボルンの十分の一以下で、ブリズベン、パース、アデレードなどの州都よりも小さい。首都であるにもかかわらず小規模なのは、連邦結成後に政府の機能を整えるために建設された人工都市だからである。

人工都市であるがゆえに街並みが整っていて緑も多く、自転車道が整備され、交通渋滞もほとんどない。しかも、アクセスの良い場所に国立の図書館や博物館が揃っていて、混雑することもあまりない。学生として、あるいは家族での長期滞在には快適な街である。

グリフィンの都市計画

オーストラリア連邦が成立した一九〇一年にはキャンベラは存在せず、第一回の連邦議会はメルボルンで開催された。交付された連邦憲法の第一二五条に、連邦政府の所在地は連邦議会が決定すること、またその地はニューサウスウェールズ州内の連邦の所有地とし、シドニーから一〇〇マイル以遠と規定されている。いくつかの候補地が検討された結果、一九一一年に「オーストラリア首都特別地区（ACT）」が設置され、現在の場所での建設が決まった。一九一二年にアメリカ人建築家のウォルター・バーリー・グリフィンの都市設計に決定、翌年「キャンベラ」と命名された。「キャンベラ」は、地元の先住民の言語で「集まる場所」を意味する。

グリフィンの設計の特徴は、モロングロ川を利用して人造湖を真ん中に作り、都市機能をゾーニングして街路を放射状に伸ばし、それぞれの中心を幾何学的に配しているところである。首都の象徴である国会議事堂を頂点として、官庁、商業施設の区域を正三角形に配置し、国会議事堂の建つ丘とエインズリー山を直線上に配した。

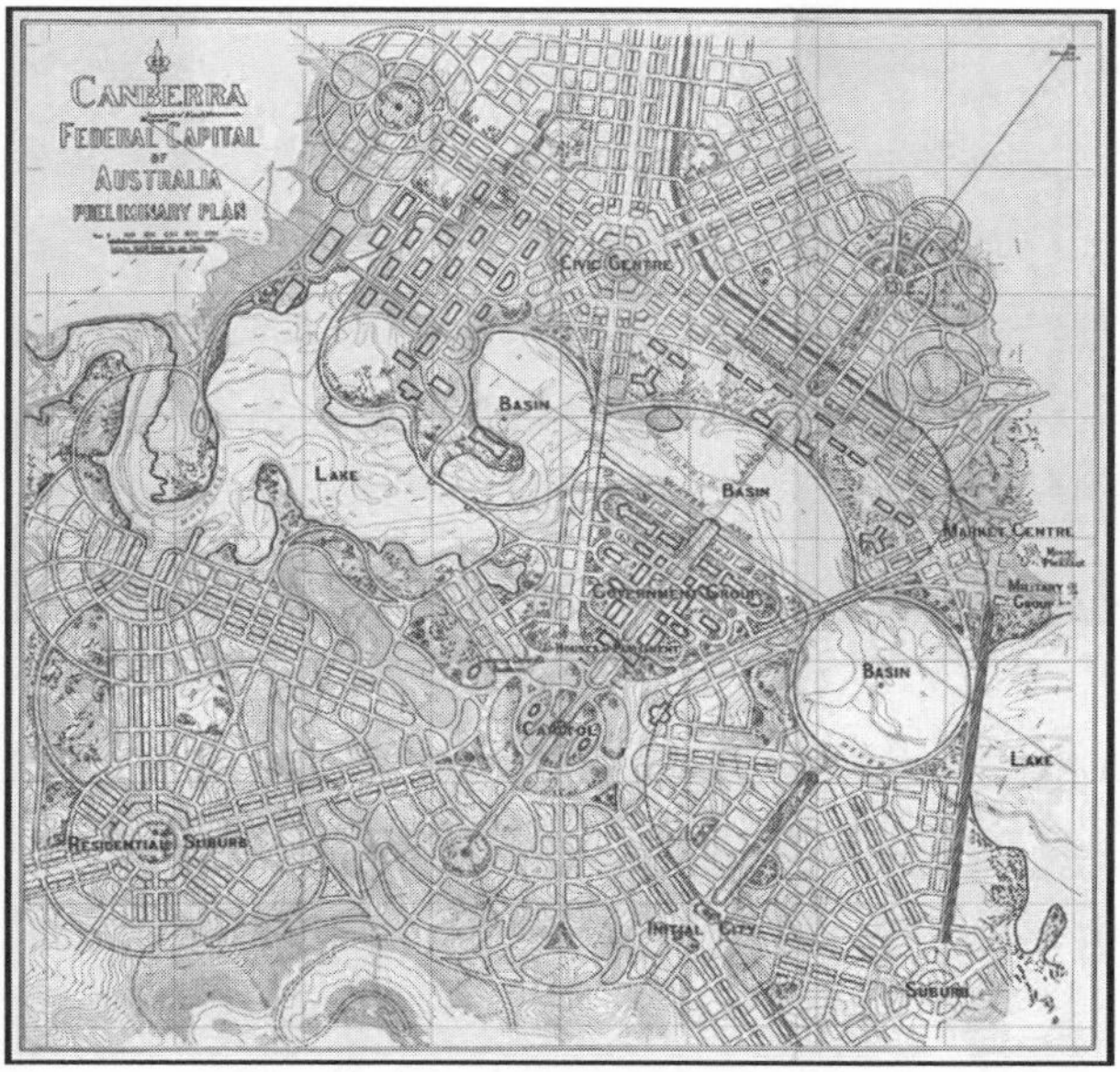

図1　グリフィンのキャンベラ計画最終案（1913年）（Project Goutenberg Australiaウェブサイト）

当初の計画図では、現在の戦争記念館が建つエインズリー山の麓は公園になっていた（図1）。

国会議事堂

一九二四年、農場の屋敷（現・連邦総督公邸）を使ってキャンベラで初めて閣議が開催された。メルボルンで召集されていた連邦議会も、一九二七年になってやっと暫定的に建設された国会議事堂（現・民主主義博物館）で開催され、首都としてのキャンベラの機能が整えられることになった。とはいえ、キャンベラの街は未整備で、旅客機が普及していない時代の旅は、ウェスタンオーストラリアやクインズランドなど遠方の選挙区代表の議員にとっては大旅行であった。

図2　国会議事堂と前庭のモザイク（写真提供：Tourism Australia）

連邦の象徴としてデザインされた現在の議事堂は、入植二〇〇周年に当たる一九八八年五月、エリザベス女王の臨席のもと開館式が行われた。正面入り口の前庭にはアボリジニ画家がデザインした一九六平方メートルのモザイクが敷き詰められている（図2）。セキュリティ・チェックを受ければ、予約なしで誰でも入ることができ、日本の国会議事堂とは大違いである。さらに、一般の入館者は二階に誘導され、傍聴席も含めて、議員や議会を見下ろすデザインになっている。館内には歴代の首相の肖像画や歴史的文書などの展示スペースがあり、特別展が開催されることもある。カフェもあってテラスからはエインズリー山と、10章で記した戦争記念館を望む[1]ことができる。

オーストラリアの「国民文化」を創る

旧国会議事堂は、現在は博物館と国立公文書館の閲覧室として市民に開放されている。建物の両翼にあるバラ園はさまざまな種類のバラが集められ、手入れが行き届いていて美しい。お天気が良ければお弁当を食べる場所として最適である。他方、旧議事堂前の広場には、「アボリジナル大使館[2]」が景観に溶け込むことなく建っている（図3）。

図3　旧国会議事堂前広場のアボリジナル大使館（筆者撮影）

バーリー・グリフィン湖沿いには、最高裁判所や、国立の図書館、科学館、肖像画美術館、美術館などが並ぶ。芝生を通り抜けることができるので、歩いて回れる距離にある。常設展であれば入場料は無料で、ショップやカフェを併設しているところが多い。時折、特別講演や音楽会などが開催される。特に昨今では、入館者の多い施設ほど予算がつきやすいので、どの施設も魅力的な展示やアプローチのし易さを心掛けているようだ。

湖をはさんだブラックマウンテンの麓には、国立植物園、博物館、オーストラリア国立大学がある。植物園は、オーストラリアの自生の植物のみを集めていて、雨林や砂漠の植物の区域もある。国立博物館では、大陸の歴史、先住民の文化や歴史、移民や人びとの暮らしや産業の発展史など、「オーストラリア」がどのように形成されて現在に至るかが説明される。常に、多くの生徒たちが社会見学に訪れている場所だ。

こうした国立の施設での展示の根幹にあるコンセプトは、オーストラリアの社会や文化や価値観を表現し、国民に問いかけ、「国民文化」の創造に積極的な役割を担うことにある。そこでは、先住民族の存在感がとても大きいことに気づくだろう。

〔参考文献〕
鎌田真弓「国家と先住民―権利回復のプロセス」山内由理子編『オーストラリア先住民と日本―先住民学・交流・表象』御茶の水書房、二〇一四年
佐藤圭一「キャンベラ―オーストラリア連邦の計画都市」布野修司編『世界都市史事典』昭和堂、二〇一九年
Griffin, Walter Burley, 'The Federal Capital. Report Explanatory of the Preliminary General Plan', Project Gutenberg Australia, http://gutenberg.net.au/ebooks13/1305201h.html#ch01（二〇二〇年九月一日アクセス）

〔注〕
（1）巨大な国旗掲揚マストが建つ国会議事堂の屋根は芝生の丘になっていて、国民が上を自由に歩けるようデザインされたのだが、現在は保安上の理由で閉鎖されている。
（2）一九七二年のオーストラリア・デーに、侵略された先住民を代表する場として、ビーチパラソルの「大使館」が設営され、「アボリジニ旗」（7章参照）が掲げられた。警察による強制撤去を経ながらも、土地権回復運動の象徴となった。

第11章　日本との太平洋戦争
――ダーウィン、シドニー、カウラ――

田村恵子

はじめに

シドニー湾は、シドニー観光の人気スポットだ。シドニーを南北に結ぶハーバーブリッジと真白い屋根のオペラハウスは、まさしく絵葉書になる風景だ。この二つの名所を間近に見ながら、シドニー湾遊覧を格安料金でするには、サーキュラーキーからダブルベイ行のフェリーがお勧めである。出発するとフェリーは間もなく舵を切り、ハーバーブリッジを左にオペラハウスを右に眺めながら進み、右前方にピクニックを楽しむ家族連れでにぎわうドメイン公園が広がる。そしてフェリーの右舷にオーストラリア海軍ガーデン島基地が近づき、停泊中の軍艦が目に入るだろう。太平洋戦争中にこの基地を日本軍の小型潜水艇が攻撃し、その艇の一部が基地内の資料館に展示されていると聞くとびっくりするのではないだろうか。日本軍はいったい何の目的で遠く離れたシドニーを攻撃したのだろうか。攻撃の結果はどうだったのだろうか。そして日本軍は別の場所も攻撃したのだろうか。

1　日豪の記憶の非対称性

日本では一般的に、太平洋戦争は日本対アメリカの戦争であったと認識されており、日本とオーストラリアが戦ったことを知らない人がほとんどであろう。確かに、パールハーバー攻撃で始まり、広島と長崎への原爆投下で終わったのが太平洋戦争だと考えると、アメリカの存在は大きい。近年ではかつての戦争をアジア太平洋戦争と位置づけ、アジア広域に戦闘と占領によって多大なる被害をもたらしたことを認識するようになってきた。ただ赤道以南での戦争、特に対オーストラリア戦についての知識は、まだまだ十分でないように思う。

一方、オーストラリアにとって太平洋戦争は、まさしく対日の戦争だった。二〇二〇年八月一五日に、連邦政府主催の終戦七五周年記念式典が首都キャンベラで開催された。スコット・モリソン首相は、オーストラリア軍兵士たちが日本との戦争で、多くの困難を乗り越えて勇敢に戦ったと讃えた。現在の日豪関係は非常に友好であると断りながらも、首相は日本軍攻撃に勇敢に立ち向かい、オーストラリアを守った英雄が当時の兵士たちだったと強調した。

オーストラリアの経験した太平洋戦争はどんなものだったのだろうか。それを知るためには、どこを訪れればよいのだろうか。本章では日本軍が直接攻撃をしたダーウィンとシドニー、そして日本軍捕虜の大脱走事件の舞台となったカウラを紹介したい。

2　ダーウィン空襲

オーストラリアのパールハーバー

ダーウィンはノーザンテリトリーの首都で、人口約一四万人のオーストラリア北部第一の都市である。気候は雨季と乾季がある熱帯性で、街を歩く人々は先住民系、アジア系、ヨーロッパ系と多人種・多文化である。乾季に賑わう野外マーケットでは、多彩なエスニック料理を楽しめる。しかし戦争前は、シドニーやメルボルンから遠く離れた、人口六千人弱の北部の辺境の地にある田舎町だった。[1]

太平洋戦争が始まると、ダーウィンは北からの日本軍の侵攻に対抗して、オーストラリア本土を防衛する軍港としての重要性が認識された。オーストラリア軍とアメリカ軍が兵力を投入し、民間人の大半は南へ避難した。一九四二年二月一九日、ダーウィンは日本軍による空からの激しい攻撃にさらされた。総数

> **《Key Word》**
> 「太平洋戦争（Pacific War）」
> 連合軍の一員として日本と戦ったオーストラリアは、国家成立以来の国土防衛の危機に直面し、主にニューギニア島と周辺の島々で日本軍と対峙した。ダーウィンとシドニーへの日本軍の直接攻撃は、大きな衝撃であった。

（1）当時のダーウィンには真珠貝産業に従事した日本人も住んでいた。戦争中に日本軍による空襲攻撃を受けたブルームにも本書第3章が記述するように開戦まで日本人居住者がいた。

図1　オペラハウス後方に広がるガーデン島海軍基地（写真提供：Tourism Australia）

一八八機に及んだ日本軍機は、港内に停泊していた軍艦と民間輸送船を爆撃し、市街地にも被害が生じた。この攻撃で二五〇人以上（約九〇人がアメリカ軍人）が死亡し、四〇〇人近くが負傷した。[2] 近年ではこの攻撃を「オーストラリアのパールハーバー」にたとえる場合もある。日本軍はその後も空爆を断続的に続け、一九四三年一一月までに爆撃は六四回に達した。さらに攻撃目標を拡大した日本軍は、ウェスタンオーストラリア州のブルームやポートヘッドランド、クインズランド州のケアンズやタウンズヴィルも空爆した。

（2）鎌田（二〇一二）

空襲を追体験する

ダーウィンへの日本軍の攻撃についてもっと知るためには、どこへ行けばよいだろうか。ダーウィン空襲記念碑は、ノーザンテリトリー行政長官公邸入り口近くに位置し、ノーザンテリトリー議事堂横の公園内に設置されている。毎年二月一九日に盛大な追悼式が開かれる場所である。空襲の様子を知りたければ、二つの博物館を訪れるのが良いだろう。市の郊外にあるダーウィン軍事博物館は広い敷地の屋内外に数多くの資料を展示しているが、メインギャラリーでは、市民が体験したダーウィン空襲の様子を映像と音響で再現している。最近ダーウィン港埠頭にオープンしたフライングドクター博物館では、医師が飛行機で遠隔地の病人の手当てに従事する様子だけではなく、ダーウィン爆撃関連の展示も併設されている。もし時間があれば、湾に面した斜面に残る重油貯蔵用トンネル跡の見学も興味深い。日本軍の空襲で地上の重油タンクが破壊された経験から、地中トンネル内に重油を貯蔵する目的で戦争中に掘削されたが、工事が難航して完成が遅れ、実際に使用されることはなかった。一部公開されている暗く深いトンネルを歩くと、これほどの大規模工事を決行するだけの危機感が、当時のダーウィンに存在したことが実感される。

八〇年近く前の日本軍による攻撃を、なぜダーウィンでは記念式典や博物館展示で記憶し続けるのだろうか。記念式典は年々盛大になる傾向にあるし、博物館の空襲展示がオープンしたのも比較的近年のことである。そこで強調されるのは、オーストラリア本土が攻撃されたのはダーウィン空襲が最初で、それが歴史的な出来事であった点だ。空襲は、シ

図2　ダーウィンの州立図書館内にはダーウィン空襲を描いたキース・スウェイン作の絵画（複製）が展示されている（写真提供：鎌田真弓）

図3　ダーウィン重油貯蔵用トンネル入り口（筆者撮影）

ンガポールが、日本軍によって陥落した直後だった。極東における大英帝国海軍の主要海軍基地として、オーストラリアの防衛の鍵を握ると考えられていたシンガポールがあっけなく落ちたのは、大きな衝撃であり、その上にダーウィンが攻撃されて、オーストラリアの防衛は危機に直面した。このような歴史的要素に加えて、空襲体験を観光客に紹介するのは、ダーウィンが現在置かれている地政学的な役割が絡んでいる。つまり、オーストラリアへの軍事的脅威は、現在でも北からやって来るのであり、それから国を守る役割をダーウィンが担っているという認識と誇りではないだろうか。防衛基地の役割は最近さらに強化されて、オーストラリア軍に加えて、二〇一二年からは千人を超えるアメリカ軍海兵隊員が常時駐屯している。ダーウィン周辺海空域では、多国間共同訓練が実施され、日本の海上自衛隊も参加している（12章、12章コラム参照）。その意味では軍事基地としてのダーウィンの役割はより重要性を増していると言える。

3　シドニー湾攻撃

シドニー奇襲作戦

太平洋戦争中にシドニー湾へ二人乗りの日本軍小型潜水艇三隻が侵入して、攻撃を仕掛けた史実を知る日本人は少ない。そのうちの一隻は夜間に複雑な地形の湾内を潜航して、現在オペラハウスがある付近まで到達し、海軍基地に停泊していた軍艦を目標に魚雷攻撃をした。攻撃の結果、日本人乗員六名全員が死亡し、オーストラリア側にも死者二一名が出た。この出来事は、オーストラリア全土、特にシドニー市民に大きな衝撃を与えた。遥か彼方の北の方面で起こっていると考えていた戦場と戦闘が、突然目の前のシドニー湾に出現したからである。

一九四二年五月三一日の夜半に始まったシドニー湾攻撃は、日本海軍の奇襲作戦の一環で、ほぼ同時刻に西インド洋マダガスカル島のイギリス海軍基地を同型潜水艇二隻が攻撃している。日本海軍は神出鬼没で、思いもかけぬ場所に出没して攻撃をするとの恐怖感を連合軍に与えるのが狙いだった。三隻は、それぞれ母艦に搭載されて、現在のミクロネシア連邦チューク諸島の日本軍基地からシドニー湾沖合に到着していた[3]。組み立て式水上飛行機によるシドニー上空の偵察飛行の結果、海軍基地に停泊中のアメリカ海軍軍艦を攻撃目標とすると決まった。湾口に最初に到達した潜水艇は、張られていた防潜網にスクリューが巻き付いて動きが取れなくなり自爆した。先に述べた艇は二番手で、首尾よく湾内奥深くまで侵入し、目標の軍艦をめがけて発射した魚雷は、外れて岸壁に激突して爆発した。その衝撃で付近に停泊していた宿泊用船舶が沈没し、二一名の水兵が死亡している。攻撃終了後、この艇は再び潜航して現場を離れた後に、行方不明になった。最後に湾内に入った艇は、すでに日本軍の攻撃に気づいたオーストラリア海軍の爆雷攻撃で沈められ、乗員二名は艇内で拳銃自殺をした。シドニー市民は、行方不明になった一隻がその後も湾内に潜んで、再び襲撃するのではないかという恐怖と不安を味わった。高級住宅地として知られる海岸沿いを離れて、内陸に避難した人もあると言われている。この艇がどこに消え去ったかは、何十年間も海洋ミステリーとして語り継がれ、時々見つかったのではないかと話題になっていた。二〇〇六年一一月にアマチュア・ダイバーたちがシドニー湾外北へ二〇

（3）潜水艇は、指揮官の名前をとって侵入した順に、中馬艇、伴艇、松尾艇と呼ばれている。

キロの海底で発見してようやく決着がついた。翌二〇〇七年八月には、日本の遺族が参加してオーストラリア海軍主催の洋上慰霊祭が催された[4]。

海軍葬と遺骨の送還

沈没した潜水艇二隻が湾内から引き上げられる様子は、写真入りで詳細に報道された。そして艇内から回収された日本軍人四名の遺体は、オーストラリア海軍による海軍葬で弔われた。攻撃で自軍に犠牲者が出たにもかかわらず、敵国軍人を海軍葬で敬意をもって弔うとの決定に反対する人はあった。しかし、シドニー湾防衛司令官のミューアヘッド＝グールド海軍少将は、勇敢に戦って国のために命を捧げた軍人に対して、敵であろうと栄誉を与えるべきである、と後日の国営ラジオ放送で発言し、当時のシドニーの知識人層も少将の決定を支持した。海軍葬後、遺骨は日豪交換船で日本人外交官や民間人とともに本国に送還され、一九四二年一〇月に横浜に到着した。オーストラリアを恐怖に陥れた攻撃を敢行した勇敢なる戦士の無言の凱旋である、と当時の新聞は大々的に報道した。

確かに海軍葬と遺骨返還は敵国軍人に対しての計らいとしては稀な出来事であるが、当時はオーストラリア側にも思惑があったと考えられる。オーストラリアは軍人への礼節を守る国民であると日本に対して強くアピールすることで、日本軍に捕らわれていたオース

図4　日本軍潜水艇乗員の海軍葬（写真提供：松尾和子）

（4）　発見された潜水艇は戦死者を海底に埋葬した墓として、ニューサウスウェールズ州によって保護管理されている。

図6　2007年8月に催された日本人乗員慰霊祭に参列した日豪の代表者たち（筆者撮影）

図5　ガーデン島海軍基地内に展示されている潜水艇司令塔部分（筆者撮影）

トラリア人捕虜の扱いを、日本側が配慮するのを期待をしたであろう。一方、日本側は日本軍人の勇敢さにオーストラリアが心底感服した結果の当然の扱いであると主張した。

和解に向けて

シドニー攻撃と乗員の海軍葬や遺骨返還は、戦後になって意外な展開を日豪間にもたらした。回収された潜水艇は、一九四三年以降キャンベラの国立戦争記念館に展示されていたが、最後に沈んだ艇の指揮官だった松尾敬宇中佐の母のまつ枝が、一九六八年に慰霊のために訪豪したのだった。オーストラリアでは戦後しばらくは対日感情が大変厳しかったが、勇士として戦死した亡き息子をしのんでの母親の慰霊の旅に多くの人が同情し、一行は各地で温かく迎えられた。戦争記念館訪問では、潜水艇見学と松尾の遺品の千人針返還が実現した。この訪問は、戦争の記憶を乗り越えて日豪友好交流を築く大きなきっかけになったと言える。その後の交流は松尾の出身地の熊本から全国に広がり、最近の日豪政府首脳の相互訪問の際には、オーストラリアによる海軍葬と母親の暖かい歓迎を、戦後の和解の象徴として言及することがしばしばある。

4 カウラ捕虜脱走事件

捕虜収容所

カウラはニューサウスウェールズ州の内陸にある人口一万余りの静かな町で、マランビッジー川支流ラクラン川の畔に位置する。キャンベラから車で二時間、シドニーから車で約五時間、列車と路線バスを乗り継ぐと六時間半の距離にあるが、車中からはオーストラリアならではの広大な牧場風景を存分に楽しめる。春（八月〜九月）には、菜種油の原料で鮮やかな黄色の花を咲かせる菜の花畑が広がり、抜けるような青空とのコントラストが美しい。

カウラは日本と縁が深い町である。その発端は、町はずれに設置された捕虜収容所に収容された日本人捕虜が、一九四四年八月に集団脱走事件を起こしたからだった。日本軍の戦況が不利になるにつれて、日本人捕虜の数が次第に増え、一九四四年七月には収容所内の日本人数は一一〇〇人に達した。オーストラリア陸軍は収容者数の急増によって緊張が高まり不穏な動きが発生するのではないかと懸念して、一部の捕虜兵を別の収容所に移動させせると決定して通知した。これが引き金となって、捕虜たちは集団脱走を決行すると決めたのだった。
移動通知が出された八月四日の夜半に、千人以上の捕虜たちが突撃ラッパとともに、宿舎に火を放って脱走を開始した。食事用のナイフや野球バットを手に持ち、何重もの鉄条網柵に毛布を掛けて脱出を試みた。その動きに対してオーストラリア軍監視兵が発砲した結果、自殺者を含む二三四名の日本人とオーストラリア兵四名が死亡した。[5]

捕虜観と脱走

何が捕虜たちを脱走、そして死に追いやったのだろうか。収容所内では、捕虜の取り扱いを規定したジュネーヴ条約に基づいて食料品や医療品は十分に支給され、捕虜に対する虐待もなかった。[6]一見、平穏で単調な日々を送っていた捕虜たちだが、その心中は複雑なものがあった。当時の日本軍の捕虜観が彼らの気持ちを縛っていたのだ。一九四一年に東条英機陸軍大臣（当時）が発表した戦陣訓に次のような一文がある。[7]「生きて虜囚の辱めを受けず、死して罪禍の汚名を残さず」、つまり捕虜になるのは非常に不名誉で恥じるべきで、それよりも死を選ぶべしとの訓示だった。軍上層部が押し付けたこの捕虜観は、軍隊や社会に広く浸透して、生還すると家族が迷惑するだろうと信じていた捕虜が大多数だった。

脱出後の捕虜たちの行動計画は定まっていなかった。真冬の草原を数日間さまよった後に、絶望感から自殺したものもいた。生き残ったものは収容所に連れ戻された。多くの死傷者をだした事件であるが、心温まる出来事もあった。脱走後数日たって、捕虜二人が人家にたどり着き、留守を守っていた農場主夫人に、空腹なので何か食べさせてくれと懇願

（5）脱走事件は一九八四年にオーストラリアでThe Cowra Breakoutと題してテレビシリーズ化された。日本では二〇〇八年に「あの日、僕らの命はトイレットペーパーよりも軽かった―カウラ捕虜収容所からの大脱走」（日本テレビ制作、中園ミホ脚本）としてテレビ化された。

（6）この条約は戦地での傷病者や捕虜の扱いを規定した国際条約で、一九二九年に締結された条約では、特に捕虜の取り扱いを規定している。

（7）戦陣訓は日中戦争における軍紀の乱れを是正するために起案されたが、軍人としての行動や心構えを規定したと言われている。

した。突然の訪問者に驚いたにもかかわらず、夫人は警察へ連絡を取ると同時に、軒先のベランダに二人を招き入れて、助けが来るまで温かいミルクティーとスコーン(焼き菓子)をふるまったのだ。この敵兵への人間的な対応は、前述の松尾まつ枝の訪豪と並んで、その後の和解友好のきっかけを作ったエピソードとして語り継がれている。

日本人戦争墓地と日本庭園

悲劇の舞台となったカウラであるが、その後の地元住民の献身的な働きによって、オーストラリアと日本の和解が誕生した。きっかけは、戦後のカウラ退役軍人会の働きだった。脱走で死亡した日本人捕虜たちは、戦争墓地近くに埋葬されたが、その一画を覆う雑草を、退役軍人たちが定期的に刈ったのだった。対日感情が厳しい時代ではあったが、国のために命を捧げた軍人の墓地であるという意味では、敵も味方もないと考えたという。その後、日本政府はカウラに日本人戦争墓地を整備し、オーストラリア各地から戦争中に死亡した日本人軍人や民間人の墓を改葬して、一九六四年に開園した。墓地には現在は戦争捕虜と民間人抑留者の墓が五二四基ある。[8] 監視塔が再現された捕虜収容所跡には、脱走事件についての解説板が設置されて、広大な跡地を眺めながら当時の様子を想像することができる。

カウラ日本庭園は、収容所跡地近くの丘陵地にあり、カウラの観光スポットとして有名だ。この回遊式庭園は、地元有志が日本やオーストラリアから集めた寄付金をもとに、一九七八年に開園し、年々庭園の充実を図ってきた。自然石の配置を生かした園内は、ユーカリの木などのオーストラリアの自然と日本式庭園を巧みに融合させたユニークな空間を作り出している。

(8) 二〇一九年に公開されたカウラ日本人戦争墓地オンラインデータベース(www.cowrajapanesecemetery.org)で検索すると、全埋葬者の経歴や死因などの詳細が判る。

図7　カウラ日本人戦争墓地（筆者撮影）

図8　カウラ日本人戦争墓地墓標（筆者撮影）

和解運動は現在も続いており、若い世代にバトンが手渡されようとしている。カウラ市役所横には日本から寄贈された平和の鐘が設置され、自由に鐘をつくことができる。地元の学校の授業では平和教育や国際理解に重点が置かれ、地元高校と成蹊高等学校との交換留学制度は四〇年以上続いている。

おわりに

本章で紹介したダーウィン空襲とシドニー湾攻撃は、勢いにのった日本軍がオーストラリア北部に上陸して、シドニーやメルボルンを目指して、南へ進撃してくるかもしれないとの恐怖感をオーストラリア国民に植えつけた。確かに、当時の日本軍は破竹のごとく勢力を拡大して、太平洋を南へと進撃を続けていたので、危機感を持ったのは不思議ではない。その行く手を阻み、日本軍による侵略を防いだとオーストラリアで考えられている戦いがある。それは、オーストラリアで一般的に「ココダの戦い」と呼ばれている日本軍とオーストラリア軍との戦闘で、ニューギニア東部の険しい山岳地帯を北から南へと縦断するココダ道を舞台に、一九四二年七月から一九四三年一月にかけて繰り広げられたジャングル戦だった。[9]そこでオーストラリア軍が反撃をして日本軍に退却を余儀なくさせた結果、本土侵略を食い止めたと一般的に信じられていたのだ。実際は、広大な大陸を占領するのは無理だとわかっていた日本軍は、オーストラリア攻略を計画していなかったのだが、今でも、侵略計画があったに違いないとの主張がオーストラリアで強いことに驚かされる。

現在の日豪関係は外交、経済、文化、防衛などすべての面が友好的で、「問題がないのが問題だ」と冗談半分で語られるほど安定している。交換留学やワーキングホリデーで若者たちが行き来し、近年はオーストラリア人の日本観光ブームとなっている。日本から訪れる人は、オーストラリアは親日派の多いフレンドリーな国であるとの印象を受けるだろう。しかし歴史を紐解くと、太平洋戦争で日本と戦った記憶が強く残っており、本書第10章で論じられているように、それが書物や記念碑や記念式典、そして博物館展示などで今でも受け継がれていることに気づくであろう。戦後間もなく存在した反日感情は、世代交代や日豪関係の向上によってもはや消え去ったと言っても過言ではない。しかし、太平洋

(9) この地域での戦闘は日本ではポートモレスビー進攻作戦と呼ばれている。

戦争での歴史は消えることなく存在し、それを学ぶことは、オーストラリアとオーストラリアの人びとに対しての理解をより深めることにつながっていくのである。

〔参考文献〕
鎌田真弓編『日本とオーストラリアの太平洋戦争―記憶の国境線を問う』お茶の水書房、二〇一二年
ブラード、スティーブ（田村恵子訳）『鉄条網に掛かる毛布―カウラ捕虜収容所脱走事件とその後』オーストラリア戦争記念館、二〇〇六年。http://ajrp.awm.gov.au/ajrp/ajrp2.nsf/Web-Pages/Blankets?OpenDocument（二〇二一年一月三日アクセス）
中野不二夫『カウラの突撃ラッパ―零戦パイロットはなぜ死んだのか』文芸春秋、一九八四年

〔参考ウェブサイト〕
豪日研究プロジェクト「特殊潜航艇シドニー攻撃とその後」http://ajrp.awm.gov.au/ajrp/ajrp2.nsf/Web-Pages/HomePage_J?OpenDocument（二〇二一年一月三日アクセス）

column

日本の捕虜だったE・ダンロップとトム・ユレーン

―　内海愛子

オーストラリアの首都キャンベラ、国会議事堂の対面、アンザック道路を隔てて戦争記念館がある（10章参照）。本館東側の戸外に穏やかな表情を浮かべた紳士像が立っている。台座には、Sir Edward 'Weary' Dunlopと刻まれている（図1）。'Weary'は、ダンロップのニックネーム、なぜ、'Weary'（疲れ、疲労困憊）していたのか。

ダンロップは日本軍の捕虜だった。一九四一年一二月八日、日本は英米に宣戦布告した。大英帝国の植民地オーストラリアも英連邦軍の一員として日本軍と戦った。ダンロップが捕虜になったのは、ジャワ島のバンドン、病院長をしていた時だった。

図1　ダンロップ　戦争記念館（写真提供：田村恵子）

ウェアリー・ダンロップ

軍医だったダンロップは、映画『戦場に架ける橋』で有名になった、タイとビルマ間の鉄道（泰緬(たいめん)鉄道）の建設現場ヒントクに送り込まれた。最大の難所といわれた現場である。岩山を切り崩し、ジャングルを伐り開く難工事が続いた。ビルマへ兵員を送るために、完成を急がされた鉄道隊は、死にものぐるいで工事を進めていた。動員された捕虜たちにも過酷な労働が強いられた。

しかし、医薬品はもちろん食べ物の補給も十分ではなかった。

ダンロップの日記によると、ある時期、ダンロップ部隊八七三人のうち、屋外の重労働に堪えられるのは、わずか三五〇人になっていた。五日間、野菜、肉なし、まずい米のみという時もあった。泥の海を這う、骨と皮ばかりの捕虜たちは、平均して一日に一人が死んだ。雨季の六月（一九四三年）には、一日に五人が死亡したこともあった。

ダンロップ軍医は献身的に治療しただけでなく、将校の給料や兵士たちの賃金を集めて、地元住民から食糧を買っては、病気の捕虜たちに支給していた。疲労困憊しながらも献身的に治療にあたっているダンロップを、部下たちはウェアリーと呼んでいた。メルボルン大学時代からのニックネームである。タイヤ会社ダンロップの名前からタイヤが擦り切れている（tired）をひっかけて、'weary'（疲労困憊しへとへとになっている）ダンロップと呼んだという。ユーモアだったが、泰緬鉄道の現場でのダンロップは、文字通りwearyだった。

雨季のヒントク、豪雨の中ですべてが水浸しだった。絶望的な状況の中で、隊員の命を救おうと格闘していたダンロップの姿を見ていた兵士たちは、深い尊敬と信頼の想いを込めてウェアリーと呼んでいたのである。その想いは戦後も語り継がれて、終戦五〇年に鋳造された記念コイン・五〇セントには、あの疲労困憊していた泰緬鉄道の時と思われるダンロップの肖像と'Weary'の文字が刻み込まれている。

メイトシップ・仲間意識が支えた捕虜生活

苛酷な境遇を生きぬくことができたのは、植民地時代に生まれたお互いに助け合うというメイトシップ（互助精神）があったからだ、こう語るのはダンロップの部下だったトム・ユレーン。かれも、元気な者は病人の面倒を見る、若い者は年配の者の面倒を見る、金のある者はない者の面倒を見るという原則で生活した、その仲間意識が捕虜たちを支えたと語っている。

毎朝、作業に出かけて行く時、小屋の外には、夜、死亡した仲間の死体が放り出されていた。その上を跨いで通らなければならなかった。それは心の底から揺さぶられるような体験だったと話す。一年弱で鉄道は連接した。その頃になると、トムは、「日本人を一人残らず抹殺したい」と思うほど、激しい憎しみを抱くようになっていた。その後、九州に送られたトムは、日本人や朝鮮人労働者と一緒に働く中で、変わった。人間のやさしさや思いやりに接したトムは「日本人を憎んではいない」と。

だが、「軍国主義とファシズムは憎い」と語るトムは、戦後、軍国主義とファシズムとの闘いの中で生きてきた。ウィットラム労働党政権(一九七二年成立)の閣僚の時、日本の元捕虜に「POW(Japan)」(Prisoner of War(戦争捕虜))と書いた医療カードを発行し、医療費——病院、歯科、眼科も含めてすべて無料にしたこともあった。日本軍の捕虜となったオーストラリア人兵士は約二万二〇〇〇人、そのうち帰国できたのは一万四三四五人、オーストラリア人捕虜の三人に一人が命を落していた。生き延びた者の心身へのダメージも大きかったからである。だが、フレイザー政権の時に、これは大幅に削られてしまった。

E・ダンロップとトム・ユレーン、オーストラリアの歴史に刻まれた二人から、アジア太平洋戦争におけるもう一つの日豪関係が見えてくる(図2)。

図2　左からガバン・マコーマック、李鶴来、ウェアリー・ダンロップ、トム・ユレーン(撮影:村井吉敬)

〔参考文献〕

マコーマック、ガバン・H・ネルソン・内海愛子編著『泰緬鉄道と日本の戦争責任』明石書店、一九九四年
ネルソン、ハンク(杉本良夫監修、リック・タナカ訳)『日本軍捕虜収容所の日々』筑摩書房、一九九五年
ダンロップ、エドワード・E(河内賢隆・山口晃訳)『ウェアリー・ダンロップの戦争日記』而立書房、一九九七年

第12章　脅威への対応
——オーストラリアの外交・安全保障政策——

福嶋輝彦

1　外からの脅威に神経質なオーストラリア人

日本の読者が心に浮かべるオーストラリア人とは、太陽の下でマリンスポーツにいそしむ大らかな国民といったイメージが強いのではないだろうか。しかし、流刑植民地として入植が始まったオーストラリア（序章、1章参照）では、主流の白人の先祖は囚人で、彼らを護送してきた兵員も含めて「連れてこられた」人々であった。英本国からはるかに離れた僻地に留め置かれ、北辺には人口が多く文化的に異質なアジアに隣接する白人にとって、外からの脅威に少ない人口で対処するのは、大きな難題と思われた。そこでオーストラリア人は、自国に異質な勢力が近づいてくることに敏感で、対外的脅威に神経質になっていった。自分たちが外から勝手にやって来て、先住民の土地を収奪していった前歴があるため、自分たちが侵略されることに文句を言えないからという説さえある。

シドニー湾のハーバーブリッジのすぐ目の前にフォートデニソンという砲台跡がある（図1）。この建設が完成したのは一八五〇年代半ばのことで、それはクリミア戦争でのロシア海軍による攻撃を恐れてのことであった。一九〇一年にオーストラリア連邦が結成された理由の一つも、独仏の列強が南太平洋に進出してきたのに対して国防を強化するためであった。そこでオーストラリアは、自助努力を通じて近隣の南太平洋へ自国の影響力を伸長させることで国防の備えとした。一九〇六年には今日のパプアニューギニアのほぼ南

図1　ハーバーブリッジの手前に見えるのがフォートデニソン

出典：https://static.smarttravelapp.com/data/pois/14281_F1_1511248850.jpg

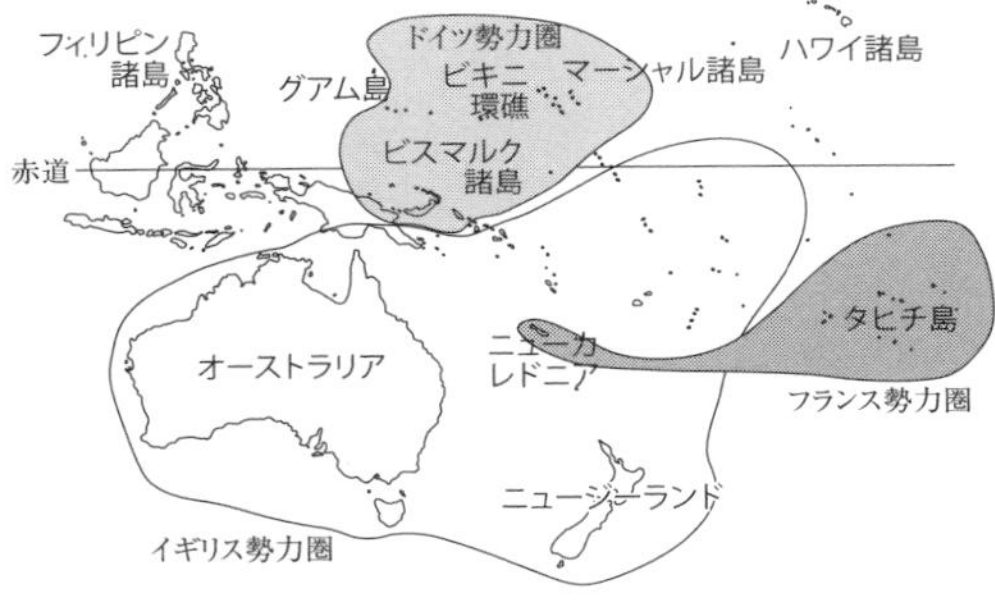

図2　第一次大戦前の太平洋のドイツ勢力圏

出典：https://userdisk.webry.biglobe.ne.jp/005/079/52/N000/000/002/140854726568302916227_pasific.gif

半分に相当する英領ニューギニアの施政権を英国から獲得したし、第一次世界大戦が勃発するや、即座に島北東部の独領ニューギニアと赤道以南の独領南洋諸島を占領し、戦後はそれらを国際連盟委任統治領として実質的にオーストラリアの支配下に組み込んだのである（図2）。さらに有色人種の移民を制限する白豪主義を導入したのも、異質な集団が制御できない形で流入してくると、白人中心の高度で均質的な生活水準を達成していたオーストラリアで、低賃金労働が広まりやがて国内で社会的対立を招くことが恐れられたためであった。

2 イギリス帝国防衛への参画

しかし、ドイツの野心と日本の台頭を前にして、少ない人口で、しかもその大部分が大陸の南東部に集中するオーストラリアが、広大な国土を敵の攻撃から独力で防衛することはほとんど不可能であった。そこで当時のオーストラリア政府は、遠く離れた欧州や中東での英国の戦争に進んで派兵することを通じて、自国に敵の攻撃が迫った時の英海軍の支援を確保しようとしたのである。そこでのロジックは、英帝国がドイツによって敗れてしまえば、オーストラリアはドイツの脅威に対して脆弱になってしまう、だから英国に軍事支援する、というものであった。

しかし、この帝国防衛への参画は高いコストをもたらした。第一次世界大戦中五〇〇万足らずの人口から三二万人の兵士を欧州・中東に派遣し、六万人もの犠牲者を出した。しかし、大戦中に英国の増派要請に応えて徴兵も海外派兵の対象に組み入れようとすると、労働党左派やアイルランド系、カトリック教会などから猛烈な反対に会ったため、政府は国民投票でその是非を問うたが、二度とも否決された。問題はこの際に、保守派の政治家が徴兵派兵反対派を宗主国への裏切りなどと激しく糾弾して、帝国防衛の有用性を強く主張していたことであった。その結果、両大戦間期に世界恐慌期の三年を除いて政権を担い続けた保守連合は、次第に高まる日本の南進の脅威を前にしてでも、英国のシンガポール海軍基地を中心とした帝国防衛への呪縛から脱却できず、実効的な対日国防戦略を打ち出すことはできなかった。一九三九年に第二次世界大戦が勃発すると、保守連合のロバート・メンジース首相は閣議にも諮ることなく、英国が参戦ならば、オーストラリアも自動的に参戦として対独宣戦し、日本の南進の脅威が迫るにもかかわらず、多くの精兵を欧州・地中海・北アフリカ戦線に送り出したほどである。

《Key Word》

「アンザス条約（ANZUS Treaty）」

アンザス条約は1951年にオーストラリア（A）、ニュージーランド（ＮＺ）、米国（ＵＳ）の間に結ばれた同盟条約で、三国の頭文字を併せてＡＮＺＵＳと呼ばれ、永年オーストラリアの安全保障政策の根幹となってきた。

3　アメリカとの連携へ

真珠湾攻撃の二ヶ月前に誕生した労働党政権は、太平洋戦争当初は新たに米国との連携

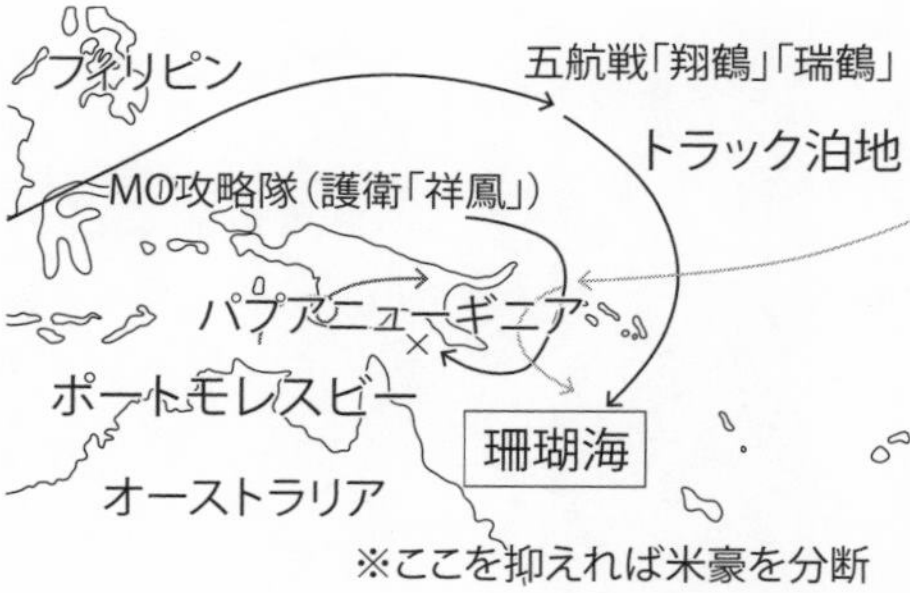

図3　日本軍はパプアニューギニアの首都ポートモレスビーを制圧して珊瑚海を抑えて、米豪を分断しようとしたが、米豪海軍によって阻止された

出典：https://stat.ameba.jp/user_images/20161126/07/kitatyu79/f9/f1/p/o0473029713806909886.png?caw=800

によって対日戦を遂行しようとし、一九四二年五月の珊瑚海海戦では豪米の海軍で日本の進撃を止めることに成功した（図3）。しかし、翌月のミッドウェー海戦で戦況が有利に転換するや、米軍は豪軍との連携をもはや顧みなくなる。こうして労働党政権は大戦中は連合国内で南太平洋における自国の発言力の確保を試みる一方で、戦後は国連憲章起草で総会の権限を強化するなど、国際社会における中小国の利害を守ろうとした。

しかし、一九四九年末に返り咲いたメンジース保守連合政権は、翌年六月に朝鮮戦争が勃発するや、直ちに米国を支持して参戦し、広島県呉市に英連邦を代表して駐兵していたことから迅速に兵力を半島に展開して、その存在を米国にアピールすることができた。米国との連携を戦後の安全保障戦略の中心に据えたい保守連合政権にとって、日本の再軍国主義化を恐れる世論を前に、頼みとする米国が日米安保条約を通じて日本の同盟国となりそうな事態を前に、オーストラリアも米国との同盟条約を締結することは必須条件であった。こうして一九五一年九月のサンフランシスコ平和条約締結の前月に、オーストラリア、ニュージーランド、米国との三国相互安全保障条約、いわゆるアンザス条約が結ばれたのである。

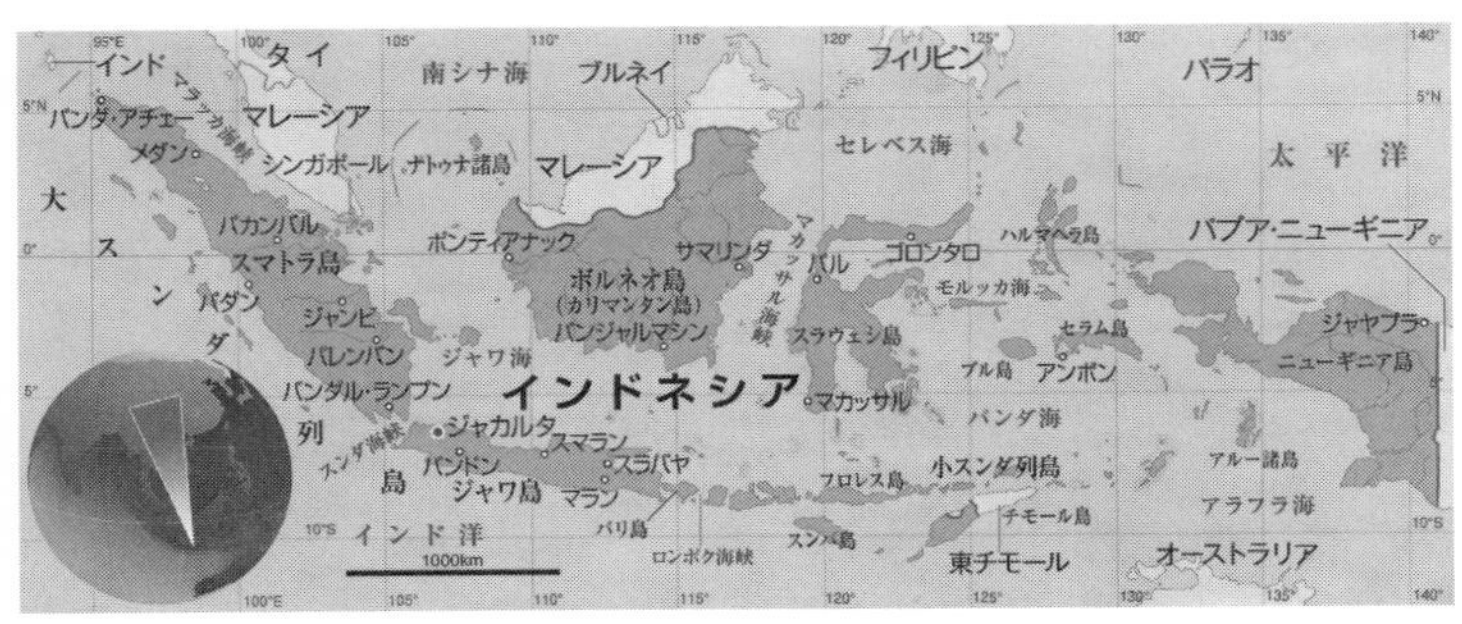

図4　インドネシアは1962年にニューギニア島の西半分を支配下に入れ、1963年にはボルネオ島のマレーシア領への野心を見せた

出典：http://katawaku-yorozuya.com/blog/wp-content/uploads/2018/09/inndonesia.jpg

4　東南アジアへの「前進防衛」

一方で、一九四〇年代末から英領マラヤで中国共産党に近いマラヤ共産党による蜂起が起こると、英植民地政府は緊急事態を宣言し、オーストラリアは一九五〇年から英国を支援して現地に派兵し、一三年間駐兵して治安の維持に当たった。一九六三年にマレーシアが建国され、北ボルネオのサバとサラワクが同国に編入されると、この二州に野心を抱くインドネシアが対決政策を展開し、マレーシア領内に侵入するなど敵対的行動に出た。再びオーストラリアは派兵し、人口が少ない大陸北部で隣接するインドネシアと軍事的に対峙することとなった（図4）。

人口も圧倒的に多く文化的にもまったく異質で、既に西パプアも支配下に入れるなど膨張主義的なインドネシアと軍事的対峙に至ったことは、保守連合政権には大きな危機と認識された。しかも、アンザス条約に則って米国に軍事支援を要請しても、民主党政権の態度は素っ気ないものであった。ここでメンジース政権は大きな動きに出る。一九六五年四月、既に軍事顧問を派遣していた南ベトナムに対し、オーストラリア陸軍地上戦力一個大隊を派遣することを声明したのである。しかも、米国が本格派兵の決定を下すのに先んじた形であった。南ベトナムが陥落したら中国共産党の脅威が東南アジア伝いに波及してきて、果てはオーストラリアにまで侵入してくるのではないか、との恐怖が実感をもって感じられたのである。こうしてオーストラリアは米国を支援してベトナム戦争に本格参戦し、五〇〇名の犠牲者を出すが、政府の脅威意識は有権者にも共有されていたようで、翌年の選挙では、派兵に反対した野党労働党に対して与党保守連合は議席数を増やすに至った。

保守連合政権による朝鮮半島や東南アジアへの軍事的関与の背景には、英米の「偉大にして強力な盟邦」の安全保障エンゲージメントを強固にして、共産主義の脅威に対抗するという思惑があった。しかし、オーストラリアのマレーシアやシンガポールへの軍事的コミットメントは、地域安全保障協力の原型という性格も帯びていた。実際一九七一年には、英豪NZがマレーシア・シンガポールと五ヵ国防衛取極を結ぶが、この枠組に即してオーストラリアは地域の防空協力などに今日に至るまで大きな役割を担ってきた。

5 「大陸防衛戦略」への転換

一九六五年九月にジャカルタのスカルノ政権が倒れると、対決政策は終了し、インドネシアとの軍事的対決は収拾した。一九六〇年代末までにはベトナム戦争が泥沼化し、オーストラリア国内でも反戦運動が高まりを見せる。こうして一九七〇年代初頭にはベトナム撤兵が開始された。さらに一九七二年一二月の選挙で二三年ぶりに政権を獲得した労働党のゴフ・ウィットラム首相は、同月内に電撃的に中国との国交正常化を果たし、ここにオーストラリアの安全保障環境は大幅に改善したのである。さらにインドネシアとの友好関係を重視して、一九七五年のスハルト大統領との会談でウイットラム首相は容認的姿勢を見せたが、これが後のインドネシア軍による東ティモール侵攻を許してしまったとの声もある。

戦略環境の変化に合わせてオーストラリアは、一九七六年に日本の防衛計画の大綱に相当する国防白書を初めて発表するに至る。そこでは戦後一貫して採用されてきた「前進防衛戦略」を放棄し、国防には自助の原則で臨むことが謳われた。さらに一九八七年国防白書では、北部からの敵勢力の侵入を独力で水際で防ぐという「大陸防衛戦略」が確立されたのである。一九八三年から一三年間続いた労働党政権は、ウィットラムが独立した外交を追求するあまり、対米関係に不協和音を招いてしまい、それが有権者に反米的で危なっかしいと受け取られた反省に立って、対米同盟堅持の姿勢を明らかにして、一九九一年の湾岸戦争には速やかに補給艦を派遣している。一方で、この時期の労働党政権はアジアとの関係深化に熱心で、一九九二年のカンボジア和平を仲介し、その後のカンボジア国連平和維持活動（ＰＫＯ）にも積極的に参加して、地域安全保障協力のために真剣に汗をかく姿をアピールした。それゆえ一九九四年国防白書では大陸防衛戦略に加えてＰＫＯへの派兵が国防の指針として位置付けられたのである。

6　対テロ戦争への参加

一九九六年からの保守連合政権を率いたジョン・ハワード首相は、伝統的対米同盟重視路線に回帰した。それゆえ二〇〇一年九一一全米同時多発テロ後のアフガニスタン戦争、二〇〇三年からのイラク戦争への派兵にいち早く応じた。この時期のオーストラリアが脅威と認識していたのは、国内外のテロリストによる襲撃であった。実際二〇〇二年一〇月のバリ島爆弾テロで、最も多くの犠牲者を出したのが八八名を失ったオーストラリアであった（図5）。そこで九一一以降ハワード政権は対テロ対策に携わる諜報・法執行機関の捜査権限を次々と強化していき、人権団体や法曹界からやり過ぎとの批判を受けながらも、国内でのテロ謀議犯の未然の摘発に大きな効果を上げている。バリ島爆弾テロ事件後は、オーストラリア連邦警察がインドネシア当局のテロ対策能力構築に手厚く協力し、後述の東ティモール問題で悪化した両国の関係改善の助けとなった。

図5　バリ島爆弾テロ現場でオーストラリア人犠牲者のために捧げられた国旗

出典：https://cdn.newsapi.com.au/image/v1/c8591528c9a5386b5d529601e28bff18?width=650

7　ボートピープルへの強硬策

この時期オーストラリア人が警戒したのが、ボートピープルの到来というもう一つの非伝統的脅威であった。一九九〇年代末になるとオーストラリアに漂着するボートピープルの数が急増したが、これに対してハワード政権は、彼らを国連などを通じた正規の難民申請手続をバイパスしようとする「割り込み者」と形容して、国内の施設に強制的に収容するという強硬な態度で応じた。ボートピープルの多くはアフガニスタン・イラク・イランなどからの中東系で、密航斡旋業者に一〇〇万円ほどの金を支払い、粗末な漁船に乗せられオーストラリアに漂着した（4章参照）。それだけに収容所にテレビカメラが回されると、彼らは男女を問わずフェンスを揺るがして、激しく抗議の意を表した。苛立ちが募った収容所では暴動や放火のニュースも絶えなかった（図6）。そのため多くの国民にとっては、こういった庇護申請者たちは受け入れても、かえって社会の調和を乱しかねない脅威と映ったのである。二〇〇一年八月末に次々とボートピープルが押し寄せる中、ハワード政権は彼らのオーストラリア上陸はいっさ

図6　オーストラリア内陸の遠隔地の収容所で、支援者を前に抗議の意を表すボートピープルたち
出典：https://cdn-prod.opendemocracy.net/media/images/PA-9132267_7Mf4qc7.width-800.jpg

い許さず、全員パプアニューギニアかナウルに新設した収容所に移送するという「太平洋解決策」を打ち出した。この時の「誰を受け入れるのかを決めるのは我々だ」とのハワードの言葉は、コントロールされない異質な集団の流入に警戒心を抱くオーストラリアの国民の琴線に響き、この年世論調査で終始労働党にリードを許してきた保守連合は、一一月の選挙ではむしろ議席差を広げることができた。

8 東ティモール国際軍への派兵

しかし、ハワード政権期でオーストラリアの安全保障上最大の挑戦となったのは、東ティモール問題であった。一九九九年にインドネシア政府が東ティモールに独立を問う国民投票を許すと、その前後に併合の継続を望む民兵による騒乱が頻発し、現地の治安は著しく悪化した。最も隣接する先進国として国際社会の注目を集める中、オーストラリアは東ティモール国際軍の主力として、ベトナム戦争以来の規模で兵員を派遣して、治安の収拾に当たることとなった。十分な準備もなしに見切り発車の形で始まったこのオペレーションをオーストラリア国防軍（ＡＤＦ）は無事成功に導くことができたが、翌二〇〇〇年には政府は国防白書を発行して、国防戦略を修正した。従来の大陸防衛戦略を国防目的の第一位に据えたうえで、第二位に南太平洋島嶼国、第三位に海洋東南アジア、第四位にアジア太平洋、第五位にグローバル秩序と、同心円状の優先順位を付けて、第二位も派兵の対象とされたのである。この時期は島嶼国の脆弱国家化が懸念されており、二〇〇三年には要請を受けてオーストラリアはソロモン諸島地域支援ミッションの主力として、ＡＤＦや連邦警察の要員を派遣したのである。

9 対米同盟を固め、ボートピープルで失敗した労働党政権

二〇〇七年には一一年ぶりに労働党政権が誕生したが、野党時代に反対していたイラクからの撤兵に取り掛かる一方で、アフガニスタンへの増派を約束し、米国への配慮を見せた。それどころかヒラリー・クリントン国務長官に影響を及ぼすなどして、米国のアジア太平洋への「ピボット〔方向転換〕」を促す役割を果たした。実際、二〇一一年には訪豪したバラック・オバマ大統領は米国が太平洋国家であることを高らかに宣言し、二〇一二年からは北部のダーウィン市への米国海兵隊の配置が始まった。このように労働党政権でありながら対米同盟が強化された背景には、中国の軍事的台頭への警戒心があったためで、二〇〇九年国防白書では海空軍の大規模装備計画が打ち出される一方で、中国軍拡の不透明性を名指しで指摘しており、北京の不快感を招いた。中国国営企業による英豪系鉄鉱大手鉱山会社リオティントの株式増資にも警戒心を隠さず、政府は増資の認可を先送りし、その間に増資が頓挫すると、やがて中国メディアがオーストラリア批判を繰り広げるようになった。反中的過ぎと不評だった二〇〇九年白書の反省から二〇一三年国防白書では、新たにインド太平洋という概念を立ち上げ、二つの大洋の結節点に位置するインドネシアとの関係を重視する方針が打ち出された。

しかし、この労働党政権はボートピープル対策で壁にぶつかる。ハワード政権の対策によってボートピープルの到来が下火になったと判断するや、党内左派などの要望も汲んで、二〇〇八年には「太平洋解決策」を廃止した。これが密航斡旋業者にはオーストラリアが門戸を開いたと受け取られ、二〇〇九年からボートピープルの到来がハワード政権期以上に激増し、政府は地域での受け入れなど外交的対応を模索するが上手くいかず、結局「太平洋解決策」の復活に追いやられた。野党保守連合はこれを失態として攻撃の材料とし、二〇一三年の選挙では労働党は完敗を喫した。

10　保守連合政権による国防戦略の強化

こうして発足した保守連合政権が直面した脅威は、イスラム国であった。二〇一四年にはイスラム国のプロパガンダに触発されたと見られる、少年による警察官襲撃事件がメルボルンで、イラン系の男によるカフェ人質監禁殺害事件がシドニーで起きて、その脅威が国内に及んでいることが如実に示された。米国がイラク・シリアでのイスラム国への空爆に動くと、ＡＤＦ空軍を派遣し対米協力への有志を示しただけでなく、ＡＤＦ陸軍兵員はイスラム国との戦闘に当たるイラク軍への訓練にも携わったのである。実際二〇一六年国防白書では、安全で強靭なオーストラリア、東南アジアと南太平洋の安全、ルール本位の秩序維持とインド太平洋の安定という三つの目標が掲げられたが、これらの優先順位はすべて同等と位置づけられた。ＡＤＦと米軍の緊密な連携が強く意識されていると言えよう。

ところが、ドナルド・トランプ大統領の登場で米国の不確実性が高まると、保守連合政権は二〇一七年に外交政策白書で対米同盟重視は変わらないものの、気心の知れた国との連携を強化する方針を強調している。さらに二〇二〇年の「国防戦略アップデート」では、宇宙やサイバーといった新しいドメインでの国防を強化する一方で、長距離対艦ミサイルなど独自の抑止力を保持することが謳われたのである。

対中関係ではハワード政権期に経済関係が急拡大し、二〇〇七年に中国が最大の輸出市場に成長していたが、その後労働党政権下で一時関係が悪化したが短期間のうちに修復し、保守連合政権は二〇一五年に中国との自由貿易協定を締結にこぎつけ、オーストラリアは米中選択不要とのハワード時代の路線に回帰した。とはいえ、二〇一三年に中国が東シナ海に防空識別区を設定すると、外務大臣は中国大使を召還して抗議の意を伝えた。二〇一六年に南シナ海における中国による人工島埋立が進む中、中国とフィリピンとの係争に仲裁裁判所裁定が下され、南シナ海への中国の領有権主張の歴史的権利が否定されると、オーストラリアは即座にそれを支持した。しかし、これらの外交問題をめぐっては、対中関係が決定的に悪化することはなかった。

11 中国の干渉に立ち向かうオーストラリア

ところが、国民の間で中国からの経済的恩恵への評価が高い一方で、保守連合政権は次第に中国への警戒心を高めていく。二〇一五年末にノーザンテリトリー政府がダーウィン商業港を中国の嵐橋集団という企業に九九年リースに付したことが発覚し、海兵隊を駐留させている米国から強い不満を伝えられた。これを契機に外国投資審査委員会の認定基準が厳格化され、以後中国系企業による送電・ガス配信・医療といった重要インフラ関連企業の買収が阻止されている。

さらに二〇一六年に、中国共産党中央統一戦線工作部との深い関係が疑われる中国人富豪から経済的便宜を受けて、労働党の若手有力上院議員が中国系市民の集会で南シナ海は中国の海と認める発言をしていたことが報じられた。それだけでなく、翌年には上院議員が諜報機関のマークを受けているとの機密情報を富豪に内通していたことが発覚し、議員辞職に追い込まれた（図7）。

図7　右側の労働党の若手有力上院議員サム・ダスティアリは、左側の中国人富豪の黄向墨から経済的便宜を図ってもらい、南シナ海での中国政府の立場を支持する発言をしていた

出典：https://www.theaustralian.com.au/nation/politics/dastyari-reveals-how-huang-xiangmo-courted-politicians/news-story/85c0592569a3d4583108b9a1cd64c13d

保守連合政権はこのような事態を深刻視し、二〇一八年には外国干渉規制法案[1]を成立させるに至ったが、これに対して中国は強く反発した。しかし、これに怯むことなく政府は第五世代通信からファーウェイなど中国企業を事実上排除する決定を下した。この時期明らかになったように、二〇〇〇年代から潤沢な資金を通じて共産党の工作によって、オーストラリアでは政界に限らず、学界、中国系コミュニティや中国語学校、中国語メディアなどに北京の影響力が及んでいることへの政府の強い警戒心を反

（1）この法案は、外国の主体の意向を受けてオーストラリア国内で活動しようとする個人または団体に、政府への登録を義務付けている。

映したものと言えよう。

二〇一八年八月に就任したスコット・モリソン首相率いる保守連合政権は、中国の南太平洋進出に警戒心を抱き、「太平洋ステップアップ政策」を展開している。その一環としてパプアニューギニアのマヌス島の軍港を共同で拡充することに合意している（図8）。一方で、モリソン首相は二〇二〇年に新型コロナウイルスが世界的に流行する中、中国と目されるウイルスの感染源について国際独立調査団を入れるべきと呼び掛け、北京から猛反発を買った。

図8　首相に就任して間もなくバヌアツを訪問して歓待されるスコット・モリソン首相
出典：https://cdn.newsapi.com.au/image/v1/8eac2178a1454b70f462ed00b96d92c6?width=650

これに対して、二〇一九年には豪州産ワインや燃料炭の中国での通関が遅れ、二〇二〇年にはさらに中国当局から豪州産大麦に反ダンピング税が課せられ、豪州産牛肉も衛生上の理由で一部中国への出荷を禁止された。しかし、モリソン政権は主権は譲らないと毅然とした姿勢を構えており、世論調査でも中国への好感度が急落する結果が出てきている。

おわりに

二〇世紀以来オーストラリアは米国の戦争にすべて参戦してきたように、対米同盟をその国防戦略の根幹に据えてきた。一方で、近隣の太平洋島嶼国に対して一定の影響力を及ぼそうとする姿勢は、意図の違いはあれ、今日の東ティモールやソロモン諸島の事例に反映されている。さらに伝統的な異質な勢力のコントロールできない流入への警戒も、今日のボートピープルや中国の外国干渉への対応に色濃くにじみ出ていることが窺われよう。最後にイスラム過激主義や中国の外国干渉の脅威に、オーストラリアの諜報機関は、イスラムコミュニティ、中国コミュニティとの交流を通じて対処しており、それゆえ保守派の政治家などによるこうしたマイノリティへの挑発的な発言をむしろ諫める側に回っている。これこそ多文化社会のオーストラリアらしい対応と言えよう。

〔参考文献〕

福嶋輝彦「オーストラリアと日米同盟」公益財団法人世界平和研究所編『希望の日米同盟――アジア太平洋の海洋安全保障』中央公論新社、二〇一六年
福嶋輝彦「『炭鉱のカナリア』オーストラリアの対中対応」公益財団法人日本国際問題研究所編『中国の対外政策と諸外国の対中政策』二〇二〇年
Gyngell, Allan, *Fear of Abandonment: Australia in the World since 1942*, Carlton, Vic., La Trobe University Press, 2017.

column

ゆっくりと着実に進む日豪安全保障協力

——福嶋輝彦

近年日豪の安全保障協力が著しく進み、「準同盟」といった声さえ聞こえるようになってきた。一見これは最近の中国の急速な軍事的台頭を前にして、ともに米国の同盟国である日豪が連携を強めた結果に見えるかもしれない。しかし、日豪安全保障協力は永年のゆっくりながらも着実な両国間での信頼関係の構築の上に育まれてきたのである。

意外に古い日豪安保協力の歴史

日本軍による捕虜への待遇に対する反感から、戦後初期のオーストラリアは世界でも有数の反日国で、北部海域に日本人を乗せた船が現れたというだけで大騒ぎになるほどであった。しかし従来最大の輸出市場であった英国の将来性が頭打ちに見える中で、現実主義的思考に立ち返ったロバート・メンジース保守連合政権は、新たな貿易パートナーとして日本に期待を寄せ、日豪交渉で主導的役割を果たし、一九五七年には日豪通商協定を締結するに至った。これによって対日経済関係が正常化すると、日豪の官界・経済界の間に信頼関係が醸成されていった。こうして一九六〇年代には日豪資源貿易が急拡大する一方で、日本が経済パートナーとしてだけでなく、アジア関係の情報源としても重要であることが、キャンベラで認識されるようになった。一九七〇年代半ばには、外事諜報機関のオーストラリア秘密情報部が日本の内閣調査室と情報交換を始め、ここに日豪安全保障協力が萌芽した。

一九八〇年に海上自衛隊の艦艇がハワイでの環太平洋合同演習（リムパック）に初めて参加すると、翌年から海上自衛隊とオーストラリア国防軍（ADF）海軍との間で日豪親善訓練が行われるようになった。一九八九年に日本の通産省との連携でアジア太平洋経済協力（ＡＰＥＣ）の設立にこぎつけたオーストラリアの労働党政権は、日本が冷戦後のアジア太平洋地域でリーダーシップ役を担うことを期待し、一九九〇年代には日豪安全保障対話が文官・制服レベルで定着していった。さらにオーストラリアは一九九〇年代初頭という早い時期から、日本の国連安保理常任理事国入りを支持する発言をしており、自ら和平に貢献したカンボジアでのＰＫＯへの自衛隊派遣を熱望した。実際に一九九二年にそれが実現すると、一九九五年には村山富市首相とポール・キーティング首相との間で日豪「パートナーシップに関する共同宣言」が交わされ、両国がアジア太平洋地域の繁栄と緊張の緩和に向けて協力していく方針を確認したのである。

図1　陸上自衛隊イラク復興支援部隊の軽装甲機動車の隊員と現地の少年がサムズアップ
2005年4月からはサマーワの陸自復興支援部隊をADFが護衛に（https://www.wikiwand.com/ja/自衛隊イラク派遣）

日豪安保共同宣言への道

ジョン・ハワード保守連合政権も、小泉純一郎政権が九一一以後のアフガニスタン戦争で対テロ特措法に基づき、海上自衛隊の補給艦をインド洋に派遣し、二〇〇三年からのイラク戦争で陸上自衛隊の復興支援部隊を派遣するのを目の当たりにすると、日本との安全保障協力をさらに強化させようとした。日本が二〇〇二年に日米豪三国戦略対話（ＴＳＤ）事務レベル協議に参加し、二〇〇六年には初のＴＳＤ外相会談が開かれると、機が熟したと見たハワード政権は、日本との安全保障協定締結を求めてきた。オーストラリアとの提携に理解を示す安倍晋三首相が登場すると、二〇〇七年には両国間での対テロ協力などを謳った「日豪安保共同宣言」がハワード首相との間に交され、オーストラリアは米国以外で安全保障文書を交し、外相・国防相会談二プラス二を持つ初めての国となったのである。

ハワード政権下では共同演習などの交流も進み、大量破壊兵器などの臨検のための多国間協力枠組である「拡散防止のためのイニシアティブ（PSI）」の二〇〇三年の第一回多国間訓練をオーストラリアがホストすると、翌年の第二回共同訓練は日本が引き受けている。またイラクに派遣された陸上自衛隊復興支援部隊への護衛のオランダ軍が撤退すると、ハワード政権はイラクに増派しないとの公約を破って、二〇〇五年四月からADFに護衛に当たらせたのである。

サマーワでのアンザック・デー

その護衛が始まって間もなくアンザック・デー（10章参照）がやってくると、サマーワのADF部隊の宿営地で記念式典が行われた。そこには友軍を代表して復興支援部隊隊長ただ一人が参列していた。この光景はNHKに相当するABCの一九時のニュースで全国に放映されたが、筆者もたまたま予告なしにこのシーンをライブで見ることができ、これでオーストラリアにとって日本との戦争の記憶に節目がついたとの想いを強くした記憶がある。

オーストラリアでは戦争の苦い記憶から退役軍人連盟を中心に、日本との交流に反対を唱えることが珍しくなく、一九七〇年代に日本の商社がオーストラリアの鉱山に投資をした際にも、我々の血と汗で守った国土を日本人に売り渡すのかとの声が上がったことがある。日本が経済超大国化した一九八〇年代には、オーストラリアは従来の資源貿易だけでなく急速に増大した日本人観光客や留学生からも大きな経済的恩恵を受けていたにもかかわらず、都市周辺で日本の不動産投資が活発になると、やはり国民の間から警戒の声も上がった。それゆえ自衛隊も様々な規制に縛られていることもあり、日豪安保協力は極力目立たない形で行われ、時間をかけて次の段階にステップアップするという手法が採られてきた。例えば一九八〇年代に始まった日豪親善訓練は、当初はもっぱら日本の海域で行われ、オーストラリアのPSIなど多国間共同演習に日本の艦艇が参加してもオーストラリア国内で異論が上がらないことを確認して、初めて海上自衛隊の艦艇や哨戒機がオーストラリアでの訓練に参加するようになっている。通常なら部隊としてのところを、サマーワで隊長一人でのアンザック式典参列はまさにその典型で、派手な光景ではないものの、それを敢えて国営放送の電波に乗せたところに、オーストラリア側の「もうそろそろ大丈夫だろう」との自信と期待を見て取ることができる。実際このシーンに何の異論も上がることはなかった。自衛隊とADFが真の友軍としてサイド・バイ・サイドで接することが可能になった瞬間である。

日豪安全保障協力の超党派化と加速化

その後日本では民主党、オーストラリアでは労働党へ政権交代が起こるが、物品役務相互提供協定[①]と情報保護協定[②]の締結といったように日豪安保協力は粛々と積み上げられていく。東日本大震災の際にはADF空軍の大型輸送機が陸自部隊や福島第一原発に散水した大型ポンプの輸送に当たっただけでなく、震災の翌月にはジュリア・ギラード首相自ら宮城県南三陸町を慰問に訪れている。二〇一二年の二プラス二では日豪「共通のビジョンと目標」が合意され、日豪二国間関係のみならず、グローバル秩序の維持やアジア太平洋地域の平和と安定なども俯瞰した、従来にない包括的安全保障文書が交わされ、日豪安保協力をめぐり両国で超党派合意が成立していることを示した。

日本で第二次安倍政権、オーストラリアで保守連合政権が成立すると、日豪安保協力は加速化する。二〇一四年には日豪防衛装備品・

図2　2016年4月にシドニー湾での海自のそうりゅう型潜水艦。74年ぶりに日本の潜水艦入港と現地では報道されたが、何事も起きなかった（https://www.lowyinstitute.org/the-interpreter/soryu-class-submarine-arrives-sydney）

技術移転協定が合意される一方で、二〇一五年からは本格的な豪米軍事演習タリスマン・セーバーに自衛隊が参加するようになった。懸案だった円滑化協定も[3]、菅義偉首相にとって初めて迎え入れる外国首脳となったモリソン首相との日豪首脳会談の場で基本的合意に至っている。さらに中国の自己主張の強い行動が激しくなってくると、第一次安倍政権が提唱し、その後労働党政権が不参加を声明しお蔵入りになっていた日米豪印四国戦略対話（QUAD）に、インドが積極的姿勢を見せるようになり、二〇一九年にニューヨークで、二〇二〇年に東京で四国外相会談が開かれた。QUADの枠組では、安全保障だけでなく、新型コロナウイルスの教訓から保健・衛生など多様な分野で連携していく動きが出てきている。さらに日豪両国はフィリピンやベトナムなど東南アジア諸国連合（ASEAN）や南太平洋島嶼国との協力関係を強化するという点においても、近年では安全保障政策の目標を共有するようになっている。

アジアには北大西洋条約機構（NATO）に匹敵する安全保障枠組が欠落している。その中でゆっくりと目立たないながらも着実に成果を蓄積してきた日豪安保協力の事例は、インド太平洋地域の特性に適合した協力のパターンと言えるのではないだろうか。

〔参考文献〕
福嶋輝彦「日本外交における対オーストラリア関係の意味――戦後日豪関係の発展過程――」櫻川明巧他著『日本外交と国際関係』内外出版、二〇〇九年
福嶋輝彦「日豪安全保障協力」高木彰彦・山崎孝史・岩下明裕編『現代地政学事典』丸善出版、二〇二〇年

〔注〕
（1）自衛隊とADFの間で物資や役務を互いに提供する際の手続を定めた協定。
（2）日豪間で相互に提供される国家安全保障上重要な情報を互いに保護する手続を定めた協定。
（3）自衛隊とADFが共同訓練や災害救援で、相手国に一時的に滞在する際の法的地位を定めた協定。

あとがき

鎌田真弓

旅の楽しみは何といっても、日常生活から離れた場所での「発見」にあるだろう。だから、予備知識を持たずに訪れて、その場で何かを感じとる、というのは一つの楽しみ方である。一方で、旅先での出来事を普段の生活目線で眺めると、その違いに違和感を感じてしまって、せっかくの面白い体験を逃してしまうことも少なくない。

本書は、オーストラリアに長期に滞在したり、あるいは旅を重ねたりした執筆者によって書かれている。現地での交流で、自分が変わる経験をしてきた人たちでもある。つまり本書には、オーストラリアでワクワクする体験をするためのヒントが詰まっている。オーストラリアに出かける前に、あるいは旅の途中で読んでいただけると嬉しい。

他方、オーストラリアを良く知る読者諸氏は、本書が移民の到着から始まることを意外に思われるかもしれない。かの大陸には、先住民族の長い歴史と文化が刻まれていて、昨今はそれから話を起こすのが一般的だからだ。また本書は、大陸北部の「僻地」やインドネシアも取り上げている。敢えて「ちょっと違う」構成にしたのは、かの大陸で行き交い、住まい、社会を創り上げてきた人びとの視点から、「オーストラリア」の独自性を紹介したいと考えたからである。日豪関係も、様ざまな場面にちりばめることを心がけた。

このようなオーストラリアの見方は、日本学術振興会科学研究費補助金の二つの共同研究（ともに研究代表者鎌田真弓）「アラフラ海地域における境界管理の相克―『経験知』からみる越境の力学」（二〇一四―一六年）と「隣接国家の『辺境』からみる海境―豪北部海域の領域化と境界のダイナミズム」（二〇一七―一九年）で培われたものである。学際的なメンバーによる刺激的な議論や新たな地での調査は、「オーストラリア」を相対化する試みとなった。

本書の刊行にあたっては、多くの方々の助言や支援をいただいた。写真を提供いただいた方々は各章で記しているが、口絵のブルームの写真は、在パース日本国総領事館広報文化班のご協力を得た。また、オーストラリア在住の金森マユさん、スターク由美子さん、村岡稚恵さん、山田智子さんには、写真の撮影や提供だけでなく、現地での生活や仕事での経験に基づく貴重なアドバイスをいただいた。記してお礼申し上げる。

本書の出版は、在日オーストラリア大使館の助成に負っている。グレッグ・ラルフ政務担当公使、トム・ウィルソン参事官、広報文化部・豪日交流基金の徳仁美さん、古原郁子さん、三瓶雅子さんに感謝申し上げる。また、推薦者になっていただいたディーキン大学デイヴィッド・ウォーカー名誉教授と獨協大学永野隆行教授に、あわせて謝意を表したい。

最後に、本書は昭和堂の「大学的ガイドシリーズ」での最初の海外版である。企画から刊行に至るまで、大石泉さんにご尽力いただいた。

皆様に心より感謝いたします。

おすすめ図書館・博物館・美術館一覧

※2021年1月現在の情報です。

ニューサウスウェールズ州　New South Wales

ニューサウスウェールズ州立美術館　Art Gallery of New South Wales

設立は1871年、正面のネオクラシック様式の堂々たる6本の柱が目を引く。オーストラリア、ヨーロッパ、アジア、そしてアボリジナル・アート等のコレクションが充実し、日本語を含む無料のガイドツアーはお薦め。日本人建築家による「シドニー・モダン・プロジェクト」と称する拡張工事が進行中で、2021年に完成予定。

https://www.artgallery.nsw.gov.au/

(飯笹)

オーストラリア国立海洋博物館　Australian National Maritime Museum

シドニーの観光スポットであるダーリング・ハーバーに位置する国内最大級の海洋博物館。島大陸オーストラリアと海の歴史について知るのに最適な施設である。クック乗艦のエンデバー号を再現した帆船見学ツアーあり。

https://www.sea.museum/

(村上)

オーストラリア現代美術館　Museum of Contemporary Art Australia

1991年に公開され、大規模な改築を経て2012年にリニューアルオープン。サーキュラーキーにあり、国内外の絵画、彫刻、写真、映像など多様な現代アートが充実している。鑑賞の合間にハーバーブリッジやオペラハウスを間近に眺めながら、館内のカフェで一服するのも贅沢なひと時だ。

https://www.mca.com.au/

(飯笹)

ニューサウスウェールズ州立図書館　State Library of New South Wales

1826年に設立されたオーストラリア最古の図書館で、ニューサウスウェールズ州立美術館とは公園を挟んで5分の距離。必見は旧館のミッチェル・ライブラリー。高い壁面の書架やステンドグラスに囲まれた閲覧空間は荘厳な雰囲気を醸し出している。2階のギャラリー・スペースでは様々な展覧会も開催。

https://www.sl.nsw.gov.au/

(飯笹)

クインズランド州　Queensland

クインズランド文化センター　Queensland Cultural Centre

ブリズベンの都心からブリズベン川を渡ったサウスバンク地区に文化センターが南北に広がっている。南側にはコンサートホールや劇場を備えたパフォーミングアーツセンターがあり、クインズランド交響楽団の本拠地となっている。さらにその先にはコンベンション

センターがある。北側には、まず博物館があり、クジラのオブジェが下がる通路を行くと美術館、その先には州立図書館と近代美術館が続く。美術館は、アボリジナル・アートをはじめオーストラリアを代表する画家の作品を鑑賞できる。近代美術館は、アジア・太平洋トリエンナーレや、さまざまな現代美術のユニークな特別展を随時開き注目されている。それぞれがカフェやレストランを併設しており、州立図書館の書店や博物館、近代美術館の売店は品ぞろえも豊富である。州立図書館は Wi-Fi に接続するにもよい。また、文化センターバス駅（Cultural Centre）は、バスの乗り換えに便利である。

https://www.qpac.com.au/, https://www.qm.qld.gov.au/, https://www.slq.qld.gov.au/, https://www.qagoma.qld.gov.au/

（杉田）

ガブ・ティトゥイ（星の旅）・カルチャー・センター（木曜島） Gab Titui Culture Centre（Thursday Island）

トレス海峡諸島民とアボリジナルの人びとの伝統文化の保全と、伝統とハイブリッドした現代アート活動の拠点として2004年に設立された。彫像、リノリウム板加工、木彫、絵画、テラコッタ、真珠貝・真珠の宝飾品などの制作活動、展示。関係書籍・DVD の販売コーナーもある。立地場所は日本人真珠貝出稼ぎ者も楽しんだ屋外映画館の跡地。

https://shop.gabtitui.gov.au/

（松本）

サウスオーストラリア州　South Australia

サウスオーストラリア博物館　South Australian Museum

オーストラリア先住民の歴史や文化を学ぶのに最適な場所。先住民関係の資料は世界最大といわれ、ヨーロッパ人入植以前の伝統的な文化から現代的な文化まで多様な先住民文化に触れることができる。その他、太平洋文化、動植物、鉱物、オパール、南極探検家に関する展示も充実している。

https://www.samuseum.sa.gov.au/

（栗田）

サウスオーストラリア州立図書館　State Library of South Australia

サウスオーストラリア博物館の隣に位置する。近代的な建物の新館と1884年設立の旧館とからなる。新館２階にある備え付けのパソコンで図書館 e リソースをはじめ、サウスオーストラリアの家族史などのデジタルデータにもアクセスできる。グループ学習用のスタディールーム有。Wi-Fi も利用可能。

https://www.slsa.sa.gov.au/home

（栗田）

タスマニア州　Tasmania

ミュージアム・オブ・オールド&ニュー・アート Museum of Old and New Art

他の博物館では見られないような、とても斬新な作品が展示されている。またその建物は砂岩の断崖をくり抜いて地下に潜っていくように造られ、別世界に入っていくような雰囲気を与えていて、建築物としても一見の価値がある。ホバート桟橋からフェリーに乗って海からアクセスするのも良い。ワイナリーと醸造所も併設している。

https://mona.net.au/
（加藤）

ヴィクトリア州　Victoria

ユダヤ博物館　Jewish Museum of Australia

オーストラリアの移民社会の多様性を示す博物館の１つ。オーストラリアにやってきたユダヤ人の旧世界での体験と移民後の歴史が展示されている。
https://www.jewishmuseum.com.au/
メルボルンにはそのほかにユダヤ・ホロコースト・センター（Jewish Holocaust Centre https://www.jhc.org.au/）もある。
（加藤）

中国系オーストラリア人歴史博物館（チャイニーズ・ミュージアム） Museum of Chinese Australian History

メルボルンのチャイナタウンにあり、かつて家具倉庫だった赤煉瓦の建物の入り口で２頭の獅子の石像が迎えてくれる。1985年に非営利組織として設立され、地元自治体を含む幅広い支援を受け運営。巨大な祭り用のドラゴンやコールドラッシュ時代の生活を再現した地下の展示は圧巻。地元の小学生も授業で見学に来ている。
https://www.chinesemuseum.com.au/
（飯笹）

ミュージアム・ヴィクトリア　Museums Victoria

オーストラリアでも最大の博物館で、メルボルン博物館、移民博物館、科学博物館の３博物館等からなる。全て見ると一日かかるが州の自然史、先住民文化、移民文化、科学展示がある。特に「マインド―迷宮の中心」展示は必見。
https://museumsvictoria.com.au/
（飯嶋）

ヴィクトリア国立美術館　National Gallery of Victoria

1861年に設立された国内最古の公立美術館。２館から成り、メルボルンを流れるヤラ川の南岸にある「NGV インターナショナル」では世界中の美術作品を展示。ヤラ川北側岬の「イアン・ポッター・センター」は先住民の工芸や植民地時代から現代までに国内で生み出されたアート作品の一大「宝庫」となっている。
https://www.ngv.vic.gov.au/
（飯笹）

ヴィクトリア州立図書館　State Library Victoria

キャンベラができるまでメルボルンが暫定首都であったことを実感させられる壮大な建築。1856年開館。フリンダーズストリート駅からも近い。「世界で最も美しい図書館」と称される８角形６層のドーム型閲覧室と書架は圧巻。Heritage Collections Room は要予約だが開拓初期の資料も多い。
https://www.slv.vic.gov.au/
（南出）

ウェスタンオーストラリア州　Western Australia

ウェスタンオーストラリア州立図書館　State Library of Western Australia

パース駅の北口を出てすぐという「駅近」。1985年に新築されたメインビルディングはモダンで明るい。１階は多目的利用の市民でにぎわうが、上層階にはウエスタンオーストラリア州関連資料のフロアーがあり、開架図書なら容易にコピーできる。１階ブックショップはローカル出版物も充実。

https://www.slwa.wa.gov.au/

（南出）

ウェスタンオーストラリア海洋博物館　Western Australian Maritime Museum

パースから電車で30分ほどの港町フリマントルに位置する。インド洋を臨む海岸線沿いにあり、かつてこの地に何千人という英国からの移民が最初に降り立った。ラガー船を含む真珠貝産業に関わる展示も充実している。

http://museum.wa.gov.au/museums/maritime/

（村上）

ブルーム歴史博物館　Broome Historical Museum

チャイナタウンから南へ車で５分ほど、本館は1890年代に雑貨店として建てられた後、税関事務所として利用されていた。ブルームの多様性を知ることができ、第３章でのトピック以外にも、地域の先住民関連の展示等がある。

https://broomemuseum.org.au/broome-museum/

（村上）

首都特別地区　Australian Capital Territory

国立戦争記念館　Australian War Memorial

追悼施設・展示館・資料室の３つの機能を持ち、入館料は無料。ミュージアムショップはオーストラリア軍事史の書籍が充実している。手入れの行き届いた庭園には戦争記念碑が点在し、ガリポリから種を持ち帰ったローン・パインが枝を茂らせている。

https://www.awm.gov.au/

（鎌田）

オーストラリア・デモクラシー博物館（旧連邦議会）
Museum of Australian Democracy（Old Parliament House）

1927年から1988年まで連邦議会として使用されていた。議場や首相執務室などを見学できるほか、オーストラリア政治に関する様々な展示品がある。政治風刺画の展覧会が行われることもあり、オーストラリア政治に関心があれば外せない場所である。レストランやカフェもある。

https://www.moadoph.gov.au/

（杉田）

国立美術館　National Gallery of Australia

特別展以外は入館料無料。海外の作品も多いが、植民地期のオーストラリア印象派や先住民の作品のコレクションが充実している。正面入口にカフェが、館内には軽食堂があり、

ショップはオーストラリアン・アートに関する書籍が揃っている。
https://nga.gov.au/
(鎌田)

国立図書館　National Library of Australia

短期滞在者でも利用者証が発行され、宿からネットで閲覧予約ができる。閲覧室や食堂ではWi-Fiの接続が可能。特別展や特別講演会が開催されることもあり、正面ホールにはお洒落なカフェやブックショップがある。
https://www.nla.gov.au/
(鎌田)

国立博物館　National Museum of Australia

オーストラリアの自然・人びとの営みと産業・オーストラリアの歴史と文化が展示されている。特別展以外は入館料は無料で、展示案内ツアーもある。ミュージアムショップはオーストラリアのクラフトが揃っている。
https://www.nma.gov.au/
(鎌田)

オーストラリア連邦議会　Parliament of Australia

1988年にオープンした連邦議会には、歴代首相や両院議長、連邦総督、アボリジナル議員らの肖像画が展示されているギャラリーとしての側面もある。各首相の肖像画からその人となりを想像することも楽しい。売店にはオーストラリア政治に関する書籍や土産物も充実している。Wi-Fiもあり、カフェを利用することもできる。
https://www.aph.gov.au/
(杉田)

ノーザンテリトリー　Northern Territory

ノーザンテリトリー博物館・美術館
Museum and Art Gallery of the Northern Territory

入館料無料。博物館ではノーザンテリトリーの地誌に加え、ボートピープルが使った船や真珠貝漁用船舶、インドネシアのランボ帆船などの実物展示スペースが興味深い。美術館は先住民アートの展示が素晴らしい。海に面したカフェで手頃なランチが楽しめる。
https://www.magnt.net.au/
(鎌田)

ノーザンテリトリー図書館　Northern Territory Library

ノーザンテリトリー議会に併設されており、NTコレクションが充実。短期滞在者でも利用可能で、Wi-Fiの接続も可能。日本軍による爆撃で10人の犠牲者を出した郵便局の跡地に建てられており、正面ホールの床にはそれを記したプレートが、図書館入口には郵便局の外壁が埋め込まれて、歴史背景を記している。
https://ntl.nt.gov.au/
(鎌田)

アリススプリングス・デザートパーク　Alice Springs Desert Park

中央砂漠地帯の生きている動植物を見るには最適の場所。同じ植物についても各所で何度も違った解説が付き、夜行性の動物についても見られる。なかなか聞けない先住民自身の使用法についてもオーディオ解説がついている。

https://alicespringsdesertpark.com.au/

（飯嶋）

アリススプリングス公立図書館　Alice Springs Public Library

中央砂漠地帯で最もアクセスのよい図書館が町役場と隣り合わせのこの図書館である。児童用、一般用の他、一番奥に、中央砂漠一帯の研究書籍をそろえているし、地元紙のバックナンバーも閲覧複写できる。

https://alicesprings.nt.gov.au/recreation/library

（飯嶋）

アラルーアン文化施設地区　Araluen Cultural Precinct

中央砂漠博物館、シュトレロー・リサーチ・センター、アラルーアン・アート・センター等からなり、中央砂漠地帯の自然史から、アボリジナル・アート、移民の歴史等について物に基づいて知るには最適の場所。カフェもある。

https://araluenartscentre.nt.gov.au/

（飯嶋）

（編集責任　村上 雄一）

オーストラリアの大学リスト

オーストラリアを訪れた際、大学に行ってみるのはどうだろう？　オーストラリアには、以下に示した公立大学が各地にある（私立大学もカトリック大学など数校あるが、国内では特殊な位置づけであり今回はリストから省略した）。シドニー、メルボルン、アデレードなど植民地時代にさかのぼる大学は、砂岩で作られた校舎が立ち並び別名 Sandstone Universities と呼ばれている。こういった「名門」大学は、州立美術館や州立博物館と並ぶ都心の文化地域にあるアデレード大学はじめ、シドニー大学やメルボルン大学は都心から徒歩圏内にある。クインズランド大学は、ブリズベン川を遡る「シティ・キャット」を使うとよい。

1960年代に創立されたフリンダーズ大学、グリフィス大学、マクウォリー大学などは、都心から公共交通機関で30分ほど、自然豊かな中にキャンパスがあり、クカバラ（ワライカワセミ）の鳴き声を耳にするかもしれない。

残念ながら大学構内の Wi-Fi は学生や教職員でなければ利用できない場合が多いが、カフェなど食事ができるところも多くあり、例えばフリンダーズ大学には、市内で評判のアフガニスタン料理レストランが店を出している。

ニューサウスウェールズ州　New South Wales

- チャールズ・スタート大学　Charles Sturt University – Albury-Wodonga, Wagga Wagga, Orange など州内 6 地方都市
- マクウォリー大学　Macquarie University – North Ryde（Sydney）
- サザンクロス大学　Southern Cross University – Lismore, Coffs Harbour
- ニューイングランド大学　University of New England – Armidale
- ニューサウスウェールズ大学　University of New South Wales – Kensington（Sydney）
- ニューカースル大学　University of Newcastle – Newcastle
- シドニー大学　University of Sydney – Camperdown（Sydney）
- シドニー工科大学　University of Technology, Sydney – Ultimo（Sydney）
- ウーロンゴン大学　University of Wollongong – Wollongong
- ウェスタンシドニー大学　Western Sydney University – Bankstown Campbelltown, Parramatta, Liverpool, Penrith などシドニー西郊外各所

クインズランド州　Queensland

- セントラルクインズランド大学　Central Queensland University（CQUniversity） – Rockhampton など州内 6 地方都市
- グリフィス大学　Griffith University – Nathan, Mount Gravatt（Brisbane）,

Gold Coast
・ジェームズ・クック大学　James Cook University – Townsville, Cairns
・クインズランド工科大学　Queensland University of Technology – Kelvin Grove, Gardens Point（Brisbane）
・クインズランド大学　University of Queensland – St Lucia（Brisbane）
・サザンクインズランド大学　University of Southern Queensland – Toowoomba
・サンシャイン・コースト大学　University of the Sunshine Coast – Sunshine Coast

サウスオーストラリア州　South Australia
・フリンダーズ大学　Flinders University – Bedford Park（Adelaide）
・アデレード大学　University of Adelaide – North Terrace（Adelaide）
・サウスオーストラリア大学　University of South Australia – Adelaide 市内、郊外、州内6か所

タスマニア州　Tasmania
・タスマニア大学　University of Tasmania – Hobart, Launceston

ヴィクトリア州　Victoria
・ディーキン大学　Deakin University – Geelong, Burwood（Melbourne）
・フェデレーション大学　Federation University of Australia – Ballarat
・ラトローブ大学　La Trobe University – Bundoora（Melbourne）, Bendigo
・モナシュ大学　Monash University – Caulfield, Clayton（Melbourne）
・RMIT 大学　RMIT University – Melbourne
・スウィンバーン工科大学　Swinburne University of Technology – Hawthorn（Melbourne）
・メルボルン大学　University of Melbourne – Parkville（Melbourne）
・ヴィクトリア大学　Victoria University – Footscray（Melbourne）

ウェスタンオーストラリア州　Western Australia
・カーティン大学　Curtin University – Bentley（Perth）
・イーディス・カワン大学　Edith Cowan University – Joondalup（Perth）, Bunbury
・マードック大学　Murdoch University – Murdoch（Perth）, Mandurah, Rockingham
・ウェスタンオーストラリア大学　University of Western Australia – Crawley（Perth）

首都特別地区　Australian Capital Territory

・オーストラリア国立大学　Australian National University – Acton (Canberra)
・キャンベラ大学　University of Canberra – Bruce (Canberra)

ノーザンテリトリー　Northern Territory

・チャールズ・ダーウィン大学　Charles Darwin University – Darwin

（責任編集　杉田弘也）

事項索引

●あ行●

●か行●

●さ行●

●た行●

●な行●

●は行●

●ま行●

●や行●

●ら行●

●わ行●

地名索引

（オーストラリアの地名のみ英語表記を付した）

●あ行●

●か行●

●さ行●

●た行●

●な行●

●は行●

●ま行●

●や行●

●ら行●

人名索引

●あ行●

●か行●

●さ行●

●た行●

●な行●

●は行●

●ま行●

●や行●

●ら行●

●わ行●

執筆者一覧（執筆順: 氏名／所属〔2021年 4月現在〕／専門分野／主要業績）

鎌田真弓（かまだ・まゆみ）／名古屋商科大学国際学部教授／オーストラリア研究／『日本とオーストラリアの太平洋戦争―記憶の国境線を問う』（編著）御茶の水書房、2012年など

南出眞助（みなみで・しんすけ）／追手門学院大学国際教養学部教授／港湾と水運の地理学研究／『景観史と歴史地理学』（共著）吉川弘文館、2018年など

松本博之（まつもと・ひろゆき）／奈良女子大学名誉教授／文化地理学／『絶滅危惧種を喰らう』（分担執筆）勉誠出版、2020年など

村上雄一（むらかみ・ゆういち）／福島大学行政政策学類教授／日豪関係史・歴史学／『オーストラリア多文化社会論―移民・難民・先住民との共生をめざして』（共著）法律文化社、2020年など

田村恵子（たむら・けいこ）／オーストラリア国立大学アジア太平洋学部名誉上級講師／日豪交流史／『日本とオーストラリアの太平洋戦争―記憶の国境線を問う』（共著）御茶の水書房、2012年など

長津一史（ながつ・かずふみ）／東洋大学社会学部教授／東南アジア研究・文化人類学／『国境を生きる―マレーシア・サバ州、海サマの動態的民族誌』木犀社、2019年など

間瀬朋子（ませ・ともこ）／南山大学外国語学部准教授／インドネシア研究／『現代インドネシアを知るための60章』（共編著）明石書店、2013年など

飯笹佐代子（いいざさ・さよこ）／青山学院大学総合文化政策学部教授／多文化社会論／『シティズンシップと多文化国家―オーストラリアから読み解く』日本経済評論社、2007年など

栗田梨津子（くりた・りつこ）／神奈川大学外国語学部准教授／文化人類学／『多文化国家オーストラリアの都市先住民―アイデンティティの支配に対する交渉と抵抗』明石書店、2018年など

飯嶋秀治（いいじま・しゅうじ）／九州大学人間環境学研究院准教授／共生社会学／『オーストラリア先住民と日本―先住民学・交流・表象』（共著）御茶の水書房、2014年など

湊圭史（みなと・けいじ）／松山大学人文学部教授／アメリカ文学、オセアニア文化／『スラップ（オーストラリア現代文学傑作選）』（翻訳、クリストス・チョルカス著）現代企画室、2015年など

加藤めぐみ（かとう・めぐみ）／明星大学人文学部教授／英語圏文学、オーストラリア地域研究／『オーストラリア文学にみる日本人像』東京大学出版会、2013年など

杉田弘也（すぎた・ひろや）／ 神奈川大学経営学部教授／オーストラリア政治／『アイデンティティと政党政治』（共著）ミネルヴァ書房、2019年など

内海愛子（うつみ・あいこ）／大阪経済法科大学アジア太平洋研究センター特任教授・所長／歴史社会学／『朝鮮人BC級戦犯の記録』勁草書房、1982年のちに岩波現代文庫、2015年など

福嶋輝彦（ふくしま・てるひこ）／金沢工業大学国際学研究所客員研究員／オーストラリアの外交・安全保障／『希望の日米同盟』（分担執筆）中央公論新社、2016年など

大学的オーストラリアガイド―こだわりの歩き方

2021年6月25日　初版第1刷発行

編　者　鎌田　真弓

発行者　杉田　啓三

〒607-8494 京都市山科区日ノ岡堤谷町3-1

発行所　株式会社　昭和堂

振込口座　01060-5-9347

TEL (075) 502-7500 ／ FAX (075) 502-7501

ホームページ　http://www.showado-kyoto.jp

印刷　亜細亜印刷

ISBN 978-4-8122-2016-0

乱丁・落丁本はお取り替えいたします。

Printed in Japan

パプアニューギニア
独立国
ココダ
トレス海峡
サイバイ島
マリー
諸島
ポートモレスビー
木曜島
ケープヨーク半島
珊瑚海
カーペンタリア
湾
リー
ケアンズ
タウンズヴィル
クインズランド州
スプリングス
太平洋
トゥウンバ
ブリズベン
トラリア州
ニューサウスウェールズ州
ブロークンヒル
ガスタ
インディアン・パシフィック号
バサースト
ニューカースル
カウラ
シドニー
アデレード
ウーロンゴン
キャンベラ
首都特別地区
ベンディゴウ
バララト
メルボルン
ヴィクトリア州
タスマニア州
ホバート